Sortilèges

Sortilèges

APRILYNNE PIKE

Traduit de l'anglais par
Lynda Leith

ADA
éditions

Copyright © 2010 Aprilynne Pike

Titre original anglais : Spells

Copyright © 2010 Éditions AdA Inc. pour la traduction française

Cette publication est publiée en accord avec HarperCollins Publishers

Éditeur : François Doucet

Traduction : Lynda Leith

Révision linguistique : Isabelle Veillette

Correction d'épreuves : Nancy Coulombe, Carine Paradis

Montage de la couverture : Matthieu Fortin

Illustration de la couverture : © 2010 Mark Tucker/MergeLeft Reps, Inc.

Mise en pages : Sébastien Michaud

ISBN 978-2-89667-066-6

Première impression : 2010

Dépôt légal : 2010

Bibliothèque et Archives nationales du Québec

Bibliothèque Nationale du Canada

Éditions AdA Inc.

1385, boul. Lionel-Boulet

Varennes, Québec, Canada, J3X 1P7

Téléphone : 450-929-0296

Télécopieur : 450-929-0220

www.ada-inc.com

info@ada-inc.com

Diffusion

Canada :	Éditions AdA Inc.
France :	D.G. Diffusion
	Z.I. des Bogues
	31750 Escalquens — France
	Téléphone : 05.61.00.09.99
Suisse :	Transat — 23.42.77.40
Belgique :	D.G. Diffusion — 05.61.00.09.99

Imprimé au Canada

Participation de la SODEC.

Nous reconnaissons l'aide financière du gouvernement du Canada par l'entremise du Programme d'aide au développement de l'industrie de l'édition (PADIÉ) pour nos activités d'édition.

Gouvernement du Québec — Programme de crédit d'impôt pour l'édition de livres — Gestion SODEC.

Catalogage avant publication de Bibliothèque et Archives nationales du Québec et Bibliothèque et Archives Canada

Pike, Aprilynne

Sortilèges

Traduction de : Spells.

Pour les jeunes de 13 ans et plus.

ISBN 978-2-89667-066-6

I. Leith, Lynda. II. Titre.

PZ23.P5549So 2010   j813'.6   C2010-940790-3

À Kenny : pour toutes les petites choses.
Et les grandes choses.
Et tout ce qu'il y a entre les deux.
Merci.

UN

Laurel se tenait devant la maisonnette en bois, fouillant du regard la lisière du bois, sa gorge se serrant sous l'effet d'une soudaine poussée de nervosité. Il était là, quelque part, à l'observer. Le fait de ne pas l'apercevoir ne signifiait rien.

Non que Laurel ne souhaitait pas le voir. Parfois, elle le désirait beaucoup trop. Développer une relation avec Tamani, c'était comme jouer dans une rivière bouillonnante. Avancez un pas de trop, et le courant ne vous relâchera jamais. Elle avait choisi de rester avec David et il s'agissait, elle le croyait encore, du bon choix. Cependant, cela ne facilitait pas cette rencontre.

Ni n'empêchait ses mains de trembler.

Elle avait promis à Tamani de venir lorsqu'elle obtiendrait son permis de conduire. Même si elle n'avait pas précisé la date, elle *avait* dit en mai. Juin s'achevait à présent. Il devait savoir qu'elle l'évitait. Il devait se trouver ici maintenant — il serait le premier à s'avancer à sa rencontre —, et elle ignorait si elle devait être excitée

1

ou effrayée. Ses sentiments s'emmêlèrent et se transformèrent en un mélange d'émotions grisantes jamais éprouvées auparavant, et qu'elle n'était pas trop certaine de vouloir revivre un jour.

Laurel découvrit qu'elle serrait fortement la minuscule bague offerte par Tamani l'an passé, celle qu'elle portait au bout d'une mince chaîne attachée à son cou. Elle avait essayé de ne pas penser à lui ces six derniers mois. *Essayé*, admit-elle en elle-même, *et échoué*. Elle s'obligea à détacher ses doigts d'autour du petit anneau et tenta de laisser ses bras se balancer normalement et avec assurance le long de son corps en marchant vers la forêt.

Alors que les ombres des branches tombaient sur elle, un éclair vert et noir s'élança en bas d'un arbre et souleva Laurel. Elle cria de terreur, puis de joie.

— T'ai-je manqué? s'enquit Tamani avec ce même demi-sourire charmeur qui l'avait ensorcelée lors de leur première rencontre.

Instantanément, c'était comme si les six derniers mois n'avaient jamais existé. Seulement de le voir, de le sentir si près d'elle, cela faisait fondre toutes ses peurs, disparaître toutes ses pensées... toutes ses résolutions. Laurel enroula ses bras autour de lui et le serra aussi fort qu'elle le pouvait. Elle désirait ne jamais le lâcher.

— Je vais prendre cela pour un oui, dit Tamani avec un gémissement.

Elle s'obligea à le libérer et à reculer. Aussi bien tenter de faire couler une rivière à contre-courant. Toutefois, après quelques secondes, elle réussit et elle se contenta de patienter en silence en le dévorant des yeux. Ces mêmes cheveux noirs un peu longs, ce sourire vif, ces yeux verts hypnotiseurs. Un trouble s'abattit sur Laurel ; elle fixa ses chaussures, un peu mal à l'aise à cause de son accueil empressé, et ne sachant pas quoi dire à présent.

— Je t'attendais plus tôt, dit enfin Tamani.

Elle trouvait ridicule, maintenant qu'elle était en sa compagnie, d'avoir éprouvé des craintes. Cependant, Laurel se souvenait encore de la boule de peur glaciale dans son estomac chaque fois qu'elle songeait à revoir Tamani.

— Je suis désolée.

— Pourquoi n'es-tu pas venue ?

— J'avais peur, répondit-elle avec franchise.

— De moi ? demanda le garçon en souriant.

— En quelque sorte.

— Pourquoi ?

Elle prit une profonde respiration. Il méritait la vérité.

— C'est trop facile d'être avec toi. Je ne me fais pas confiance.

Tamani afficha un large sourire.

— J'imagine que je ne peux pas trop m'insurger contre cela.

Laurel leva les yeux au ciel. Sa longue absence n'avait certainement pas refroidi son attitude provocatrice.

— Comment se passent les choses ?

— Pas mal. Bien. Tout va bien, bafouilla-t-elle.

Il hésita.

— Comment vont tes amis ?

— Mes amis ? dit Laurel. Pourrais-tu te montrer plus clair ?

Laurel toucha inconsciemment le bracelet en argent à son poignet. Le regard de Tamani suivit le mouvement.

Il donna un coup de pied dans la terre.

— Comment se porte David ? demanda-t-il enfin.

— Il va très bien.

— Est-ce que vous…

Il laissa planer sa question.

— Sommes-nous ensemble ?

— J'imagine que c'est cela.

Tamani jeta un autre coup d'œil au bracelet en argent finement ciselé. La frustration assombrissait ses traits, transformant en fureur la curiosité dans son regard, mais il l'effaça d'un sourire.

Le bijou était un cadeau de David. Il le lui avait offert juste avant Noël l'an dernier, quand ils étaient officielle-ment devenus un couple. Il était façonné comme une délicate vigne en argent avec de minuscules fleurs s'épa-nouissant autour de centres en cristal. Il ne l'avait pas formulé ainsi, mais Laurel le soupçonnait de vouloir compenser la bague de fée qu'elle portait tous les jours. Elle ne supportait pas l'idée de ranger le petit anneau et, fidèle à sa promesse, chaque fois qu'elle songeait à la bague, elle songeait à Tamani. Elle éprouvait encore des sentiments pour lui. Des sentiments déchirants et mitigés, en grande partie ; mais suffisamment puissants pour la faire sentir coupable quand ses pensées s'aventuraient dans cette direction.

David était tout ce qu'elle pouvait désirer chez un petit ami. Tout, sauf ce qu'il n'était pas et ne serait jamais. Toutefois, Tamani ne serait jamais David non plus.

— Oui, nous le sommes, répondit-elle finalement.

Tamani garda le silence.

— J'ai besoin de lui, Tam, affirma-t-elle, la voix douce, mais non contrite.

Elle ne pouvait pas s'excuser d'avoir choisi David — elle ne le ferait pas.

— Je t'ai déjà dit de quoi il retournait.

— Bien sûr.

Il fit courir ses mains le long des bras de la jeune fille.

— Toutefois, il n'est pas ici maintenant.

— Tu sais que je ne pourrais pas, s'obligea-t-elle à répliquer.

Mais ce n'était qu'un murmure.

Tamani soupira.

— Je vais simplement devoir l'accepter, non ?

— À moins que tu ne veuilles vraiment que je reste seule.

Il lança un bras autour de ses épaules — amicalement cette fois.

— Je ne pourrais jamais souhaiter cela pour toi.

Elle plaça ses bras autour de lui et le serra.

— Pourquoi cette étreinte ? s'enquit Tamani.

— Juste parce que tu es toi.

— Bien, je ne vais certainement pas refuser un câlin, dit-il.

Son ton était nonchalant, blagueur, mais il enroula son autre bras étroitement autour d'elle, presque avec désespoir. Avant qu'elle ne puisse s'écarter, par contre, son bras retomba, puis il pointa le sentier.

— Viens, lança Tamani. C'est par là.

La bouche de Laurel se dessécha. Le temps était arrivé.

Enfonçant sa main dans sa poche, Laurel toucha la carte embossée, probablement pour la centième fois. Elle était apparue sur son oreiller un matin au début de mai, scellée à la cire et attachée avec un ruban argenté scintillant. Le message était bref — trois petites phrases —, mais il changeait tout.

En raison de la nature terriblement inadéquate de ton éducation, tu es convoquée à l'Académie d'Avalon.

Tu es priée de te rapporter au portail en milieu de matinée, le premier jour de l'été. Ta présence sera requise pendant huit semaines.

Terriblement inadéquat. Sa mère n'avait pas été trop heureuse de lire cela. Mais alors, sa mère n'avait pas non plus été enchantée par tout ce qui avait trait aux fées dernièrement. Après la révélation initiale que Laurel était une fée, les choses s'étaient étonnamment bien passées. Ses parents avaient toujours su qu'il y avait quelque chose de différent à propos de leur fille adoptive. Aussi folle que soit la vérité en fin de compte — Laurel était un scion, une enfant-fée laissée aux soins de ses parents afin qu'elle hérite de la terre sacrée des fées —, ils l'avaient acceptée avec une facilité étonnante, du moins au début. L'attitude de son père ne s'était pas modifiée, mais au cours des quelques derniers mois, sa mère avait de plus en plus paniqué à l'idée que Laurel ne soit pas humaine. Elle avait cessé d'y faire allusion, puis même refusé d'en entendre parler, et les choses avaient atteint un point critique quand Laurel avait reçu l'invitation. Enfin, une convocation, vraiment. Cela avait nécessité des tas d'arguments de la part de Laurel — et pas mal de persuasion de son père — pour que sa mère accepte de la laisser partir. Comme si, d'une façon ou d'une autre, elle allait revenir encore moins humaine qu'avant son départ.

Laurel était contente d'avoir négligé de leur parler des trolls; elle ne doutait pas du tout que si elle l'avait fait, elle ne serait pas ici aujourd'hui.

— Es-tu prête? demanda Tamani avec insistance, sentant l'hésitation de Laurel.

Prête ? Laurel ignorait si elle serait un jour prête pour ceci... ou pour moins que cela.

En silence, elle le suivit à travers la forêt, les arbres filtrant la lumière et jetant de l'ombre sur eux pendant leur randonnée. Le sentier n'en était guère un, mais Laurel savait où il menait. Sous peu, ils arriveraient devant un petit arbre noueux, une espèce unique dans ce bois, mais sinon d'apparence banale. Bien qu'elle ait passé douze ans de sa vie à vivre ici à explorer la terre, elle avait vu cet arbre seulement une fois auparavant : quand elle avait ramené Tamani après son combat avec les trolls, blessé et à peine lucide. La dernière fois, elle avait été témoin de la transformation de l'arbre et avait brièvement aperçu ce qu'il y avait au-delà. Aujourd'hui, elle traverserait le portail.

Aujourd'hui, elle verrait Avalon de ses yeux.

Pendant qu'ils s'enfonçaient plus profondément dans la forêt, d'autres fées leur emboîtèrent le pas, et Laurel s'obligea à ne pas s'étirer le cou pour les fixer. Elle ignorait si elle s'habituerait un jour à ces belles sentinelles silencieuses qui ne lui parlaient jamais et croisaient rarement son regard. Elles étaient toujours là, même quand elle ne les voyait pas. Elle le savait maintenant. Elle se demanda brièvement combien parmi elles veillaient sur elle depuis son enfance, mais la honte était trop grande. Ses parents surveillant ses cabrioles enfantines c'était une chose ; des sentinelles anonymes surnaturelles, c'était complètement autre chose. Elle avala sa salive, se concentra sur la route et tenta de se changer les idées.

Ils arrivèrent bientôt, émergeant à travers un bosquet de séquoias regroupés autour du vieil arbre tordu pour le protéger. Les fées formèrent un demi-cercle et sur un geste sec de Shar — le chef des sentinelles —, Tamani dégagea sa main de l'étau que constituait celle de Laurel pour les rejoindre. Debout au milieu de la douzaine de sentinelles, Laurel serra les sangles de son sac à dos. Sa respiration s'accéléra à mesure que chaque garde posait une main contre l'écorce de l'arbre, exactement là où son gros tronc se séparait en deux grosses branches. Puis, l'arbre se mit à vibrer pendant que les rayons de soleil dans la clairière semblaient se rassembler autour de ses branches.

Laurel était décidée à garder les yeux ouverts cette fois, pour observer toute la transformation. Mais alors même qu'elle plissait résolument les paupières pour se protéger de la lumière vive, un éclair brillant l'obligea à les fermer complètement pendant un très bref instant. Quand elles s'entrouvrirent de nouveau, l'arbre avait pris la forme du portail en arche, fait de grandes barres dorées entrelacées de vignes grimpantes parsemées de fleurs mauves. Deux solides poteaux installés de chaque côté du portail l'ancraient dans le sol, mais à part cela, il tenait tout seul dans la forêt ensoleillée. Laurel relâcha la respiration qu'elle avait retenue inconsciemment, seulement pour recommencer quand les grilles du portail s'ouvrirent vers elle.

Une chaleur tangible s'échappa du portail, et même à trois mètres, Laurel reçut une bouffée de l'odeur de la vie et de la végétation en croissance qu'elle reconnut de ses années de jardinage avec sa mère. Mais celle-ci était plus forte : un parfum pur de lumière du soleil embouteillée. Elle sentit ses pieds commencer à bouger de leur propre chef et elle avait presque passé le portail quand elle fut surprise de voir que Tamani était sorti des rangs et avait délicatement enroulé sa main dans la sienne. Une caresse sur son autre main l'incita à regarder par le portail.

Jamison, la vieille fée d'hiver qu'elle avait rencontrée l'automne dernier, souleva la main libre de Laurel et la déposa sur son bras, comme un gentleman dans un film sur la monarchie. Il sourit cordialement mais ostensiblement à Tamani.

— Merci de nous avoir amené Laurel, Tam. Je prendrai la relève à partir d'ici.

La main de Tamani ne retomba pas tout de suite.

— Je viendrai te voir la semaine prochaine, dit-il doucement, mais sans murmurer.

Ils restèrent là tous les trois pendant quelques secondes, figés dans le temps. Puis, Jamison inclina la tête et la hocha une fois en direction de Tamani. Ce dernier fit un signe de tête en retour et reprit sa place dans le demi-cercle.

Laurel sentit son regard sur elle, mais son visage se retournait déjà vers l'éclatante lumière s'échappant du portail doré. L'attrait d'Avalon était trop fort pour s'attarder, même sur le vif regret qu'elle ressentait à quitter Tamani si vite après leurs retrouvailles. Cependant, il viendrait bientôt la voir.

Jamison avança juste à l'intérieur de l'arche dorée et fit signe à Laurel de le suivre, relâchant sa prise sur la main posée sur son bras.

— Bienvenue chez toi, Laurel, dit-il d'une voix douce.

La respiration coincée dans la gorge, Laurel s'avança d'un pas et traversa le seuil du portail, mettant les pieds pour la première fois dans Avalon. *Pas vraiment la première fois*, se rappela-t-elle. *Je viens d'ici.*

Pendant un moment, elle ne vit que les feuilles d'un immense chêne en surplomb et de la terre sombre à ses pieds, bordés d'une somptueuse pelouse émeraude. Jamison la guida hors de la canopée de feuillage et la lumière du soleil brilla sur son visage, réchauffant ses joues instantanément et la faisant cligner des yeux.

Ils se trouvaient dans un genre de parc entouré d'un mur. Des sentiers de riche terre noire serpentaient à travers la verdure qui s'élevait contre un mur de pierres. Laurel n'avait jamais vu un mur de pierres aussi haut — construire un tel mur sans béton avait dû exiger des décennies. Le jardin était parsemé d'arbres et de longues vignes feuillues rampant sur les troncs et s'enroulant autour des branches. Elle apercevait des fleurs sur toutes les vignes, mais elles étaient bien fermées pour se protéger de la chaleur du jour.

Elle pivota pour regarder le portail. Il était clos à présent, et derrière les barres dorées, elle ne voyait que l'obscurité. Il se trouvait au milieu du parc et il n'était lié à rien ; il était seulement là, droit, entouré par une vingtaine de sentinelles, uniquement des femmes. Laurel inclina la tête. Il y *avait* quelque chose. Elle esquissa un pas et des lances avec de larges lames dont la pointe semblait faite de cristal se croisèrent sous ses yeux.

— Ça va, capitaine, intervint la voix de Jamison derrière Laurel. Elle peut regarder.

Les lances s'écartèrent et Laurel s'avança, certaine que ses yeux lui jouaient des tours. Mais non, à l'angle du portail, il y en avait un autre. Laurel poursuivit sa route jusqu'à ce qu'elle ait tourné autour de quatre portails, liés par de solides poteaux que Laurel reconnut comme étant les mêmes que de l'autre côté du portail. Chaque poteau reliait deux portails, formant un carré parfait autour de l'étrange obscurité qui persistait derrière eux, malgré le fait qu'elle aurait dû être capable de regarder à travers les barres et voir les sentinelles montant la garde de l'autre côté.

— Je ne comprends pas, déclara Laurel en reprenant sa place à côté de Jamison.

— Ton portail n'est pas le seul, répondit-il avec un sourire.

Laurel se souvint vaguement avoir entendu Tamani parler de quatre portails l'automne dernier, quand elle était revenue vers lui, battue et contusionnée après avoir été lancée dans la rivière Chetco par les trolls.

— Quatre portails, dit-elle doucement, repoussant cet épisode déplaisant de sa mémoire.

— Aux quatre coins de la Terre. D'un seul pas, tu pourrais te retrouver à la maison, dans les montagnes du Japon, les Highlands de l'Écosse ou à l'embouchure du Nil en Égypte.

— C'est incroyable, ajouta Laurel en fixant le portail.

Des portails ?

— Des milliers de kilomètres en un seul pas.

— Et l'endroit le plus vulnérable d'Avalon, reprit Jamison. Brillant, par contre, ne crois-tu pas ? Tout un exploit. Les portails ont été fabriqués par le roi Obéron, au prix de sa vie, mais c'est la reine Isis qui a masqué les portails de l'autre côté, il y a de cela seulement quelques centaines d'années.

— La déesse égyptienne ? demanda Laurel en retenant son souffle.

—. Juste nommée en l'honneur de la déesse, répondit Jamison en souriant. Autant nous aimerions croire le contraire, tous les personnages importants de l'histoire de l'humanité ne sont pas des fées. Viens, mes *Am Fear-faire* s'inquiéteront si nous nous attardons trop.

— Vos quoi ?

Il la regarda alors, son regard d'abord inquisiteur, puis étrangement triste.

— *Am Fear-faire*, répéta-t-il. Mes gardiens. Au moins deux m'accompagnent en tout temps.

— Pourquoi ?

— Parce que je suis une fée d'hiver.

Jamison marcha lentement le long du sentier de terre, semblant peser ses mots avant de les prononcer.

— Nos dons sont les plus rares de toutes les fées. Par conséquent, on nous honore. Nous seules pouvons ouvrir les portails, alors nous sommes protégées. Et Avalon elle-même est vulnérable à notre puissance, ainsi nous ne devons jamais être corrompus par l'ennemi. Avec de grands pouvoirs…

— …vient une grande responsabilité ? dit Laurel en terminant la phrase.

Jamison se tourna vers elle, souriant à présent.

— Et qui t'a enseigné cela ?

Laurel marqua une pause, embarrassée.

— Euh, Spider-Man ? répondit-elle sans conviction.

— J'imagine que certaines vérités sont réellement universelles, dit Jamison en riant, et sa voix résonna sur les imposants murs de pierres.

Puis, il redevint sérieux.

— Nous, les fées d'hivers, utilisons fréquemment cette phrase. Le roi britannique, Arthur, l'a prononcée après avoir assisté à la terrible vengeance des trolls sur Camelot. Il a toujours cru qu'il était responsable de sa destruction, qu'il aurait pu l'empêcher.

— L'aurait-il pu ? s'enquit Laurel.

Jamison hocha la tête en direction de deux sentinelles debout de chaque côté de deux énormes portes en bois perçant un accès dans les murs.

— Probablement pas, répondit-il à Laurel. Mais c'est tout de même un bon rappel.

Les portes s'ouvrirent sans un bruit, et toutes pensées quittèrent l'esprit de Laurel quand elle et Jamison sortirent à flanc de coteau hors de l'enceinte.

Une beauté verdoyante se répandait à flots en bas de la colline et aussi loin que portait son regard. Des sentiers noirs serpentaient à travers des massifs d'arbres entrecoupés de longues prairies mouchetées de fleurs et des grappes multicolores de quelque chose que Laurel était incapable d'identifier — elles ressemblaient à de gigantesques ballons de toutes les couleurs imaginables posés sur le sol et scintillants comme des bulles de savon. Plus loin, dans un anneau qui semblait s'étendre tout autour de la base de la colline, il y avait les toits de petites maisons, et Laurel pouvait distinguer des points de teintes vives se déplaçant et qui devaient être d'autres fées.

— Il y en a… des *milliers*, dit Laurel, ne réalisant pas tout à fait qu'elle avait parlé à voix haute.

— Évidemment, répliqua Jamison, la voix teintée d'hilarité. Presque toute notre espèce vit ici. Nous sommes plus de quatre-vingts mille à présent.

Il marqua une pause.

— Cela te paraît probablement peu.

— Non, rétorqua vivement Laurel. Enfin, je sais que les humains sont plus nombreux, mais… je n'ai jamais imaginé autant de fées en un seul endroit.

C'était étrange ; cela lui donnait l'impression d'être à la fois normale et très insignifiante. Elle avait déjà rencontré d'autres fées, bien sûr : Jamison, Tamani, Shar et les sentinelles aperçues de temps à autre ; mais l'idée de milliers et de milliers de fées était presque insoutenable.

La main de Jamison toucha le bas de son dos.

— Il y aura du temps pour jouer les touristes un autre jour, dit-il doucement. Nous devons t'amener à l'Académie.

Laurel suivit Jamison en bas du périmètre du mur de pierres. Quand ils tournèrent au coin de l'enceinte, Laurel regarda en haut de la montagne et sa respiration se coinça dans sa gorge encore une fois. À environ sept cents mètres du bas de la douce pente, une immense tour s'élevait à l'horizon, dépassant du centre d'un grand bâtiment, semblant tout droit sortie de *Jane Eyre*. Il ressemblait moins à un château qu'à une grande bibliothèque carrée, tout en pierres grises et en toits hauts à pente raide. Des fenêtres massives parsemaient chaque mur et des puits de lumière scintillaient parmi les bardeaux d'ardoise comme des prismes à facettes dissimulés. Chaque surface était veinée de plantes rampantes, encadrée de fleurs et aperçue à travers le feuillage, ou encore l'hôte de plantes d'innombrables variétés.

Les mots de Jamison répondirent à la question que Laurel était trop étonnée pour poser. Il désigna la structure d'une main en parlant.

— L'Académie d'Avalon.

DEUX

ALORS QU'ILS CHEMINAIENT VERS L'ACADÉMIE, LAUREL remarqua un autre bâtiment à travers les arbres de la forêt. Au sommet de la haute colline, juste un peu plus élevés que l'imposante Académie, il y avait les vestiges croulants d'un château. Laurel cligna des yeux et plissa les paupières ; peut-être que « croulants » n'était pas le bon mot. L'édifice tombait assurément en ruines, mais des lianes vertes serpentaient dans le marbre blanc comme si elles recousaient les murs ensemble, et le feuillage d'un immense arbre s'étendait au-dessus de lui, ombrageant la moitié de la structure sous sa verdure.

— Quel est ce bâtiment ? demanda Laurel quand elle l'aperçut de nouveau.

— C'est le palais d'hiver, répondit Jamison. Je vis là.

— Est-il sécuritaire ? s'enquit-elle d'un ton dubitatif.

— Bien sûr que non, répliqua Jamison. C'est l'un des endroits les plus dangereux d'Avalon. Mais moi, j'y suis en sécurité, tout comme ses autres habitants.

— Va-t-il s'écrouler ? demanda Laurel, tout en observant de l'œil un coin qui ressemblait à un corset de dentelles vert Guignet.

— Non, pas du tout, rétorqua Jamison. Nous, les fées d'hiver, veillons sur ce palais depuis plus de trois mille ans. Les racines de ce séquoia poussent avec le château à présent, faisant autant partie de la structure que le marbre original. Il ne le laisserait jamais tomber.

— Pourquoi n'en construisez-vous pas un nouveau, tout simplement ?

Jamison garda le silence quelques instants et Laurel craignit que sa question ne l'ait offensé. Mais il n'avait pas l'air en colère quand il répondit.

— Le château n'est pas seulement une maison, Laurel. Il protège aussi de nombreuses choses — des choses que nous ne pouvons pas courir le risque de déménager uniquement parce que c'est pratique ou pour satisfaire notre orgueil avec une nouvelle structure raffinée.

Il désigna leur destination de pierres grises avec un sourire.

— Nous avons l'Académie pour cela.

Laurel regarda le bâtiment d'un œil neuf. Au lieu des boucles désordonnées de verdure qu'elle avait vues au premier regard, elle pouvait maintenant voir l'ordre et la méthode dans les bandes enchevêtrées. Des attaches sécuritaires dans les coins, une toile de racines soutenant de grandes parois — l'arbre faisait vraiment partie du château. Ou peut-être bien que le château était intégré à l'arbre. L'ensemble de la structure semblait se prélasser avec contentement dans l'étreinte des racines tentaculaires.

Au virage suivant, ils arrivèrent devant ce que Laurel prit d'abord pour une clôture de fer forgé. Un regard plus attentif révéla ce qui était en fait un mur vivant. Des branches s'enroulaient, se courbaient et s'entremêlaient en un motif compliqué et plein de fioritures, comme un bonsaï incroyablement complexe. Deux gardes, un mâle et une femelle, surveillaient la grille en armure de cérémonie d'un bleu éclatant, complète avec casque luisant à plumes. Ils s'inclinèrent tous les deux bien bas devant Jamison et tendirent la main vers leur côté de la porte.

— Viens, lança Jamison en faisant signe à Laurel de le suivre quand elle hésita à l'entrée. Ils t'attendent.

Les terres de l'Académie grouillaient de vie. Des douzaines de fées travaillaient dans le jardin. Certaines étaient vêtues d'élégantes robes souples ou de pantalons légers en soie et portaient des livres. D'autres étaient habillées de simples cotonnades et s'occupaient à creuser et à émonder. D'autres encore cueillaient des fleurs, fouillant les nombreux buissons abondamment garnis à la recherche des spécimens parfaits. Lorsque Jamison et Laurel les dépassaient, la plupart des fées cessaient leurs activités pour s'incliner à la taille devant eux. Mais tout le monde baissait au moins la tête avec respect.

— Est-ce...

Laurel se sentait idiote de poser la question.

— Est-ce qu'ils font la révérence pour moi?

— C'est possible, répondit Jamison. Mais je pense que la plupart le font pour moi.

Son ton nonchalant étonna Laurel. Mais de toute évidence, il était habitué à ce traitement. Il ne s'arrêtait même pas pour y répondre.

— Aurais-je dû exécuter une révérence lorsque vous êtes venu au portail? demanda Laurel, la voix mal assurée.

— Oh, non, dit Jamison de bon cœur. Tu es une fée d'automne. Tu te prosternes uniquement pour la reine. Un léger hochement de tête respectueux suffit de toi.

Laurel marcha en silence, perplexe, pendant qu'ils passaient devant plusieurs autres fées. Elle observa celles — peu nombreuses — qui inclinaient seulement la tête. Elles croisèrent son regard en passant et elle ne savait pas trop comment interpréter leurs expressions. Certaines semblaient curieuses; d'autres furieuses. Plusieurs étaient simplement indéchiffrables. Baissant la tête timidement, Laurel se hâta pour maintenir le rythme de Jamison.

Alors qu'ils approchaient des imposantes portes d'entrée, deux valets de pied les ouvrirent et Jamison guida Laurel dans le vaste vestibule au plafond en dôme entièrement fait de verre. Les rayons du soleil entraient à flots, nourrissant les centaines de plantes en pot décorant la pièce. Le vestibule était plus tranquille que les terres, même s'il y avait quelques fées assises dans des fauteuils ou derrière de petits bureaux avec des livres devant elles.

Une fée plus âgée — *pas aussi vieille que Jamison*, songea Laurel, même si c'était difficile à évaluer avec les fées — vint à eux et inclina la tête.

— Jamison, c'est un plaisir.

Elle sourit à Laurel.

— Je suppose que voici Laurel ; mon doux, comme tu as changé.

Laurel fut surprise un instant, puis elle se rappela qu'elle avait passé sept ans à Avalon avant d'aller vivre avec ses parents. Le fait *qu'elle* ne se souvint de personne ne signifiait pas qu'ils ne pouvaient pas se souvenir d'elle. Cela la rendit étrangement mal à l'aise de se demander combien de fées croisées sur les terres se remémoraient un passé qui lui échapperait à jamais.

— Je suis Aurora, dit la fée. J'enseigne aux initiés, qui sont à la fois en avance et en retard sur toi.

Elle rit, comme s'il s'agissait d'une plaisanterie personnelle.

— Viens, je vais te montrer ta chambre. Nous l'avons rafraîchie — nous avons échangé des trucs trop désuets pour d'autres —, mais à part cela, nous l'avons laissée intacte pour ton retour.

— J'ai une chambre ici ? demanda Laurel avant de pouvoir s'en empêcher.

— Bien sûr, répondit Aurora sans se retourner. C'est ta maison.

Ma maison ? Laurel jeta un coup d'œil au vestibule austère, aux rampes très élaborées dans l'escalier tournant, aux fenêtres étincelantes et aux puits de lumière. Est-ce que cela avait déjà été son foyer ? Il lui paraissait étranger — au regard et dans son cœur. Elle regarda derrière elle, là où Jamison la suivait, mais il n'y avait certainement rien de gauche chez lui. Son décor dans le palais d'hiver était probablement encore plus grandiose.

Au troisième étage, ils s'approchèrent d'un couloir bordé de portes sombres en séquoia. Des noms y étaient peints d'une écriture cursive en lettres scintillantes. *Mara, Katya, Fawn, Sierra, Sari.* Aurora s'arrêta devant la porte qui disait très clairement *Laurel*.

Laurel sentit sa poitrine se serrer, et le temps sembla s'allonger alors qu'Aurora tournait la poignée et poussait la porte. Elle glissa sur des gonds silencieux par-dessus un somptueux tapis couleur crème et révéla une grande pièce avec un mur entièrement fait de verre. Les autres murs étaient drapés de satin vert pâle du sol au plafond. Un puits de lumière s'ouvrait sur la moitié de la chambre, éclairant un immense lit recouvert d'un édredon de satin et fermé par des tentures transparentes si légères qu'elles ondulaient à la moindre brise venant de la porte d'entrée. Des meubles modestes, mais de bonne facture — un bureau, une commode et une penderie — complétaient la pièce. Laurel entra et admira lentement le décor, cherchant quelque chose de familier, quelque chose qui lui donnerait l'impression de se trouver à la maison.

Mais bien que ce soit l'une des plus belles chambres qu'elle n'ait jamais vue, elle ne s'en souvenait pas. Pas une trace dans sa mémoire, aucune lueur de reconnaissance. Rien. Une vague de déception s'abattit sur elle, mais elle tenta de la dissimuler en se tournant vers Jamison et Aurora.

— Merci, dit-elle, espérant que son sourire ne soit pas trop tendu.

Qu'est-ce que cela faisait, qu'elle ne se souvienne de rien ? Elle était ici maintenant. C'était ça, l'important.

— Je vais te laisser défaire tes valises et te rafraîchir, annonça Aurora.

Ses yeux se posèrent brièvement sur le débardeur et le short en jean de Laurel.

— Tu peux t'habiller comme tu veux ici à l'Académie ; cependant, tu trouveras peut-être les vêtements dans ton placard un peu plus confortables. Nous avons tenté de deviner ta taille, mais de nouvelles tenues peuvent être cousues sur mesure pour toi dès demain, si tu le souhaites. Ces… pantalons courts que tu portes ; il me semble que le tissu doit terriblement irriter la peau.

Un petit rire de Jamison incita Aurora à se redresser un peu.

— Sonne cette cloche, dit-elle en pointant l'objet, si tu as besoin de quelque chose. Nous avons un personnel complet à ton service. Tu peux occuper ton temps comme tu le désires pendant une heure, ensuite j'enverrai l'un de nos professeurs des principes de base pour commencer tes leçons.

— Aujourd'hui ? s'enquit Laurel, un peu plus fort qu'elle en avait eu l'intention.

Aurora lança un regard à Jamison.

— Jamison et la reine elle-même nous ont ordonné d'utiliser à bon escient tout le temps dont nous disposions avec toi. C'est déjà trop bref.

Laurel hocha la tête, et un frisson d'excitation et de nervosité la parcourut.

— D'accord, dit-elle. Je serai prête.

— Je te quitte, donc.

Aurora pivota et regarda Jamison, mais il agita la main dans sa direction.

— Je vais rester quelques instants supplémentaires avant de retourner au palais.

— Bien sûr, acquiesça Aurora d'un hochement de tête avant de les laisser seuls.

Jamison demeura dans l'embrasure de la porte, observant la pièce. Quand le bruit des pas d'Aurora diminua dans le couloir, il parla.

— Je ne suis pas venu ici depuis le jour où je t'ai escortée pour aller vivre avec tes parents, il y a treize ans.

Il leva les yeux vers elle.

— J'espère que cela ne te dérange pas d'être précipitée dans le travail. Nous disposons de si peu de temps.

Laurel secoua la tête.

— Ça va. C'est juste que… je me pose tellement de questions.

— Et la plupart devront attendre, déclara Jamison avec un sourire pour atténuer ses paroles. Le temps que tu passeras ici est trop précieux pour le gaspiller sur les us et coutumes d'Avalon. Tu as beaucoup d'années devant toi pour apprendre de telles choses.

Laurel hocha la tête, même si elle n'était pas sûre d'être d'accord.

— D'ailleurs, ajouta Jamison avec une expression entendue dans le regard, je suis certain que ton ami Tamani serait très heureux de répondre à toutes les questions que tu auras le temps de lui poser.

Il esquissa un mouvement pour partir.

— Quand vous reverrai-je? demanda Laurel.

— Je viendrai te chercher lorsque tes huit semaines seront écoulées, l'informa-t-il. Et je m'assurerai de nous ménager un peu de temps pour discuter, promit-il.

Sur un bref au revoir, il sortit, refermant la porte derrière lui, laissant Laurel avec un net sentiment de solitude.

Debout au milieu de la chambre, Laurel tourna sur elle-même, essayant de tout absorber. Elle ne se souvenait pas de cet endroit, mais il était source de réconfort — elle réalisait que, quelque part, ses goûts étaient intacts. Le vert avait toujours été sa couleur favorite, et elle optait généralement pour la simplicité au lieu des motifs et des styles très ornés. Le lit à baldaquin faisait un peu fillette, mais alors, elle l'avait choisi dans une autre vie.

Elle se dirigea vers le bureau et s'assit, remarquant que la chaise était un peu trop petite. Elle ouvrit des tiroirs et trouva des feuilles de papier épais, des pots de peinture, des plumes et un cahier d'écriture avec son nom dessus. Laurel mit quelques secondes à comprendre que le nom lui semblait très familier parce qu'il était écrit de sa propre main enfantine. Les mains tremblantes, elle ouvrit le cahier à la première page avec précaution. C'était une liste de mots latins, des noms de plantes, supposa Laurel. Elle feuilleta le cahier et trouva la même chose sur d'autres pages. Même les mots français ne lui disaient rien. C'était totalement décourageant de réaliser qu'elle en savait plus à sept ans que maintenant, à seize. *Ou à vingt*, se corrigea-t-elle, *ou à l'âge que je suis censée avoir aujourd'hui.* Elle tenta de ne pas trop songer à son âge actuel ; cela ne servait qu'à lui rappeler les sept ans de sa vie de fée perdus dans sa mémoire. Elle se sentait comme une fille de seize ans ; en ce qui la concernait, elle *avait* seize ans. Laurel replaça le cahier et se leva pour aller vers son placard.

Il y avait plusieurs robes bain de soleil et quelques jupes longues jusqu'aux chevilles fabriquées avec un tissu souple et vaporeux. Une colonne de tiroirs révéla des blouses de style paysan et des hauts ajustés à mancherons. Laurel frotta le tissu contre son visage, adorant sa sensation soyeuse. Elle en essaya plusieurs et se décida pour une robe bain de soleil rose pâle avant de poursuivre son exploration.

Elle n'eut pas à aller loin pour se retrouver à la fenêtre et elle retint sa respiration devant la vue. Sa chambre surplombait le plus grand jardin de fleurs qu'elle n'avait jamais vu ; rang après rang de fleurs de toutes les teintes imaginables s'étendait en formant une cascade de couleurs presque aussi vaste que les terres devant l'Académie. Ses doigts se pressèrent contre la vitre alors qu'elle tentait de tout voir en même temps. Elle fut frappée par le fait qu'une pièce avec une vue aussi splendide avait été gaspillée en restant vide pendant les treize dernières années.

Un coup à la porte fit sursauter Laurel et elle se hâta d'aller répondre, ajustant sa robe en chemin. Après avoir pris un instant pour lisser sa chevelure, Laurel ouvrit la porte.

— Laurel, je suppose ? dit la grande fée d'une voix douce et profonde.

Il l'observa.

— Bien, tu n'as pas changé tant que cela.

Un peu décontenancée, Laurel ne put que fixer un regard vide sur la fée. Elle avait vu des photos d'enfant d'elle-même ; elle avait énormément changé !

La grande fée portait ce qui ressemblait à un pantalon de yoga en lin et une chemise vert foncé en tissu soyeux, ouverte sur le torse d'une façon qui ne semblait pas du tout sensuelle. Laurel pensa à son propre penchant pour les débardeurs pour exposer plus de sa peau photosynthétique et décida qu'il s'agissait de la même chose. Son comportement était distingué, formel. Une apparence presque complètement contredite par l'absence de chaussures et de bas.

— Je suis Yeardley, professeur des principes de base. Puis-je ? demanda la fée en inclinant la tête.

— Oh, bien sûr, souffla vite Laurel en ouvrant la porte en grand.

Yeardley entra à grands pas et la fée derrière lui le suivit de près.

— Là, déclara Yeardley en pointant le bureau de travail de Laurel.

L'autre fée déposa une pile de livres sur le meuble, exécuta une révérence devant Laurel et Yeardley, et sortit de la chambre en reculant avant de pivoter et de poursuivre son chemin dans le couloir.

Laurel se tourna vers le professeur, qui n'avait pas détourné le regard.

— Je sais que Jamison est impatient que tu commences tes classes, mais pour être tout à fait franc, je ne peux pas t'apprendre même les leçons les plus simples jusqu'à ce que nous ayons une base sur laquelle nous appuyer.

Laurel ouvrit la bouche pour parler, comprit qu'elle était complètement dépassée, et la referma.

— Je t'ai apporté ce qui, à mon avis, est l'information la plus simple et la plus essentielle qui t'est nécessaire pour commencer tes véritables études. Je te suggère de t'y mettre tout de suite.

Les yeux de Laurel obliquèrent vers la pile de livres.

— Tout ça ? demanda-t-elle.

— Non. Ce n'est que la première moitié. Il y en a une seconde pile lorsque tu auras terminé. Fais-moi confiance, déclara la fée ; c'est le minimum, je ne pouvais pas descendre en dessous de ce nombre.

Il baissa les yeux sur un bout de papier qu'il avait sorti du sac sur son épaule.

— L'une de nos acolytes…

Il leva le regard vers elle.

— … ce serait ton niveau, en passant, dans des circonstances plus favorables — a accepté de devenir ta tutrice. Elle restera à ta disposition pendant toutes les heures d'ensoleillement, et t'expliquer des concepts de base ne constituera pas du tout un effort pour elle ; sens-toi donc libre de l'utiliser. Nous espérons que tu réapprendras en deux semaines ce que tu as oublié depuis ton départ.

Souhaitant pouvoir disparaître dans le plancher, Laurel restait debout, les poings serrés.

— Son nom est Katya, poursuivit Yeardley, sans tenir compte de la réaction de Laurel. J'ai dans l'idée qu'elle viendra se présenter sous peu. Ne laisse pas sa nature sociable te distraire de tes études.

Laurel hocha la tête avec raideur, les yeux fermement fixés sur la pile de livres.

— Je te laisse à ta lecture, alors, dit-il en tournant sur ses talons nus. Quand tous les livres seront lus, nous pourrons commencer les cours réguliers.

Il marqua une pause à la porte.

— Ton personnel pourra me convoquer lorsque tu auras fini, mais ne te donnes pas cette peine avant d'avoir lu entièrement chaque livre. Ce serait tout simplement inutile.

Sans un au revoir, il passa la porte à grandes enjambées et la referma derrière lui ; un clic bruyant remplit le profond silence dans la chambre de Laurel.

Prenant une longue respiration, Laurel marcha vers le bureau et regarda le dos de quelques-uns des livres d'allure ancienne : *Principes de base de l'herboristerie*, *Les origines des élixirs*, *L'encyclopédie complète des herbes de protection* et *L'anatomie des trolls*. Laurel grimaça devant le dernier.

Elle avait toujours aimé lire, mais ces livres n'étaient pas tout à fait de la fiction légère. Son regard passa de la haute pile de livres à la fenêtre panoramique de l'autre côté de la pièce, et elle remarqua que le soleil avait déjà commencé à décliner à l'ouest de l'horizon.

Elle soupira. Elle s'était attendue à autre chose aujourd'hui.

TROIS

LAUREL ÉTAIT ASSISE EN TAILLEUR SUR SON LIT AVEC UNE PAIRE de ciseaux, découpant des feuilles de papier pour fabriquer des fiches de notes de fortune. Elle avait mis moins d'une heure de lecture à réaliser que la situation en exigeait. Et des surligneurs. Une année à étudier la biologie avec David l'avait apparemment transformée en étudiante méthodique et névrosée. Le lendemain matin, cependant, elle avait été consternée de découvrir que le « personnel », comme tout le monde appelait les serviteurs à la voix douce vêtus simplement qui filaient à toute allure partout dans l'Académie, ignorait totalement ce qu'étaient des fiches de notes. Par contre, ils connaissaient les ciseaux, alors Laurel fabriquait ses propres fiches avec du bon papier cartonné. Les surligneurs étaient malheureusement une cause perdue.

On frappa un léger coup à la porte.

— Entrez, cria Laurel, inquiète d'éparpiller des morceaux de papier dans toutes les directions si elle tentait de se lever pour aller répondre.

La porte s'ouvrit et une petite tête blonde s'y faufila.

— Laurel ?

Ne faisant plus l'effort d'essayer de reconnaître les gens, Laurel hocha simplement la tête et attendit que l'étrangère se présente.

La coupe de cheveux courte de style lutin fut suivie d'un sourire jovial que Laurel retourna spontanément. C'était un soulagement de voir quelqu'un lui sourire directement. Le dîner de la veille avait été un désastre total. Laurel avait été convoquée vers dix-neuf heures à venir prendre son repas du soir. Elle s'était hâtée de descendre derrière une fée qui lui avait indiqué le chemin vers la salle à manger — elle aurait dû avoir la puce à l'oreille lorsqu'elle avait entendu *salle à manger* au lieu de *cafétéria* — vêtue de sa robe bain de soleil, les pieds nus et les cheveux toujours attachés en une queue de cheval derrière sa tête. À l'instant où Laurel avait pénétré dans la pièce, elle avait compris son erreur. Tout le monde portait des chemises habillées et des pantalons de soie, ou des jupes et des robes longues. Il s'agissait presque d'un dîner officiel en tenue de soirée. Pire, Aurora l'avait traînée en avant pour lui souhaiter la bienvenue et la présenter aux fées d'automne. Des centaines de fées d'automne avec rien de mieux à regarder qu'elle.

Note personnelle : s'habiller pour le dîner.

Mais c'était hier soir, et à présent elle voyait un sourire sincère braqué sur elle.

— Entre, lança Laurel.

Elle n'était pas particulièrement intéressée par l'identité de cette fée ou la raison de sa présence, uniquement par son attitude amicale.

Et par l'occasion qu'elle lui offrait de prendre une pause.

— Je suis Katya, dit la fée.

— Laurel, répondit-elle automatiquement.

— Bien, évidemment, je sais cela, rétorqua Katya avec un petit rire. Tout le monde sait qui *tu* es.

Gênée, Laurel baissa les yeux sur ses genoux.

— J'espère que l'Académie te convient, continua Katya, ressemblant à l'hôtesse parfaite. Moi, je suis toujours un peu perturbée lorsque je dois voyager. Je ne dors pas bien, lui confia Katya en venant s'asseoir à côté d'elle sur le lit.

Laurel détourna le regard et émit un son pour acquiescer sans véritablement dire quelque chose, se demandant jusqu'où Katya avait bien pu voyager à l'intérieur d'Avalon.

En vérité, Laurel *n'avait pas* joui d'un bon repos. Elle espérait que c'était à cause de son nouvel environnement, comme Katya l'avait suggéré. Mais elle avait été violemment tirée de son sommeil plusieurs fois par des cauchemars ; il ne s'agissait pas de ses rêves habituels de trolls, d'armes pointées sur Tamani, d'elle braquant un fusil sur Barnes ou de vagues glaciales se refermant sur sa tête. La nuit dernière, ce n'était pas elle qui fuyait Barnes, les pieds avançant au ralenti ; c'était ses parents, David, Chelsea, Shar et Tamani.

Laurel avait quitté son lit et marché jusqu'à la fenêtre, pressé son front contre le verre frais et baissé les yeux sur les lumières scintillantes éparpillées dans l'obscurité qui s'étendaient sous elle. Cela semblait tellement contradictoire, venir ici à Avalon pour apprendre à se protéger, elle ainsi que ses êtres chers et, ce faisant, les laissant vulnérables. Quoique si les trolls la pourchassaient elle, sa famille était peut-être plus en sécurité en son absence. Toute la situation lui échappait, échappait à son savoir. Elle détestait se sentir impuissante — inutile.

— Que fais-tu, demanda Katya, tirant Laurel de ses mornes pensées.

— Je fabrique des fiches de notes.

— Des fiches de notes?

— Euh, des outils d'études que j'avais l'habitude d'utiliser à la mai... dans le monde des humains, dit Laurel.

Katya ramassa une des fabrications.

— S'agit-il uniquement de petits morceaux de carton ou y a-t-il autre chose que je ne vois pas?

— Non. C'est tout. Assez simple.

— Alors, pourquoi le fais-tu toi-même?

— Hein?

Laurel secoua la tête, puis haussa les épaules.

— J'avais besoin des fiches?

Les yeux de Katya étaient ronds et innocemment inquisiteurs.

— N'es-tu pas censée étudier comme une folle pendant ton séjour ici ? C'est ce que m'a dit Yeardley.

— Oui; mais les fiches de notes vont m'aider à mieux étudier, insista Laurel. Cela vaut la peine de prendre le temps de les fabriquer.

— Ce n'est pas ce que je veux dire.

Katya rit, puis se dirigea vers la cloche argentée pointée par Aurora la veille et la fit tinter. Son carillon clair résonna dans la pièce quelques secondes, donnant l'impression que l'air était presque vivant.

— Génial, lança Laurel, obtenant un regard intrigué de la part de Katya.

Quelques secondes plus tard, une fée d'âge moyen apparut dans l'embrasure de la porte. Katya arracha les ciseaux de la main de Laurel et rassembla la pile de cartons.

— Nous avons besoin qu'ils soient coupés en rectangle de cette dimension, dit-elle, debout au-dessus des fiches fraîchement fabriquées par Laurel. Et c'est de la plus haute importance, alors tu dois t'en occuper en priorité avant toute autre chose.

— Bien sûr, répondit la femme en effectuant une petite révérence, comme si elle parlait à une reine et non à une jeune fée de la moitié de son âge — peut-être moins. Aimeriez-vous que je les découpe ici afin de pouvoir les prendre à mesure que les cartons sont prêts, ou que je les emporte ailleurs et les ramène quand la tâche sera accomplie ?

Katya regarda Laurel et haussa les épaules.

— Ça me va si elle reste ici ; sa proposition de nous les donner à mesure est judicieuse.

— C'est parfait, marmonna Laurel, mal à l'aise de demander à une femme adulte d'exécuter une corvée aussi ingrate.

— Tu peux t'installer là, déclara Katya en pointant la longue banquette devant la fenêtre de Laurel. La lumière est bonne.

La dame se contenta de hocher la tête, puis d'emporter les cartons à la fenêtre et se mit immédiatement à les découper en rectangles droits nets et précis.

Katya s'assit confortablement à côté de Laurel sur le lit.

— Maintenant, montre-moi comment tu utilises ces fiches de notes et je verrai la façon de t'aider.

— Je peux découper mes propres fiches, chuchota Laurel.

— Bien, certainement ; mais il y a de bien meilleures façons d'occuper ton temps.

— J'imagine qu'il y a de bien meilleures façons d'occuper son temps à elle également, rétorqua Laurel en pointant le menton en direction de la femme.

Katya leva les yeux et la fixa avec candeur.

— Elle ? Je ne crois pas. Ce n'est qu'une fée de printemps.

L'indignation monta dans la poitrine de Laurel.

— Que veux-tu dire, ce n'est qu'une fée de printemps ? Elle est quand même une personne, elle a des sentiments.

Katya parut très perplexe.

— Je n'ai jamais prétendu le contraire. Mais c'est son travail.

— De couper mes fiches de notes ?

— De réaliser toutes les tâches utiles aux fées d'automne. Considère les choses ainsi, poursuivit Katya, toujours avec cette voix joviale et désinvolte, nous lui avons probablement évité d'attendre sans rien faire qu'une autre fée d'automne manifeste un besoin. Maintenant, continuons, ou nous gaspillerons tout le temps qu'elle nous économise. Montre-moi quel livre t'occupe en ce moment.

Laurel était allongée sur le ventre, fixant son livre. Elle en avait assez de lire ; elle l'avait fait presque toute la matinée et les mots commençaient à danser devant ses yeux, donc, le mieux qu'elle pouvait faire, c'était de les fixer. Un léger coup retentit, là où sa porte en séquoia finement sculptée béait. Laurel leva le regard sur une vieille fée de printemps avec de gentils yeux roses et de ces rides parfaitement symétriques auxquelles elle ne s'était pas tout à fait habituée.

— Vous avez un visiteur dans l'atrium, dit la fée, à peine plus haut qu'un murmure.

Le personnel de printemps avait reçu l'ordre d'être très silencieux autour de Laurel et d'éviter de la déranger en tout temps.

Les autres étudiants aussi, apparemment. Laurel ne voyait jamais personne à part Katya, sauf au dîner, où l'on ne faisait que la fixer la plupart du temps. Toutefois, elle en avait presque terminé avec son dernier livre ; ensuite, elle irait en classe. Elle n'était pas tout à fait certaine que ce soit une bonne chose, mais au moins, ce serait *différent*.

— Un visiteur ? dit Laurel.

Son cerveau ralenti par les études mit quelques secondes à comprendre. Après, elle dut se retenir à deux mains pour ne pas crier de joie. *Tamani !*

Laurel descendit quelques volées de marches et elle emprunta un chemin légèrement plus long afin de traverser un couloir arrondi en verre bordé de fleurs de toutes les couleurs de l'arc-en-ciel. Elles étaient superbes. Au début, c'est tout ce que Laurel voyait en elles : de splendides couleurs s'étirant en feuilles éclatantes partout sur les terres de l'Académie. Cependant, elles étaient davantage qu'une décoration ; elles étaient les outils des fées d'automne. Elle les connaissait à présent, après presque une semaine d'études, et instinctivement, elle les nomma dans sa tête. Les pieds-d'alouette bleus et les renoncules rouges ; les freesias jaunes et les lys Calla ; les anthuriums tachetés et ses nouvelles favorites : les orchidées cymbidium, avec leurs doux pétales blancs et leurs centres rose foncé. Elle laissa courir ses doigts sur les orchidées tropicales en passant, récitant spontanément ses usages communs dans sa tête. *Guérit l'empoisonnement aux fleurs jaunes, bloque temporairement la photosynthèse, devient phosphorescente quand on la mélange correctement à de l'oseille.*

Les faits dans sa tête étaient entourés de très peu de contexte, mais grâce à ses « fiches de notes » — qui, elle l'admettait avec ironie, avaient été découpées plus proprement par la fée de printemps que si elle-même l'avait fait —, elle les avait mémorisés.

En quittant le couloir fleuri, Laurel se hâta vers l'escalier, descendant presque les marches en sautillant. Elle repéra Tamani appuyé contre un mur près de l'entrée, et elle réussit sans savoir comment à ne pas hurler son nom et à courir vers lui. Tout juste.

Au lieu des chemises larges et des hauts-de-chausse auxquels elle était habituée, il portait une élégante tunique par-dessus un pantalon noir. Ses cheveux étaient soigneusement coiffés vers l'arrière et son visage semblait différent sans les mèches folles le décorant. Alors qu'elle levait les bras pour l'étreindre, un petit geste de la main de Tamani l'arrêta. Elle resta là, perplexe ; puis, il sourit et s'inclina légèrement à la taille, la tête penchée dans le même geste de respect qu'esquissait le personnel de printemps, à leur propre insistance.

— C'est un plaisir de te voir, Laurel.

Il désigna la porte.

— Allons-y, d'accord ?

Elle le regarda de manière étrange pendant un moment, mais quand il hocha la tête encore une fois vers la sortie, elle serra les mâchoires et passa les portes de l'Académie. Ils s'engagèrent sur le sentier avant, qui, au lieu d'être droit comme la plupart des trottoirs du quartier à la maison, s'aventurait à travers des parterres de fleurs et de feuillage. Et, malheureusement, parmi d'autres étudiants d'automne. Elle sentait leurs regards qui la suivaient et, même si la plupart essayaient de dissimuler leur indiscrétion derrière leurs livres, certains la dévisageaient ouvertement.

C'était une longue promenade silencieuse, et Laurel ne cessait de jeter des coups d'œil discrets à Tamani, qui insistait pour rester deux pas derrière elle. Elle voyait un sourire espiègle jouer aux coins de sa bouche, mais il ne dit rien. Une fois qu'ils traversèrent les grilles d'entrée, il l'arrêta d'une main douce dans son dos et inclina la tête vers une longue ligne de grands buissons. Elle marcha vers eux, et dès que la vue de l'Académie lui fut bloquée par les sombres tiges vertes, des bras forts la soulevèrent et la firent tournoyer.

— Tu m'as tellement manqué, dit Tamani, le sourire qu'elle aimait tant de nouveau affiché sur son visage.

Laurel enroula ses bras autour de lui et le serra pendant un long moment. Il lui rappelait sa vie à l'extérieur de l'Académie, il était l'ancre à laquelle était attaché son propre monde. L'endroit qu'elle appelait encore sa maison. C'était étrange de réaliser que, au cours de quelques petites journées, son lien le plus direct avec

Avalon était à présent ce qui la retenait le plus à sa vie humaine.

Et, bien sûr, il était lui-même. Il y avait beaucoup à dire là-dessus aussi.

— Désolé pour tout cela, dit-il. L'Académie se montre très stricte sur le protocole entre les fées d'automne et de printemps, et je détesterais que tu t'attires des ennuis. Enfin, j'imagine qu'il est plus probable que c'est moi qui aurais des ennuis, néanmoins… évitons les ennuis.

— Si nous le devons.

Laurel afficha un grand sourire et leva les deux mains dans les cheveux de Tamani, les emmêlant jusqu'à ce qu'ils retombent en grosses mèches comme d'habitude. Elle lui attrapa les mains, folle de joie d'avoir la compagnie d'un ami familier.

— Je suis tellement contente que tu sois venu. Je pensais devenir dingue si je devais passer une autre soirée à étudier.

Tamani reprit son sérieux.

— C'est un dur travail, j'en suis certain, mais c'est important.

Elle baissa les yeux sur ses pieds nus, tachés de terre noire.

— Ça n'est pas *si* important.

— Ce l'est. Tu ne sais pas du tout à quel point nous utilisons les choses fabriquées par les fées d'automne.

— Mais je ne peux rien faire du tout ! Je n'ai même pas encore commencé la classe.

Elle soupira et secoua la tête.

— J'ignore ce que je pourrai apprendre en moins de deux mois.

— Ne pourrais-tu pas revenir... de temps à autre ?

— J'imagine.

Laurel leva de nouveau les yeux.

— Si je suis invitée.

— Oh, tu seras... *invitée.*

Tamani afficha un grand sourire en disant cela, comme s'il trouvait ses paroles drôles en soi.

— Fais-moi confiance.

Son regard rencontra le sien, et Laurel se sentit hypnotisée. Après un instant de nervosité, elle se détourna et commença à marcher.

— Alors, où allons-nous ? demanda-t-elle en essayant de dissimuler sa gêne.

— Où ?

— Jamison m'a dit que tu m'amènerais faire du tourisme. Je dispose de quelques heures seulement.

Tamani parut complètement surpris par cette conversation.

— Je ne suis pas certain qu'il voulait dire...

— Je n'ai fait rien d'autre que mémoriser l'usage des plantes.

Laurel marqua une pause.

— Pendant. Six. Jours. D'affilés. Je veux voir Avalon !

Un sourire espiègle éclaira le visage de Tamani et il hocha la tête.

— Très bien, alors. Où aimerais-tu aller ?

— Je… Je ne peux pas le savoir.

Laurel se tourna vers lui.

— Quel est le meilleur endroit à Avalon ?

Il prit une respiration, puis hésita. Après un moment, il dit :

— Désires-tu faire quelque chose avec d'autres fées ou seulement nous deux ?

Laurel regarda en bas de la colline. Une partie d'elle souhaitait rester seule avec Tamani, mais elle ne pensait pas pouvoir se faire confiance si elle passait tout ce temps avec lui.

— Pouvons-nous faire un peu des deux ?

Tamani lui adressa un large sourire.

— D'accord. Pourquoi ne…

Elle posa un index sur ses lèvres.

— Non, ne me le dis pas, allons-y, tout simplement.

En guise de réponse, Tamani pointa en bas de la colline et dit :

— Pars devant.

Un petit frisson d'excitation la parcourut quand l'Académie devint de plus en plus petite derrière eux. Ils traversèrent les grands murs de pierres qui entouraient l'entrée et bientôt leur sentier se divisa en routes qui contournaient l'occasionnel bâtiment — mais ces routes n'étaient pas pavées. Elles étaient plutôt formées avec le même terreau doux, noir et riche en nutriments qui couvrait le sentier depuis le portail jusqu'à l'Académie. La terre rafraîchit les pieds nus de Laurel et énergisa ses pas. C'était dix fois mieux que n'importe quelle autre de ses marches précédentes.

Plus ils s'éloignaient de l'Académie, plus les rues devenaient bondées. Ils pénétrèrent dans un genre de foire à ciel ouvert où des centaines de fées se rassemblaient sous les portes, regardaient les vitrines des boutiques donnant sur la place et tournaient parmi des échoppes où étaient suspendus des articles étincelants. Tout était dans les teintes de l'arc-en-ciel, éclatant, et Laurel mit quelques secondes à comprendre que les éclairs brillants et multicolores qu'elle apercevait se frayant un chemin dans la foule étaient les fleurs épanouies dans le dos de fées d'été. Une fée passa juste devant elle, portant un genre d'instrument à cordes et arborant une fleur stupéfiante ressemblant à une plante des tropiques. Elle était d'un rouge vif strié de jaune soleil et comptait environ dix larges pétales qui se terminaient en angles aigus comme la purpurea que Laurel avait étudiée hier seulement. Mais elle était énorme ! Les pétales du bas flottaient à quelques centimètres au-dessus du sol alors que ceux du haut s'arquaient par-dessus sa tête comme une immense couronne.

C'est une bonne chose que je ne sois pas une fée d'été, songea Laurel en se rappelant l'effort qu'elle avait dû mettre pour dissimuler sa propre fleur saisonnière il y avait moins d'un an. *Cette chose n'aurait jamais tenu sous un chandail.*

Partout où elle regardait, elle voyait plus de fleurs vibrantes à l'air tropical dans d'infinies variétés, lui semblait-il. Les fées d'été étaient vêtues différemment aussi. Elles portaient des vêtements du même tissu léger et chatoyant que Laurel et ses camarades de classes, mais coupés plus longs et moins ajustés, avec des manchettes et des pompons et d'autres parures qui flottaient dans les airs, ou des traînes qui balayaient le sol derrière elles. *Tapageur*, décida Laurel. *Comme leurs fleurs.*

Elle se retourna pour s'assurer de ne pas avoir perdu Tamani, mais il la suivait toujours, à deux pas derrière son épaule gauche.

— J'aimerais que tu ouvres la voie, dit Laurel, fatiguée de s'étirer le cou pour le voir.

— Ce n'est pas ma place.

Laurel s'arrêta.

— Ta place?

— S'il te plaît, ne cause pas de scène, dit doucement Tamani en la poussant avec le bout de ses doigts pour l'inciter à avancer. Les choses sont ainsi, tout simplement.

— S'agit-il d'un truc de fées de printemps? demanda Laurel, le ton un peu élevé.

— Laurel, je t'en prie, l'implora Tamani en regardant furtivement autour de lui. Nous en discuterons plus tard.

Elle lui jeta un regard furieux, mais il refusa de la regarder, alors elle capitula pour l'instant et continua sa promenade. Elle déambula parmi les échoppes pendant un certain temps, s'émerveillant devant les carillons éoliens scintillants et les lés de tissus soyeux exposés par les boutiquiers qui étaient, dans certains cas, vêtus avec encore plus d'extravagance que la foule.

— Qu'est-ce? demanda-t-elle en soulevant un stupéfiant rang de diamants étincelants — probablement véritables — entremêlés à de minuscules perles et de délicates fleurs en verre.

— C'est pour les cheveux, lui répondit obligeamment une fée aux cheveux cramoisis.

Avec des doigts enfermés dans des gants d'un blanc pur qui semblaient beaucoup trop formels pour Laurel, il toucha le bout où un peigne était brillamment dissimulé sous une grappe de fleurs en verre. Naturellement, comme c'était un mâle, il n'arborait pas de fleur, mais sa tenue suggérait que lui aussi était une fée d'été.

— Puis-je?

Laurel chercha le regard de Tamani, qui sourit et hocha la tête. Elle se tourna, et la grande fée épingla solidement le colifichet dans sa chevelure, puis il la guida vers une grande glace de l'autre côté de l'échoppe. Laurel sourit à son reflet. Le rang argenté pendait sur le côté où elle séparait ses cheveux, plus bas que ses épaules. Il brillait sous le soleil, faisant ressortir l'éclat de ses mèches naturellement plus pâles dans ses cheveux blonds.

— C'est beau, dit-elle en retenant son souffle.

— Aimeriez-vous le porter ou devrais-je l'emballer dans une boîte?

— Oh, je ne pourrais pas…

— Tu devrais, dit doucement Tamani. C'est très joli.

— Mais je…

Elle contourna le grand boutiquier et se tint près de Tamani.

— Je n'ai rien pour le payer et je ne vais certainement pas *te* laisser le faire pour moi.

Tamani rit en silence.

— On ne paie pas les biens ici, Laurel. C'est un truc très… humain. Prends-le. Il sera honoré que tu aimes son travail.

Laurel jeta un coup d'œil au boutiquier rôdant juste hors de portée de voix.

— Vraiment?

— Oui. Dis-lui qu'il te ravit et que tu le porteras à l'Académie; c'est le seul paiement qu'il veut.

Tout était si incroyable. Laurel se sentait nerveuse, momentanément incapable de surmonter sa certitude que, d'un instant à l'autre, une fée du service de sécurité allait surgir pour l'arrêter. Cependant, Tamani ne lui jouerait pas un tour pareil… n'est-ce pas?

Elle jeta un dernier regard dans la glace, puis sourit à la grande fée d'un air qu'elle espérait naturel.

— C'est vraiment, vraiment très beau, dit-elle. J'aimerais le porter pour retourner à l'Académie, si je le puis.

La fée lui offrit un sourire radieux et effectua une petite révérence. Laurel commença à s'éloigner en hésitant.

Personne ne l'arrêta.

Laurel mit quelques minutes à surmonter le sentiment qu'elle venait de voler un objet. Elle commença à s'intéresser aux autres promeneurs, et plusieurs d'entre eux emportèrent des articles pris dans les étalages et les échoppes sans offrir autre chose en retour que des compliments et de la reconnaissance. Après avoir observé pendant plusieurs minutes les autres « acheteurs », elle se força à se calmer.

— Nous devrions prendre quelque chose pour toi, dit-elle en se tournant vers Tamani.

— Oh non. Pas moi. Je ne fais pas mes courses ici. Mon marché de quartier est un peu plus loin en bas de la colline.

— Alors qu'est-ce que celui-ci ?

— C'est la place d'été.

— Oh, dit Laurel, à nouveau paniquée. Mais je suis automne. Je n'aurais pas dû prendre ceci.

Tamani rit.

— Non, non, les fées d'hiver et d'automne vont où elles veulent. Elles sont trop peu nombreuses pour avoir leur propre place.

— Oh.

Elle réfléchit un instant.

— Alors, pourrais-je faire des courses dans ton marché aussi ?

— J'imagine que tu le pourrais, mais j'ignore pourquoi tu le souhaiterais.

— Pourquoi pas?

Tamani haussa les épaules.

— Il n'est pas joli comme la place d'été. Enfin, la place est jolie; tout est beau à Avalon. Sauf que nous n'usons pas de babioles et d'éléments de décoration. Nous avons besoin de vêtements, de nourriture et d'outils pour nos nombreux métiers. C'est aussi là-bas que je me procure mes armes ainsi que les élixirs et les potions nécessaires pour les attirails de mes sentinelles : ces choses sont amenées là par l'Académie. Les fées d'été ont besoin de trucs tapageurs; cela fait partie de leur métier. Celles du théâtre, particulièrement. Mais si tu regardes plus attentivement, en particulier à l'intérieur de certaines boutiques, tu découvriras les fournitures plus techniques. De la peinture et du matériel pour les décors, des instruments de musique, des outils pour fabriquer des bijoux — ce genre d'objets.

Il sourit largement.

— Les échoppes ont des choses qui brillent et étincellent afin d'attirer le soleil et davantage de preneurs.

Ils rirent et Laurel leva la main pour toucher à son nouveau peigne. Elle se demanda brièvement ce qu'il vaudrait en Californie, puis chassa cette pensée. Ce n'était pas une chose qu'elle vendrait un jour, alors cela n'avait pas d'importance.

La foule devenait moins dense à mesure qu'ils s'éloignaient de la place du marché. La large route en terre était à présent bordée de maisons, et Laurel regardait d'un côté et de l'autre avec émerveillement. Chaque résidence était entièrement fabriquée du même genre de verre en sucre qui formait la fenêtre panoramique dans la propre chambre de Laurel. Les orbes translucides plus gros qui s'ouvraient sur la rue étaient de toute évidence des salons ; les bulles légèrement plus petites et colorées de teintes pastel regroupées sur les côtés et à l'arrière étaient, de l'avis de Laurel, des chambres à coucher. D'immenses tentures de soies pastel étaient ouvertes dans chaque foyer, permettant au soleil de briller plus fortement dans les remarquables édifices, mais Laurel voyait comment on pouvait les tirer sur la vitre pour se ménager un peu d'intimité le soir. Chaque maison étincelait sous le soleil, et plusieurs étaient décorées de rangs de cristaux et de prismes attirant la lumière et la faisant danser, exactement comme les prismes que Laurel suspendait dans sa chambre chez ses parents. Tout le quartier scintillait si vivement que c'était presque difficile de le regarder, et Laurel réalisa que c'était là les « ballons » qu'elle avait aperçus depuis plus haut sur la colline lors de son arrivée avec Jamison.

— Elles sont si jolies, dit-elle d'un air songeur.

— En effet. J'adore me promener dans les quartiers de l'été.

Les étincelantes résidences commencèrent à s'espacer, et bientôt, Laurel et Tamani marchèrent de nouveau vers le bas de la colline. La large route traversa un pré de trèfles avec des talles de fleurs ici et là ; Laurel avait vu de tels prés uniquement dans les films. Et même si elle s'était habituée à l'air d'Avalon — embaumant toujours la terre fraîche et les fleurs épanouies —, il était plus entêtant ici, où le vent pouvait aisément transporter chaque odeur qui lui caressait le visage. Laurel respira profondément, prenant plaisir à la brise revigorante.

Elle s'arrêta lorsqu'elle réalisa que Tamani n'était plus à côté d'elle. Elle regarda dans son dos. Il était accroupi sur le bord du sentier, essuyant ses mains sur le trèfle doux.

— Que fais-tu ? s'enquit-elle.

Tamani bondit sur ses pieds, l'air penaud.

— J'ai, euh, oublié mes gants, répondit-il doucement.

Laurel demeura perplexe une seconde, puis elle remarqua que le trèfle était un peu brillant.

— Tu portes des gants pour couvrir le pollen ? devina-t-elle.

— C'est poli, dit-il en s'éclaircissant la gorge.

Laurel fouilla dans ses souvenirs et elle réalisa que tous les hommes sur la place d'été portaient des gants. Cela lui paraissait logique à présent. Elle se hâta de changer de sujet pour épargner à Tamani son embarras évident.

— Alors, quelle est la suite ? s'enquit-elle, la main sur le front, bloquant le soleil pour pouvoir regarder plus loin sur la route.

QUATRE

Un frisson traversa le dos de Laurel alors que la nervosité et le trouble se disputaient le contrôle.

— Ta mère ?

— Est-ce que… ça te va ?

— Tu m'as dit que les fées n'avaient pas de mère.

Tamani ouvrit la bouche et la referma, plissant le front — l'expression qu'il affichait toujours lorsqu'il était pris la main dans le sac par une de ses demi-vérités.

— Dans les faits, je n'ai pas dit que les fées n'ont pas de mère, commença-t-il lentement. J'ai dit que les choses étaient différentes ici. Et elles le sont.

— Mais tu… Je… j'ai simplement présumé que… tu sais, puisque les fées viennent des graines. Tu as dit que vous étiez autosuffisants ! s'exclama-t-elle, un peu en colère à présent.

— C'est vrai, dit Tamani en tentant de l'apaiser. Enfin, la plupart du temps. La maternité n'est pas tout à fait la même chose ici que dans le monde des humains.

— Mais tu as une mère ?

Il hocha la tête et elle voyait qu'il s'attendait à la suite de sa question.

— Est-ce que moi, j'ai une mère? Une mère fée, je veux dire?

Il demeura silencieux un moment et Laurel voyait qu'il ne désirait pas répondre. Il haussa finalement les épaules, un minuscule haussement, presque imperceptible, et il secoua la tête.

Le choc et la déception montèrent vivement en elle. Cela ne l'aidait pas que, malgré la tension à la maison, sa mère lui manquât intensément et qu'en plus elle ressentît le mal du pays. Les larmes menaçaient, mais Laurel refusa de les laisser couler. Elle tourna sur ses talons et poursuivit sa route en bas de la colline, contente qu'il n'y ait personne aux alentours.

— Pourquoi pas? demanda-t-elle d'un ton penaud.

— Tu n'en as pas, c'est tout.

— Mais toi, oui. Pourquoi?

Elle savait qu'elle avait l'air puérile et de mauvaise humeur, mais elle ne s'en souciait pas.

— Parce que je ne suis pas une fée d'automne ou d'hiver.

Laurel s'arrêta et se tourna de nouveau vers Tamani.

— Et alors? Sommes-nous nés différemment?

Tamani secoua la tête.

— La graine de laquelle je suis issue, elle a été produite par deux fées, n'est-ce pas?

Tamani hésita, puis fit signe que oui.

— Donc où sont-elles ? Je pourrais peut-être…

— Je l'ignore, l'interrompit Tamani. Personne ne le sait. Les registres les concernant ont été détruits, termina-t-il à voix basse.

— Pourquoi ?

— Les fées d'automne et d'hiver ne vivent pas avec leurs parents. Elles sont des enfants d'Avalon ; les enfants de la couronne. Ce n'est pas comme chez les humains, ajouta-t-il. Les relations sont différentes.

— Donc, la relation que tu entretiens avec ta mère diffère de celle que je vis avec la mienne à la maison ? demanda Laurel.

Elle savait que qualifier un autre endroit qu'Avalon de « maison » contrarierait Tamani, mais elle était trop furieuse pour s'en inquiéter.

— Ce n'est pas ce que j'ai voulu dire. Quand on produit une graine, elle n'est qu'une graine. Elle est très, très précieuse parce qu'elle porte le potentiel d'une nouvelle vie, mais la relation ne débute pas avec la graine. Elle commence lorsque le germe éclot et que le jeune plant vient vivre avec ses parents ; mais seules les fées de printemps et d'été demeurent avec leurs parents. Les… géniteurs de ta graine…

— Mes parents, l'interrompit Laurel.

— Bien. Tes parents ont peut-être été déçus quand ils ont découvert que tu ne serais pas leur jeune plant, que tu ne les rejoindrais jamais chez eux, mais ils se sont probablement surtout réjouis de leur contribution à la société. En ce qui les concernait, tu n'étais pas encore une personne. Tu ne leur aurais pas manqué, car ils ne te connaissaient pas.

— Est-ce censé me remonter le moral?

— Oui.

La main de Tamani se posa sur l'épaule de Laurel, l'obligeant à s'arrêter avant qu'elle ne puisse virer dans la large route centrale.

— Parce que je sais à quel point tu es généreuse. Aimerais-tu mieux vivre l'expérience d'une réunion avec deux parents depuis longtemps perdus, qui auraient souffert de ton absence et de leur amour pour toi depuis des années, ou préférerais-tu qu'ils n'aient pas eu mal pendant que tu étais élevée par des parents humains qui t'adorent?

Laurel avala sa salive.

— Je n'y avais pas pensé de cette façon.

Tamani sourit gentiment et il leva une main vers le visage de son amie, lui replaçant une mèche derrière l'oreille, puis reposant son pouce sur sa joue.

— Fie-toi à moi : ce n'est pas une partie de plaisir que de s'ennuyer de toi. Je ne le souhaiterais à personne.

Sans en avoir eu l'intention, Laurel s'appuya sur la main de Tamani. Il s'inclina en avant jusqu'à ce que son front repose sur le sien, prenant son visage en coupe entre ses mains, puis les laissant glisser le long de son cou. Ce n'est que lorsque le bout de son nez toucha le sien — à peine un frôlement — qu'elle comprit qu'il était sur le point de l'embrasser. Et qu'elle n'était pas tout à fait certaine de vouloir l'en empêcher.

— Tam, chuchota-t-elle.

Les lèvres de Tamani n'étaient qu'à un souffle des siennes.

Ses doigts se contractèrent imperceptiblement sur son cou, puis il s'arrêta et recula.

— Désolé, dit-il.

Il déplaça son visage, laissant plutôt retomber sa bouche sur le front de Laurel avant de s'écarter et de pointer en bas de la large route coupant à travers la prairie.

— Continuons. Je devrais probablement te raccompagner à l'Académie dans une heure environ.

Laurel hocha la tête, ne sachant pas quelle émotion l'habitait le plus. Le soulagement. La déception. La solitude. Le regret.

— Comment... comment savaient-ils que je serais une fée d'automne ? demanda Laurel, tentant de trouver un sujet neutre.

— Ton germe a éclos à l'automne, répondit simplement Tamani. Toutes les fées sortent de leur germe pendant la saison de leurs pouvoirs.

— Le germe ?

— La fleur dans laquelle tu es née.

— Oh.

Laurel n'avait plus de questions qui ne ramèneraient pas la discussion à la parenté des fées, alors elle garda le silence, essayant de comprendre ce nouvel élément — et Tamani suivit son exemple. Ils marchèrent un peu plus loin jusqu'à ce que la circulation piétonnière augmente et que plus de maisons commencent à parsemer la route. Elles différaient de celles aperçues autour de la place d'été. Elles arboraient les mêmes vignes grimpantes qui décoraient presque l'ensemble de l'Académie — celles avec des fleurs s'ouvrant lorsque la lune se levait. Mais au lieu des murs transparents auxquels elle était habituée, ces bâtiments étaient fabriqués en bois et en écorce — de solides appentis, de petites maisons, quelques chaumières aux toits lâchement fixés. Elles étaient charmantes et pittoresques et comme tous ces autres mots de contes de fées qu'elle avait pu un jour utiliser pour décrire des maisonnettes. Mais il y avait un sentiment de différence dans l'air.

— Pourquoi ces maisons ne sont-elles pas transparentes ? demanda Laurel.

— Ce sont des foyers de fées de printemps, répondit Tamani, rôdant toujours près de son épaule gauche.

— Et...

— Et quoi ?

— Pourquoi est-ce important ?

— Les fées d'été ont besoin de photosynthétiser d'énormes quantités de lumière du soleil pour créer leurs illusions et la clarté nécessaire pour leurs feux d'artifice. Elles doivent s'exposer à toutes les heures d'ensoleillement. De plus, ajouta-t-il avec une brève pause, ces maisons sont plus faciles à construire et à entretenir. Nous sommes beaucoup, après tout.

— Combien y a-t-il de fées de printemps ?

Tamani haussa les épaules.

— Je ne suis pas certain. Environ quatre-vingts pour cent de la population.

— Quatre-vingts ? Vraiment ? Combien de fées d'été ?

— Oh, je supposerais quinze pour cent. Sans doute un brin de plus.

— Oh.

Elle ne posa pas la question pour les fées d'automne. Elle connaissait ses maths. Tamani lui avait dit que les fées d'hiver étaient les plus rarissimes de toutes, avec peut-être une naissance par génération, mais les fées d'automne étaient apparemment assez rares elles aussi. Laurel supposa qu'elle avait aussi probablement réalisé inconsciemment qu'il y avait moins de fées d'automne, mais elle n'avait pas compris à quel point leur nombre était limité. Pas étonnant qu'elles ne possédassent pas leur propre place de marché.

Les habitations augmentaient en densité et d'autres fées grouillaient autour d'eux à présent. Certaines étaient gantées et portaient des outils de jardinage : plusieurs étaient tout à fait inconnus de Laurel, malgré la passion de sa mère pour la vie végétale. D'autres s'activaient à l'extérieur de leur maison, lavant des vêtements trop délicats pour être les leurs. Laurel remarqua plusieurs charrettes chargées de nourriture, des fruits et des légumes crus jusqu'à des mets préparés enveloppés dans des feuilles de vigne ou des pétales d'une énorme fleur sentant vaguement le gardénia.

L'une des fées de printemps se hâtant à proximité transportait un bâton semblable à une houlette de berger, avec un petit chaudron oscillant au bout de l'objet recourbé. Il portait au moins une douzaine de fioles de liquide sanglées autour de son torse. Laurel lança un regard interrogateur par-dessus son épaule, mais Tamani se contenta de pointer un doigt vers l'avant avec un sourire.

Laurel pivota et réalisa que le doux murmure de la foule augmentait en volume et en intensité. Mais c'est seulement lorsqu'un nuage d'insectes bourdonnants se matérialisa, apparemment d'un seul coup, que Laurel comprit pourquoi. Elle ravala un cri quand elle se retrouva enveloppée dans une nuée d'abeilles actives.

Aussi vite qu'elles étaient apparues, elles disparurent. Laurel se tourna pour observer l'essaim s'évanouir dans la foule, suivant la fée de printemps avec la houlette de berger. Laurel se rappela avoir lu qu'il y avait plusieurs façons d'influencer et même de diriger par l'odeur les animaux, les insectes et « d'autres formes de vie ». Elle réfléchit un peu sur l'utilité d'abeilles apprivoisées dans une société de plantes, mais ses réflexions déraillèrent sous le rire de Tamani.

— Désolé, dit-il avec un petit rire.

Un sourire tressautait encore au coin de sa bouche.

— Mais tu aurais dû voir ton visage.

L'instinct de Laurel lui commandait d'être furieuse, mais elle soupçonnait que son expression *avait dû* être très amusante.

— Vais-je dans la bonne direction ? demanda-t-elle, comme si rien d'extraordinaire ne s'était produit.

— Oui, je te préviendrai quand le moment sera venu de prendre un virage.

— Nous nous trouvons en territoire du printemps maintenant, n'est-ce pas ? Alors, pourquoi est-ce important de marcher derrière moi ? Cela me donne l'impression d'être perdue.

— Je m'en excuse, dit Tamani d'une voix tendue. Toutefois, les choses sont ainsi ici. On reste derrière une fée qui occupe un rang deux ou trois fois plus élevé que le sien.

Elle s'arrêta et Tamani se cogna presque contre elle.

— C'est le truc le plus stupide que je n'ai jamais entendu.

Elle pivota vers Tamani.

— Et je ne m'y soumettrai pas.

Tamani soupira.

— Écoute, tu es suffisamment privilégiée pour détenir un tel statut ; moi, non.

Il jeta un coup d'œil à la foule s'écoulant autour d'eux et dit enfin, à voix basse :

— Si je ne le respecte pas, ce n'est pas toi qui auras des ennuis, c'est moi.

Laurel ne désirait pas lâcher le morceau, mais elle ne voulait pas non plus voir Tamani puni pour ses idéaux à elle. Avec un dernier regard sur ses yeux baissés, Laurel se tourna et poursuivit sa marche. Elle était de plus en plus consciente de la façon dont elle ressortait du lot; beaucoup plus que sur la place d'été. Mis à part leurs divers outils de travail, tout le monde autour d'elle ressemblait... bien... à Tamani. Ils étaient vêtus de simples tissus évoquant la toile, surtout taillés en hauts-de-chausse ou en jupes à mi-mollet. Mais comme toutes les fées, les gens étaient beaux et propres. Au lieu de ressembler à la classe ouvrière typique — avec ses visages las ou ses vêtements miteux —, ils s'apparentaient davantage à des acteurs faisant *semblant* d'en être.

Ce qui était beaucoup moins charmant, par contre, c'est la manière qu'avaient ceux qui croisaient son regard de stopper toute conversation, de sourire et d'exécuter cette même révérence légèrement inclinée à la taille que Tamani avait esquissée quand il l'avait vue à l'Académie. Une fois qu'elle et Tamani les dépassaient, leurs bavardages reprenaient. Plusieurs saluèrent Tamani et essayèrent de dire quelque chose. Il agita la main pour les chasser, mais un mot en particulier revenait continuellement aux oreilles de Laurel.

— Qu'est-ce qu'une Mélangeuse? demanda-t-elle une fois que la foule s'était un peu éclaircie.

Tamani hésita.

— C'est un peu étrange à expliquer.

— Oh, bon, laisse tomber alors, parce que m'expliquer des choses étranges n'a assurément jamais fait partie de notre relation.

Son sarcasme amena un sourire penaud sur le visage de Tamani.

— C'est un peu un truc de fée de printemps, répondit-il, évasif.

— Oh, allons, lança-t-elle.

Puis, elle ajouta, moqueuse :

— Dis-le-moi ou bien je marcherai *à côté* de toi.

Quand elle ne reçut pas de réponse, elle ralentit, puis s'écarta rapidement de la main de Tamani pour se repositionner exactement à côté de lui.

— D'accord, dit-il dans un murmure, la repoussant gentiment devant lui.

— Une Mélangeuse est une fée d'automne. Il ne s'agit pas d'une appellation méchante, ni rien, continua-t-il à la hâte. Seulement un… surnom. Cependant, on n'oserait jamais appeler une fée d'automne par ce surnom en sa présence.

— Une Mélangeuse ? redit Laurel à titre expérimental, aimant le son dans sa bouche. Parce que nous mélangeons des choses, dit-elle en riant. C'est approprié.

Tamani haussa les épaules.

— Et les fées d'été ?

Là, Tamani grinça un peu des dents.

— Des Diams.

Laurel rit et plusieurs fées de printemps joyeusement habillées regardèrent vers elle avant de retourner à leur travail avec un air un peu trop absorbé.

— Et les fées d'hiver ?

Tamani secoua la tête.

— Oh, nous ne traiterions jamais une fée d'hiver avec autant de légèreté. Jamais, ajouta-t-il avec emphase.

— Comment vous surnommez-vous entre vous ? s'enquit-elle.

— Les Voûtes, dit Tamani. Tout le monde sait cela.

— Peut-être tout le monde à Voûteville, rétorqua Laurel. Moi, je l'ignorais.

Tamani s'étrangla de rire quand elle dit Voûteville.

— Bien, maintenant tu le sais.

— Qu'est-ce que ça signifie ? demanda-t-elle.

— Voûte, comme dans en-*voûte*-ment. C'est ce que nous faisons tous. Enfin, ce que nous pouvons faire, en tout cas. Ce sont surtout les sentinelles qui utilisent ce don.

— Oh, dit Laurel avec un grand sourire. Voûte. Compris. Pourquoi les sentinelles sont-elles les seules à l'utiliser ?

— Euh, commença-t-il en hésitant, te souviens-tu de la fois où j'ai voulu me servir de mon pouvoir sur toi l'an dernier ?

— Oh, c'est vrai ! J'avais presque oublié.

450-436-6338

ZELLERS MAGASIN 311
900 BOUL GRIGNON   J7Y3S7
ST. JEROME   QC

VENTE

1 CHAINE EN ARGENT   239
  057676062467   59.97

  Somme partielle   59.97
  121968549 5% TPS   3.00
  1010494016 7.5%TVQ   4.72
  Total   67.69

  CARTE DEBIT   97.69
NO: ************2746
ACHAT
AUTOR.: 009559   S@1
SÉQ: 001001704
No MARCH:20996793   TID H20996793018
                                   /00
    Monnaie   30.00

919271833   ORDINAIRE MEMBRE/ 00
  BASE   CRÉDIT   PRIME
   2950   0   0

    2950   PTS ACCUMULÉS AUJ.
    270156 TOTAL DE PTS DISPONIBLES

La carte de crédit Hbc ou MasterCard
Hbc vous aurait valu ces points bonis:
2950

TRAN ID: 2148 0311 054 05302010

TRAN TERM OPER MAG   DATE   HRE
2148 54 1695104 311 05/30/10 01:57PM

Elle se tourna vers lui en faisant semblant d'être en colère.

— J'étais furieuse contre toi!

Tamani rigola et haussa les épaules.

— Le point, c'est que cela n'a pas très bien fonctionné parce que tu es une fée. Par conséquent, seules les sentinelles — et plus précisément les sentinelles qui travaillent à l'extérieur d'Avalon — ont vraiment l'occasion de l'utiliser sur des créatures non fééériques.

— C'est logique.

Sa curiosité rassasiée, Laurel recommença à avancer. Des doigts caressants lui touchèrent la taille, la guidant à travers une foule encore dense.

— À droite ici, lui indiqua Tamani. Nous sommes presque arrivés.

Laurel fut contente de s'engager dans une rue transversale beaucoup moins bondée. Elle sentait qu'elle attirait tous les regards et cela la gênait; elle aurait aimé avoir demandé à la grande fée dans l'échoppe d'emballer la parure pour cheveux dans une boîte. Personne d'autre ne portait quelque chose de vaguement similaire.

— Arrivons-nous bientôt?

— La maison est là-haut, dit Tamani en la désignant. Celle avec les grosses balconnières devant.

Ils s'approchèrent d'une petite mais charmante maison nichée dans le creux d'un tronc, quoique l'arbre ne ressemblait à rien de ce qu'avait déjà vu Laurel auparavant. Au lieu d'un gros tronc s'élevant droit, il était large à la base et avait grandi en adoptant une forme ronde, comme une énorme citrouille en bois. Le tronc s'était rétréci encore une fois au sommet et avait continué à croître, formant des branches et des feuilles qui ombrageaient la maison.

— Comment peut-il pousser ainsi ?

— Par magie. Cette maison est un cadeau de la reine à ma mère. Les fées d'hiver peuvent demander aux arbres de se développer comme elles le souhaitent.

— Pourquoi ta mère a-t-elle reçu un cadeau de la reine ?

— Comme remerciement pour des années de bons et loyaux services à titre de Jardinière.

— Une jardinière ? N'y en a-t-il pas des tonnes ?

— Oh, non. C'est un domaine très spécialisé. L'un des postes les plus prestigieux auxquels peuvent aspirer les fées de printemps.

— Vraiment ? demanda Laurel, sceptique.

Elle avait vu des douzaines de jardiniers, et cela, seulement autour de l'Académie.

Tamani la regarda étrangement pendant un instant avant que la compréhension ne s'épanouisse sur son visage.

— Pas comme un jardinier humain. Nous nommons ceux-là des Soigneurs ici et oui, ils sont très nombreux. J'imagine que tu pourrais appeler ma mère une... une sage-femme.

— Une sage-femme ?

Si Tamani entendit la question, il ne le montra pas. Il frappa doucement à la porte en frêne de l'étrange petite maison. Puis, sans attendre de réponse, il l'ouvrit.

— Je suis rentré.

Un cri aigu retentit dans la maison et un tourbillon de jupes colorées s'enroula autour des jambes de Tamani.

— Oh, mon doux, qu'est-ce que c'est?

Il se déprit de la jeune fée et la souleva au-dessus de sa tête.

— Qu'est-ce que cette chose? Je pense que c'est une fleur Rowen!

La petite fille poussa un petit cri perçant alors que Tamani la posait contre son torse.

La fillette semblait âgée d'environ un an, à peine plus vieille qu'un bébé. Cependant, elle marchait avec assurance et ses yeux trahissaient son intelligence. Son intelligence et, Laurel en était certaine sans savoir pourquoi, son espièglerie.

— As-tu été gentille aujourd'hui? demanda Tamani.

— Bien sûr, déclara la jeune fée, beaucoup plus clairement que Laurel l'aurait cru possible pour une enfant si petite. Je suis *toujours* gentille.

— Excellent.

Il tourna le regard vers l'intérieur de la maison.

— Mère? appela-t-il.

— Tam! Quelle surprise! J'ignorais que tu venais aujourd'hui.

Laurel leva les yeux et se sentit tout à coup timide quand la plus vieille fée entra dans la pièce. La femme était belle, avec un visage légèrement ridé, des yeux vert pâle exactement comme Laurel et un grand sourire épanoui dirigé vers Tamani. Elle ne sembla même pas remarquer Laurel à ce moment-là, à moitié cachée derrière lui dans l'embrasure de la porte.

— Je ne le savais pas moi-même jusqu'à ce matin.

— Peu importe, déclara la femme, prenant le visage de Tamani entre ses deux mains et lui embrassant les joues.

— J'ai amené de la visite, dit Tamani, d'une voix soudainement basse.

La femme se tourna vers Laurel et, pendant une seconde, l'inquiétude ombra son visage. Puis, elle la reconnut et sourit.

— Laurel. Regarde-toi ; tu as à peine changé.

Laurel répondit à son sourire, mais s'assombrit quand la mère de Tamani inclina la tête et se pencha à la taille.

Tamani avait dû sentir que Laurel s'était raidie, car il pressa la main de sa mère et lui dit :

— Laurel a subi suffisamment de formalités pour une journée. Elle est uniquement elle-même dans cette maison.

— Encore mieux, dit la mère de Tamani en souriant.

Puis, elle s'avança et prit le visage de Laurel, comme elle l'avait fait avec Tamani quelques instants avant, et lui embrassa les deux joues.

— Bienvenue.

Des larmes surgirent dans les yeux de Laurel. C'était l'accueil le plus chaleureux qu'elle avait reçu de tous sauf Tamani depuis son arrivée à Avalon. Sa mère lui manqua d'autant plus intensément.

— Merci, dit-elle doucement.

— Entrez, entrez; nul besoin de rester dans l'embrasure de la porte. Nous avons suffisamment de fenêtres, déclara la mère de Tamani en les chassant de l'entrée. Et puisque nous faisons fi des formalités, tu peux m'appeler Rhoslyn, tout simplement.

CINQ

L'INTÉRIEUR DE LA MAISON RESSEMBLAIT AU DORTOIR OÙ vivait Laurel, sauf que tout paraissait plus simple. Des boutons-d'or ayant reçu un traitement particulier pour luire le soir — *composé d'écorce de chêne et d'essence de lavande*, récita automatiquement Laurel dans sa tête — étaient suspendus aux chevrons et oscillaient doucement dans la légère brise entrant par les six fenêtres ouvertes autour de la pièce. Les tentures étaient cousues dans une étoffe évoquant davantage le coton que la soie, et le recouvrement des chaises venait du même tissu. Les planchers étaient en bois lisse au lieu d'être recouverts d'un tapis pelucheux et Laurel épousseta ses pieds avec soin sur l'épaisse carpette avant d'entrer dans la maison. Plusieurs dessins à l'aquarelle dans des cadres biseautés ornaient les murs.

— Elles sont belles, dit Laurel en se penchant pour voir de plus près une des œuvres qui présentait un parterre de fleurs à très longues tiges avec un seul bouton sur chacune, prêt à éclore.

— Merci, répondit Rhoslyn. Je me suis mise à la peinture depuis ma retraite. J'y prends plaisir.

Laurel se tourna vers un autre tableau, celui-là de Tamani. Elle sourit devant la façon dont Rhoslyn avait réussi à capturer ses traits songeurs. Ses yeux étaient sérieux et il regardait quelque chose juste au-delà du cadre.

— Tu es très bonne, affirma Laurel.

— Sottises. Je ne fais que me distraire avec des fournitures dont les fées d'été ne veulent plus. Tout de même, on ne peut pas se tromper avec un sujet aussi séduisant que Tamani, dit-elle en enroulant un bras autour de la taille du garçon.

Laurel les observa ; Rhoslyn, encore plus menue que Laurel, levant un regard admirateur sur Tamani, Tamani faisant sauter la petite fée sur sa hanche pendant qu'elle s'accrochait à son torse. Laurel se sentit momentanément déçue de réaliser qu'il avait une vie qui ne l'incluait pas ; mais elle se réprimanda de suite. La majorité de son existence à elle se déroulait aussi sans lui, c'était donc égoïste de désirer davantage de lui qu'elle fût elle-même prête ou capable de lui donner. Elle sourit à Tamani et repoussa ses mornes pensées.

— Est-ce ta sœur ? demanda Laurel en pointant la jeune fée.

— Non, répondit Tamani, et Rhoslyn rit.

— À mon âge ? lança-t-elle en souriant. Ciel, non. Tam est mon cadet, et même pour lui j'étais un peu vieille.

— C'est Rowen, dit Tamani, en donnant de petits coups dans les côtes de la fillette. Sa *mère* est ma sœur.

— Oh. Ta nièce, comprit Laurel.

Tamani haussa les épaules.

— Nous n'utilisons pas vraiment d'autres termes ici à part *mère, père, frère* et *sœur*. Hormis ceux-là, nous avons tous notre place auprès des uns et des autres, et tout le monde donne un coup de main pour les enfants.

Il chatouilla la petite fée, qui cria de plaisir.

— Rowen reçoit peut-être un peu plus de notre attention parce qu'elle est plus intimement liée à nous que d'autres jeunes plants, mais nous ne revendiquons rien au-delà de cela. Nous sommes tous de la même famille.

— Oh.

C'était un concept qui plaisait et déplaisait à Laurel. Ce serait amusant qu'un peuple entier se considère comme des membres de votre famille. Cependant, les liens qu'elle avait avec sa famille élargie, bien que peu nombreuse, lui manqueraient.

Laurel cligna des yeux étonnés devant une petite créature semblable à un écureuil mauve avec des ailes de papillons roses venue se percher sur l'épaule de Rowen. Laurel était certaine qu'elle ne s'y trouvait pas quelques instants avant. Pendant qu'elle les observait, Rowen chuchota des mots à la chose, puis rit douce-ment, comme s'ils partageaient une blague amicale.

— Tamani ? murmura Laurel, ne lâchant pas la petite créature des yeux.

— Quoi ? répondit-il en suivant son regard.

— Qu'est-ce que cette chose ?

— C'est son familier, lui apprit Tamani en réprimant un sourire. Du moins pour le moment. Elle change régulièrement.

— Ai-je besoin de te dire que je suis totalement déroutée ?

Tamani trouva un tabouret et s'assit, reposant Rowen sur le sol. Il allongea ses pieds devant lui.

— Prends-le comme un ami pas si imaginaire.

— Il est imaginaire ?

— C'est une illusion.

Il afficha un grand sourire alors que Laurel continuait de paraître troublée.

— Rowen, dit Tamani, la voix chaleureuse, est une fée d'été.

Rowen sourit timidement.

Rhoslyn rayonnait.

— Nous sommes très fiers d'elle.

— Créer un camarade de jeu imaginaire constitue l'un des premiers signes de magie d'une fée d'été. Rowen en fait apparaître depuis environ deux semaines après son éclosion. C'est comme avoir une couverture spéciale ou un joujou animal, mais beaucoup plus amusant. En premier lieu, mes jouets préférés n'ont jamais bougé ainsi.

Laurel zieuta la chose écureuil mauve avec méfiance.

— Donc, il n'est pas réel ?

— Juste un peu plus réel que les amis imaginaires des autres fées.

— C'est incroyable.

Tamani roula les yeux.

— Incroyable, mon œil. Tu devrais voir les sauveteurs héroïques qu'elle fait apparaître pour la sauver du monstre sous son lit.

Il marqua une pause.

— Qui est aussi de sa création.

— Où sont ses parents?

— Ils sont en territoire d'été cette après-midi, dit Rhoslyn. Rowen est presque en âge de commencer sa formation et ils prennent des arrangements avec son directeur.

— Si jeune?

— Elle a presque trois ans, répliqua Tamani.

— Vraiment? reprit Laurel, observant la fillette qui jouait sur le plancher. Elle paraît tellement plus jeune, dit-elle doucement.

Elle marqua une pause.

— Et elle agit avec beaucoup plus de maturité. J'allais justement te questionner à ce propos.

Rowen leva les yeux sur Laurel.

— Je suis simplement comme toutes les autres fées de mon âge. Non?

Elle posa sa question à Tamani.

— Tu es parfaite, Rowen.

Il la souleva sur ses genoux, et la chose rose et mauve s'installa sur le dessus de sa tête.

Laurel s'obligea à détourner le regard, même si elle se demandait si c'était impoli de regarder fixement une chose qui n'était pas vraiment là.

— Laisse-moi t'apprendre quelque chose sur Laurel, dit Tamani à Rowen. Elle est très spéciale. Elle vit dans le monde des humains.

— Comme toi, déclara Rowen d'un ton neutre.

— Pas tout à fait comme moi, rétorqua Tamani en riant. Laurel vit *avec* les humains.

Rowen écarquilla les yeux.

— Vraiment?

— Oui. En fait, elle ne savait même pas qu'elle était une fée jusqu'à l'an dernier, quand elle a fleuri.

— Que pensais-tu être? demanda Rowen.

— Une humaine, comme mes parents.

— C'est idiot, déclara Rowen d'un ton dédaigneux. Comment une fée pourrait-elle être humaine? Les humains sont étranges. Et effrayants, ajouta-t-elle après une petite pause.

Puis, elle murmura d'un ton conspirateur :

— Ce sont des *animaux*.

— Ils ne sont pas si effrayants, Rowen, dit Tamani. Et ils nous ressemblent en apparence. Si tu ne connaissais rien sur les fées, tu pourrais toi aussi croire que tu es humaine.

— Oh, je ne pourrais jamais être une humaine, répondit Rowen avec réserve.

— Bien, ce ne sera jamais nécessaire pour toi, dit Tamani. Tu deviendras la plus belle fée d'été à Avalon.

Rowen sourit et baissa les paupières avec modestie, et Laurel ne doutait pas que Tamani avait raison. Avec ses doux cheveux bruns bouclés et ses longs cils, elle était plus jolie que tous les bébés que Laurel avait vus. Puis, elle ouvrit sa bouche en cœur et poussa un grand bâillement.

— C'est l'heure de la sieste Rowen, déclara Rhoslyn.

Le visage de Rowen s'assombrit et elle commença à bouder.

— Mais je veux jouer avec Laurel.

— Laurel reviendra une autre fois, affirma Rhoslyn, son regard filant vers Laurel comme pour tester la validité de sa promesse.

Laurel hocha rapidement la tête, ne sachant pas si c'était vrai.

— Tu peux dormir dans le lit de Tam, ajouta Rhoslyn quand Rowen resta en arrière. J'espère que cela ne te dérange pas, dit-elle à Tamani, qui fit signe que non.

Le visage de la petite fée s'éclaira considérablement et Rhoslyn la mena le long de l'étroit corridor, laissant Tamani et Laurel seuls.

— A-t-elle vraiment seulement trois ans ? demande Laurel.

— Si. Et elle est très normale pour une fée de son âge, ajouta-t-il, confortablement installé dans le large fauteuil.

C'était fascinant pour Laurel de l'observer. Elle ne l'avait jamais vu à l'aise à ce point.

— Tu m'as dit que les fées vieillissent différemment, mais je…

Sa voix s'estompa.

— Tu ne me croyais pas ? reprit Tamani avec un grand sourire.

— Je te croyais. Simplement, le voir est une tout autre affaire.

Elle le regarda.

— Les fées ne sont-elles jamais bébés ?

— Pas dans le sens où tu l'entends.

— Et j'étais plus âgée que Rowen lorsque je suis allée vivre avec mes parents ?

Tamani hocha la tête, un petit sourire jouant aux coins de sa bouche.

— Tu avais sept ans. Tout juste.

— Et toi et moi… sommes allés à l'école ensemble ?

Il rigola.

— Quel bien aurais-je tiré des classes pour les fées d'automne ?

— Alors, comment t'ai-je connu ?

— J'ai passé beaucoup de temps à l'Académie avec ma mère.

Comme si elle soupçonnait que l'on parlait d'elle, Rhoslyn revint dans la pièce avec des tasses de nectar de balisier chaud. Laurel y avait goûté une fois à l'Académie, où on l'avait informé que le breuvage sucré était un favori à Avalon et souvent difficile à se procurer. Elle se sentait honorée qu'on lui en serve maintenant.

— Qu'est-ce qu'une Jardinière ? s'enquit Laurel, s'adressant à Rhoslyn à présent. Tamani m'a dit que c'était comme une sage-femme.

Rhoslyn fit claquer sa langue d'une manière méprisante.

— Tamani et ses mots d'humain. Je ne peux pas dire que je sais ce qu'est une sage-femme, mais une Jardinière est une Soigneuse qui veille sur les germes.

— Oh.

Cependant, Laurel nageait encore en pleine confusion.

— Les parents ne s'en occupent-ils pas ?

Rhoslyn secoua la tête.

— Pas assez de temps. Les germes ont constamment besoin de soins très spécialisés. Nous avons toutes nos tâches journalières à accomplir, et si chaque mère prenait une année ou plus de congé pour soigner son jeune plant, trop de travail ne serait pas effectué. D'ailleurs, certains couples pourraient décider de produire une graine uniquement pour profiter d'une pause de travail, et une nouvelle vie est beaucoup trop importante pour être créée pour une raison aussi frivole.

Laurel se demanda ce que dirait Rhoslyn des nombreuses raisons frivoles que trouvent les humains pour faire des bébés, mais elle garda le silence.

— Les germes sont soignés dans un jardin particulier à l'Académie, poursuivit Rhoslyn, comme toutes les plantes et les fleurs importantes. Les jeunes plants d'été et de printemps apprennent à travailler en observant les autres, souvent leurs propres parents, alors Tamani a passé beaucoup de temps avec moi à l'Académie.

— Et j'y étais ?

— Bien sûr. Dès le moment où ton germe a éclot ; comme toutes les autres fées d'automne.

Laurel leva les yeux vers Tamani, qui hocha la tête.

— Depuis le tout premier jour. Comme je te l'ai dit. Ils ne te connaissent pas.

Laurel remua la tête d'un air triste et délaissé.

— Laurel éprouve un peu de difficulté avec le fait de ne pas avoir de parents fées, expliqua doucement Tamani.

— Oh, ne te tracasse pas, la gronda Rhoslyn. La séparation est une partie importante de ton éducation. Les parents constitueraient seulement une nuisance.

— Quoi ? Comment ? demanda Laurel, un peu troublée par le ton nonchalant utilisé par Rhoslyn — elle-même une mère — pour rejeter ses parents inconnus.

— Il y a de bonnes chances que tes parents aient été des fées de printemps ; ils n'auraient pas du tout su quoi enseigner à un jeune plant d'automne. Une fée d'automne doit être libre de ce type d'attachements hasardeux à des fées inférieures, reprit-elle calmement, comme si elle ne parlait pas d'elle-même. Elles doivent apprendre à cultiver leur esprit pour accomplir le travail que l'on attend d'elles. Les fées d'automne sont très importantes pour notre société. Même après une si courte période passée à l'Académie, tu dois réaliser cela.

L'esprit de Laurel s'accrocha aux mots « attachements hasardeux ». Les parents étaient beaucoup plus que cela. Du moins, ils le devraient.

Malgré l'atmosphère douillette du foyer de Tamani, Laurel découvrit qu'elle voulait fuir cette conversation.

— Tamani, lâcha-t-elle brusquement, nous avons marché si loin ; je crains que nous ne revenions en retard à l'Académie.

— Oh, ne te fais pas de soucis, répondit Tamani. Nous avons marché en faisant un grand cercle, frôlant seulement les limites des quartiers habités. Nous ne sommes pas loin des bois de la reine maintenant, et ces derniers bordent les terres de l'Académie. Malgré tout, poursuivit-il en s'adressant à présent à sa mère, nous devrions partir. J'ai promis au personnel de l'Académie que ce serait une courte visite.

Tamani regarda Laurel, les yeux inquiets, mais elle détourna le regard.

— Bien sûr, dit Rhoslyn d'un ton chaleureux, totalement inconsciente de la tension qu'elle avait créée. Reviens quand tu veux, Laurel. C'était un plaisir de te revoir.

Laurel sourit d'un air hébété. Elle sentit les doigts de Tamani s'entremêler aux siens et la tirer vers la porte.

— Seras-tu de retour, Tam ? demanda Rhoslyn avant qu'ils ne passent le seuil.

— Oui. Je dois regagner le portail à l'aube, mais je resterai ce soir.

— Bien. Rowen devrait être partie lorsque tu reviendras. Je vais m'assurer que ton lit sera prêt.

— Merci.

Laurel lui dit au revoir et se tourna. Puis, elle partit en tête vers la route principale qu'ils avaient parcourue une petite heure auparavant. Quand Tamani libéra la main de Laurel et qu'il reprit sa place à quelques pas derrière elle, elle maugréa des paroles incohérentes et croisa les bras sur sa poitrine.

— Je t'en prie, n'agis pas ainsi, dit doucement Tamani.

— Je ne peux pas m'en empêcher, répondit Laurel. Sa façon de parler, elle…

— Je sais que ce n'est pas ce à quoi tu es habituée, Laurel, mais c'est ainsi que sont les choses ici. Je suis certain qu'aucun de tes camarades de classe n'y accorde une seule pensée.

— Ils ne connaissent pas mieux. Toi, oui.

— Pourquoi ? Parce que je sais comment les humains agissent ? Tu présumes que ta façon est meilleure.

— Elle *est* meilleure, rétorqua Laurel, pivotant brusquement pour lui faire face.

— Peut-être pour les humains, riposta Tamani d'une voix ferme et basse. Cependant, les humains ne sont pas des fées. Les fées ont des besoins différents.

— Donc, tu dis que tu aimes cela ? Enlever les fées à leurs parents ?

— Je ne dis pas qu'une manière ou l'autre est mieux. Je n'ai pas vécu près des humains assez longtemps pour juger. Mais réfléchit à ceci, dit-il en posant une main sur son épaule, son toucher adoucissant le tranchant de ses mots. Et si nous vivions ici à Avalon comme tu le fais dans le monde des humains ? Chaque fois que des fées d'été produisent un jeune plant d'automne, ce dernier vit avec elles. Les parents élèvent la jeune fée. Sauf qu'elle doit les quitter pour aller à l'Académie étudier douze heures par jour. Ils ne la voient jamais. Ils ne comprennent rien de ce qu'elle fait. Pour couronner le tout, ils n'ont pas de jardin à la maison — un jardin dont elle a besoin pour faire ses devoirs — alors, elle doit partir pendant quatorze à seize heures tous les jours. Elle leur manque ; ils lui manquent. Ils ne se voient jamais. En fin de compte, ils *sont* comme des étrangers, sauf que, au contraire de maintenant, les parents savent ce qu'ils manquent. Et cela fait mal, Laurel. Ils souffrent et elle souffre. Dis-moi comment c'est mieux.

Laurel resta sous le choc à mesure que la logique pénétrait son cerveau. Pouvait-il avoir raison ? Elle détestait l'idée même d'y penser. Et pourtant, tout cela avait une certaine efficacité brutale qu'elle ne pouvait pas nier.

— Je ne dis pas que c'est mieux, reprit Tamani, la voix compatissante. Je ne dis même pas que tu dois comprendre, mais ne crois pas que nous sommes dénués de toutes émotions parce que nous séparons les supérieurs des inférieurs. Nous avons nos raisons.

Laurel hocha lentement la tête.

— Et les pères ? demanda-t-elle, le ton calme à présent, la colère disparue. As-tu un père ?

Le regard de Tamani resta fermement fixé au sol.

— J'en avais un, dit-il, d'une voix lente et légèrement étranglée.

La culpabilité envahit Laurel d'un coup.

— Je suis désolée. Je ne voulais pas… je suis désolée.

Elle lui toucha l'épaule, souhaitant pouvoir faire quelque chose de plus.

Tamani avait la mâchoire serrée, mais il s'obligea à sourire quand même.

— Ça va. C'est juste qu'il me manque. Cela ne fait qu'un mois.

Un mois. Exactement au moment où il s'attendait à ce qu'elle lui rende visite sur la terre. *Mais je ne suis pas venue.* Sa poitrine lui semblait vide.

— Je… je l'ignorais.

Elle marqua une pause.

Il sourit.

— Ça va, vraiment. Nous savions tous que cela se préparait.

— Vraiment ? De quoi est-il mort ?

— Il n'est pas mort, en fait. C'est plutôt à l'opposé de la mort.

— Qu'est-ce que cela veut dire ?

Tamani prit une profonde respiration et la relâcha lentement. Quand il regarda de nouveau Laurel, il était redevenu lui-même — son deuil dissimulé.

— Je te montrerai, une bonne fois. C'est une chose que tu dois voir pour la comprendre.

— Mais ne pouvons-nous pas...

— Nous n'avons pas le temps aujourd'hui, déclara Tamani, l'interrompant d'une voix portant une toute petite trace de sècheresse. Viens. Je ferais mieux de te ramener afin qu'ils me permettent de te sortir la prochaine fois.

— La semaine prochaine ? demanda Laurel avec espoir.

Tamani secoua la tête.

— Même si j'avais autant de temps de permission à Avalon, ils ne te laisseront pas interrompre ton étude. Dans quelques semaines.

Laurel trouva le concept de « temps de permission à Avalon » étrangement dérangeant — mais pas aussi troublant qu'être claquemurée indéfiniment dans l'Académie. *Quelques semaines ?* Il aurait tout aussi bien pu dire dans une éternité. Elle pouvait seulement souhaiter que la prochaine étape de son éducation fasse passer le temps plus vite que celle où elle était restée assise dans sa chambre avec une pile de manuels.

Elle jeta un coup d'œil à la tenue de Katya — une longue jupe souple et un haut sans manches à col bateau. Laurel portait une robe bain de soleil à mi-mollet coupée dans un tissu léger qui volait sous la brise et bruissait contre ses jambes lorsqu'elle marchait. Elle décida que son ensemble ressemblait suffisamment à celui de Katya pour ne pas paraître complètement déplacé.

— Es-tu prête, alors? s'enquit Katya.

— Ouais, répondit Laurel. Laisse-moi simplement attraper mon sac.

Elle enfila son sac à dos, qui suscita un regard oblique de Katya. Avec ses fermetures éclair noires et son tissage de nylon — sans parler de la pièce auto-adhésive des Transformers que David avait fixée dessus au fer quelques mois auparavant pour lui faire une blague —, il contrastait vivement avec le sac de toile sur l'épaule de Katya. Cependant, Laurel n'avait rien d'autre pour transporter ses fiches de notes; d'ailleurs, c'était réconfortant de porter son vieux sac à dos familier.

Elles se dirigèrent vers la porte et, après avoir tourné quelques coins, elles s'engagèrent dans un long couloir bordé de fenêtres en verre de sucre éclatantes sous le lever du soleil et qui projetaient le reflet des filles sur les vitres opposées. Laurel examina leur image respective en marchant et pendant un moment, elle ne sut plus laquelle était la sienne. Katya était presque aussi grande que Laurel et avait les cheveux blonds également, quoique les siens étaient courts et recourbés à angle droit partout autour de sa tête. La plupart des fées à l'Académie coloraient leurs mèches et leurs yeux en manipulant leur diète, alors les fées à la chevelure rouge, verte et bleue dépassaient largement en nombre les blondes et les brunes ordinaires. C'était une façon intéressante d'aborder la mode qu'en d'autres circonstances Laurel aurait pu aimer adopter. Cependant, elle était déjà débordée seulement avec les subtilités du code vestimentaire non officiel.

Elles atteignirent une série de portes doubles desquelles émanait une riche odeur de terre humide.

— Nous sommes ici aujourd'hui, dit Katya. Nous nous rencontrons dans des endroits différents selon nos projets. Mais les cours se déroulent dans cette salle la moitié du temps.

Elle ouvrit une porte et un flot de paroles s'échappa de la pièce.

Derrière la porte, le lieu ne ressemblait à aucune salle de cours connue de Laurel. D'ordinaire, elle l'aurait appelée une serre. Des pots remplis de diverses plantes vertes bordaient le périmètre de la pièce, sous de grandes fenêtres qui s'élevaient du sol au plafond ; des puits de lumière étaient percés dans le toit fortement incliné et l'endroit était chaud et humide comme en climat tropical. Laurel fut immédiatement reconnaissante du tissu léger de sa robe bain de soleil et comprit pourquoi sa garde-robe en contenait autant comme elle.

Il n'y avait pas de pupitres, mais s'étirant au milieu de la salle se trouvait une longue table couverte d'équipement de laboratoire. Laurel pouvait imaginer David le scientifique fou de joie en la voyant : des vases à bec et des fioles, des compte-gouttes et des lames, même plusieurs instruments semblables à des microscopes, et une rangée après l'autre de bouteilles remplies de liquides colorés.

Et pas de pupitre en vue. Laurel fut un peu surprise de réaliser le soulagement que cela lui procurait. Le décor lui rappelait l'époque où elle recevait son éducation à la maison.

Les fées, elles, provoquèrent un frisson de nervosité dans son dos. La rumeur de la conversation, légèrement assourdie par l'abondance de la végétation, emplissait la salle ; il y avait peut-être une centaine de fées s'activant partout, regroupées autour de pots de plantes ou debout en cercle à bavarder. Selon Aurora, les acolytes avec lesquels Laurel devait étudier étaient âgés de quinze à quarante ans, suivant leurs talents et leur dévouement ; ce qu'elle avait en commun avec ses camarades de classe était donc difficile à déterminer. Elle ne reconnut presque personne dans la pièce, à peine un visage ou deux présents aux dîners. C'était un désavantage considérable pour elle parce qu'elle était certaine que la plupart se rappelleraient celle qu'elle était avant — une personne qui demeurait une étrangère pour elle.

Pendant que Laurel restait les pieds figés sur le sol de pierres humides, Katya agita la main en direction d'un groupe de fées féminines debout autour de ce qui ressemblait à un buisson de grenade.

— Les professeurs ne seront pas ici avant quelques minutes encore, dit-elle, et je veux jeter un œil sur mon poirier avant qu'ils n'arrivent. Est-ce que cela t'ennuie ?

Laurel secoua la tête.

M'ennuyer ? Je ne saurais pas quoi faire d'autre.

Katya se dirigea vers un petit arbre feuillu planté dans un pot et elle sortit un cahier de rédaction de son sac à dos.

Poire, pensa Laurel automatiquement. *Pour guérir ; neutralise la plupart des poisons. Le jus des fleurs protège contre la déshydratation.*

— Que fais-tu avec cela ? demanda-t-elle.

— J'essaie de le faire pousser plus vite, répondit Katya, plissant les yeux devant plusieurs marques sur le tronc du jeune arbre. C'est une potion relativement rudimentaire, mais je n'arrive pas tout à fait à prendre le tour de main.

Elle s'empara d'une fiole de liquide vert foncé et la leva sous le soleil.

— Si tu as besoin d'une potion pour guérir tous tes maux, je suis la Mélangeuse qu'il te faut.

Laurel cligna les paupières en entendant le ton nonchalant de Katya pour utiliser ce mot ; après tout, Tamani avait suggéré qu'il s'agissait d'un terme de fée de printemps, et même sous-entendu qu'il n'était pas exactement poli. Apparemment, Katya pensait autrement.

— Mais une simple amélioration des aspects déjà fonctionnels me ramollit le cerveau, termina Katya, sans remarquer la réaction de Laurel.

Laurel laissa son regard errer dans la salle. Certaines fées levèrent les yeux pour croiser les siens, certaines les détournaient, d'autres souriaient, et seulement quelques-uns les fixèrent intensément jusqu'à ce que ce soit Laurel qui regarde finalement ailleurs. Toutefois, quand son regard rencontra celui d'une grande fée aux yeux mauves avec une frange brun foncé et droite, Laurel fut étonnée de se retrouver sous la pointe acérée d'un regard lourd de sous-entendus. La grande fée repoussa sa longue chevelure par-dessus son épaule et, au lieu de se contenter de reporter son attention autre part, elle pivota complètement et tourna le dos à Laurel.

— Hé, Katya, chuchota Laurel. Qui est-ce?

— Qui? demanda Katya, un peu distraite.

— De l'autre côté de la pièce. De longs cheveux bruns. Des racines et des yeux mauves.

Katya jeta un rapide coup d'œil.

— Oh, c'est Mara. Est-ce qu'elle t'a lancé un regard? Ignore-la, tout simplement. Elle a un problème avec toi.

— Avec moi? dit Laurel en poussant presque un petit cri. Elle ne me connaît même pas!

Katya se mordit la lèvre inférieure, hésitante.

— Écoute, reprit-elle à voix basse, personne n'aime vraiment discuter de ce que tu pourrais ne pas te rappeler. Nous préparons tous des potions pour la mémoire, ajouta-t-elle rapidement avant que Laurel ne puisse l'interrompre. En tant qu'initiés, nous apprenons à les préparer. J'ai fabriqué ma première préparation réussie à l'âge de dix ans. Mais elles sont destinées aux humains, aux trolls — tu sais, pour les animaux. Elles ne fonctionnent pas de la même façon chez les fées.

— Comme le fait d'être immunisé contre l'envoûtement? demanda Laurel.

— Pas exactement. Si les fées étaient immunisées contre la magie des fées d'automne, nous ne pourrions pas utiliser des potions bienfaisantes. Toutefois, les potions faites pour les animaux ne fonctionnent pas de la même manière sur des plantes, et quelle personne saine d'esprit souhaiterait mijoter une potion servant à dérober ses souvenirs à une autre fée? Enfin, les fées d'automne ont déjà exploré les poisons destinés aux fées dans le passé — bien avant que j'aie éclos —, mais il y a une fée qui... qui a poussé l'expérience trop loin, dit Katya, sa voix presque un murmure. Donc, on décourage fortement cela aujourd'hui. Tu dois même recevoir une permission spéciale pour lire les livres sur le sujet. Tu constitues un cas particulier parce qu'ils ne désiraient pas que tu puisses révéler quoi que ce soit aux humains, même par hasard. Mais quand même, une fée amnésique parmi nous — pour être franche, la victime d'une magie que nous n'avons même plus le droit d'étudier; tu es un genre de tabou vivant. Sans vouloir t'offenser.

Elle désigna Mara d'un petit coup de tête.

— C'est Mara qui déteste le plus cela. Il y a quelques années, elle a fait une demande d'inscription aux études des poisons destinés aux fées et elle a été refusée, même si elle est la meilleure de la classe et déjà experte en poisons pour animaux.

— Et elle me déteste à cause de cela ? demanda Laurel, perplexe.

— Elle te hait, car tu es la preuve de l'efficacité d'une potion qu'elle ne sait pas fabriquer. Mais, en plus, elle te connaît ou, du moins, elle te connaissait. C'est notre cas à presque tous ici, à des degrés différents.

— Oh, dit doucement Laurel.

— Avant que tu ne poses la question, je ne te connaissais pas vraiment avant que tu ne sois élue pour devenir un scion et même après, seulement de loin. Mais Mara, affirma-t-elle en hochant la tête vers la grande fée sculpturale, était très amie avec toi.

— C'est vrai ? demanda Laurel, se sentant stupide d'apprendre par quelqu'un d'autre qui étaient ses amis, et ne comprenant pas que cette amitié lui vaille un tel regard de fureur.

— Oui ; mais Mara était aussi dans la course pour devenir un scion et elle a été réellement bouleversée quand tu as eu le poste à sa place. Elle a vu cela comme un échec au lieu de ce que c'était vraiment : tu répondais mieux aux paramètres qu'elle. Le fait d'être blonde a apparemment constitué l'argument décisif, déclara Katya en agitant la main. Les humains aiment les bébés blonds, nous a-t-on dit.

Laurel s'étouffa un peu en entendant cela, toussant pour s'éclaircir la gorge et s'attirant pas mal d'attention des autres fées. Mara elle-même tourna la tête pour lui lancer un autre regard furieux.

— Je me doute qu'elle tente de prouver sa valeur depuis ce temps, reprit Katya. Elle est vraiment talentueuse ; elle a atteint le niveau d'acolyte bien avant la plupart d'entre nous. Elle est sur le point de devenir une artisane, et pour ma part, le plus tôt sera le mieux.

Katya revint à son arbre.

— Elle peut aller étudier avec *eux*, marmonnat-elle.

Laurel positionna son corps comme Katya, mais elle ne cessait de regarder Mara du coin de l'œil. La fée, svelte et languissante, était appuyée paresseusement sur le comptoir avec la grâce et la beauté d'une ballerine, mais ses yeux embrassèrent toute la salle, soupesèrent le tout et semblèrent y découvrir une lacune. Avaient-elles réellement pu être amies ?

Un groupe de fées paraissant d'âge moyen pénétra vivement dans la pièce, celle en tête frappant dans ses mains pour attirer l'attention des étudiants.

— Rassemblez-vous, je vous prie, dit-elle d'une voix étonnamment basse. Cependant, le son porta à travers la salle, qui était maintenant complètement silencieuse. Toutes les fées s'étaient tues et tournées vers les enseignants lorsqu'ils étaient entrés.

Bien, songea Laurel, *voilà qui diffère de la maison.*

Les fées vinrent de tous les côtés de la salle pour former un grand cercle autour de la vingtaine de professeurs. La fée qui avait appelé tout le monde prit les choses en main.

— Quelqu'un commence-t-il un nouveau projet aujourd'hui ?

Quelques mains se levèrent. Instantanément, les autres fées s'écartèrent pour que ces dernières viennent en avant. À tour de rôle, chaque fée — ou parfois en groupe — décrivit le projet qu'elle entreprenait, son objectif, la façon dont elle planifiait l'amener à terme, le temps qu'elle croyait nécessaire pour y arriver et ainsi de suite. Elles répondaient au pied levé à des questions du personnel et même de certains autres élèves.

Toutes les expériences semblaient complexes, et les fées utilisaient sans cesse des phrases incompréhensibles pour Laurel, par exemple *récepteurs monastuolo* et *matrices de résistance eucariotique* et *vecteurs hleocroeft capryliques*. Après quelques minutes, son attention se relâcha. Elle regarda autour du cercle pendant que les fées faisaient leurs présentations. Les autres gardaient le silence, écoutant. Personne ne gigotait ; presque personne ne chuchotait et, même lorsque c'était le cas, c'était apparemment au sujet du projet décrit. Il fallut environ une demi-heure pour expliquer tous les nouveaux projets, et tout le monde resta silencieux et attentif.

Cela donnait un peu la chair de poule.

— Quelqu'un a-t-il terminé un projet hier ? demanda le professeur, une fois les premiers rapports entendus.

Quelques mains supplémentaires se levèrent et encore une fois la foule se déplaça pour entraîner ces étudiants vers l'avant.

Pendant que les fées dressaient le compte-rendu de leurs projets complétés, Laurel regarda la salle de classe d'un œil neuf. Les plantes poussant ici étaient aussi variées que dehors, mais leur diversité semblait plus désordonnée. Plusieurs étaient entourées de feuilles de papier, d'équipement scientifique ou d'étoffe stratégiquement drapée pour filtrer la lumière du soleil. Ce n'était pas vraiment une serre ; c'était un laboratoire.

— Quand j'ai examiné ton projet la semaine dernière, il ne paraissait pas bien se dérouler.

Un des professeurs, une fée mâle avec une profonde voix riche, questionnait une petite brunette à l'air très jeune.

— En effet, répondit la fée avec simplicité, sans aucune trace de honte ni de timidité. En fin de compte, l'expérience a totalement échoué.

Laurel grinça des dents, attendant les murmures et les rires moqueurs.

Ils ne vinrent pas.

Elle regarda autour d'elle. Les autres fées restaient très attentives. En fait, plusieurs hochaient la tête pendant que la fée décrivait les différents aspects de son échec. Personne ne paraissait le moins du monde découragé. Une autre grande — et plutôt rafraîchissante — différence avec la maison.

— Alors, que planifies-tu maintenant ? s'enquit le même enseignant.

La jeune fée répondit sans attendre.

— J'ai encore quelques études à réaliser pour établir pourquoi le sérum n'a pas fonctionné, mais une fois qu'elles seront terminées, j'aimerais recommencer. Je suis décidée à trouver une façon de ramener l'utilisation de la potion viridefaeco à Avalon.

L'enseignant réfléchit un instant.

— Je vais approuver cela, dit-il enfin. Un essai de plus. Ensuite, tu devras reprendre tes études normales.

La jeune fée hocha la tête et le remercia avant de retourner dans le cercle.

— Quelqu'un d'autre ? demanda le professeur en chef.

Les fées cherchèrent des mains levées autour d'elles, mais il n'y en avait pas.

— Avant de vous disperser, dit le professeur, je pense que vous êtes tous conscients que Laurel nous est revenue, même si c'est pour peu de temps.

Les yeux convergèrent vers Laurel. Elle reçut quelques sourires, mais surtout des regards curieux.

— Elle restera parmi nous pendant les quelques prochaines semaines. Je vous prie de la laisser librement vous observer. Répondez à ses questions. Il n'est pas nécessaire qu'elle transvase quoi que ce soit, particulièrement s'il s'agit d'une opération délicate, mais, s'il vous plaît, prenez le temps de lui expliquer ce que vous faites, comment et pourquoi. Vous pouvez y aller.

La fée frappa à nouveau dans ses mains, et les fées se dispersèrent.

— Et maintenant quoi? chuchota Laurel à Katya.

Le bruit de conversations était revenu, mais le murmure semblait encore approprié à Laurel après le silence de la dernière heure.

— Nous nous mettons au travail, répondit simplement Katya. Je travaille sur deux projets à long terme en ce moment, et j'ai aussi mon travail de répétition.

— Travail de répétition?

— Concocter des potions et des sérums simples pour les autres fées d'Avalon. Nous apprenons à les fabriquer à un très jeune âge, mais on ne fait confiance qu'aux étudiants de niveau plus élevé pour préparer les produits qui sont distribués à la population. Nous avons des quotas mensuels et je me suis tellement concentrée sur mon poirier que je suis un peu en retard.

— Tout ce que vous faites c'est... travailler? Sur ce que vous voulez?

— Bien, les expériences avancées doivent être approuvées par le corps enseignant. Les professeurs se promènent dans la pièce et viennent vérifier notre travail périodiquement. Mais, oui, nous décidons nous-mêmes nos projets.

Tout le processus rappelait à Laurel les années qu'elle avait passées à se faire enseigner la classe à la maison par sa mère, établissant son programme autour de ses intérêts personnels et évoluant à son propre rythme. Elle sourit à ce souvenir, même si elle avait depuis longtemps maintenant cessé de supplier sa mère de reprendre les cours à domicile — en grande partie grâce à David et à son amie Chelsea.

Cependant, Laurel n'avait pas de projet à elle et se promener dans la salle ne lui paraissait pas une bonne façon de véritablement l'aider à apprendre. Même après deux semaines passées à mémoriser l'utilisation des plantes, elle n'en connaissait tout simplement pas assez pour poser des questions sérieuses aux étudiants. Elle fut donc soulagée quand elle aperçut un visage familier entrer dans la pièce — une émotion qu'elle n'aurait jamais cru possible d'éprouver en voyant la bouille sévère de Yeardley, le professeur des principes de base.

— Est-elle prête ? demanda Yeardley en s'adressant à Katya et non à elle.

Katya sourit et poussa doucement Laurel en avant.

— Elle est tout à toi.

Laurel suivit Yeardley vers une station avec une table garnie de matériel. Sans même la saluer, il commença à l'interroger sur la deuxième série de livres qu'elle avait lus au cours de la semaine précédente. Elle n'avait pas totalement confiance en ses réponses, mais Yeardley parut assez satisfait de ses progrès. Il tendit la main vers son propre sac à dos et il en sortit… d'autres livres.

La déception la submergea.

— Je pensais en avoir terminé avec la lecture, dit Laurel avant de pouvoir s'en empêcher.

— On n'en a jamais *terminé*, déclara Yeardley, comme s'il s'agissait d'un mauvais mot. Chaque caste a sa nature fondamentale. L'essence de la magie de printemps est sociale; elle tire profit de l'empathie. Les fées d'été doivent affiner leur sens de l'esthétisme; sans l'art, leur magie est extrêmement mince. La quintessence de notre magie est intellectuelle; le savoir glané grâce à des études soignées forme le réservoir dans lequel notre intuition puise son pouvoir.

Cela ne semblait pas de la magie aux yeux de Laurel. Surtout, cela lui paraissait comme un travail ardu.

— Ceci étant dit, il s'agit de mes livres, non des tiens.

Laurel réussit à réprimer un soupir de soulagement.

— Laurel.

Le ton de sa voix lui fit lever les yeux. Il n'était pas sévère, comme le moment d'avant. Il était tendu — inquiet, même —, mais il s'y trouvait une douceur absente auparavant.

— À ce point-ci, je commencerais normalement à te former sur les potions rudimentaires. Des lotions, des sérums nettoyants, des tonics nutritifs, ce genre de trucs. Les choses que nous enseignons aux novices. Cependant, tu devras revenir lors d'une période moins importante pour apprendre ces choses ou le faire par toi-même. Je vais t'enseigner l'herboristerie défensive. Jamison a insisté et je suis pleinement d'accord avec sa décision.

Laurel hocha la tête, sentant une poussée d'adrénaline monter dans son corps. Pas seulement provoquée par l'excitation due au fait d'entreprendre les véritables leçons, mais à cause de la raison pour le devancement : la menace des trolls. C'est ce qu'elle attendait.

— Tu ne pourras pas reproduire la plupart des choses que je vais t'enseigner, probablement pendant un bon moment, mais ce sera un début. Je m'attends à ce que tu travailles dur, pour ton propre bien plus que pour le mien.

— Bien sûr, répondit Laurel avec sérieux.

— Je t'ai fait lire sur une variété de plantes et leurs utilisations. Ce que tu ne réalises peut-être pas encore, c'est que fabriquer des potions, des sérums, des élixirs et autres trucs semblables ne consiste pas simplement à mélanger des extraits ensemble en quantités précises. Il y a toujours une directive générale — une recette, si tu veux —, mais le processus ainsi que le résultat différeront d'une fée d'automne à l'autre. Notre enseignement à l'Académie ne vise pas à suivre des recettes, mais votre intuition — à faire confiance à votre don qui est votre droit de naissance et à utiliser votre connaissance de la nature pour améliorer la vie de tous les habitants d'Avalon. Parce que l'ingrédient le plus important dans chaque préparation, c'est *toi* — la fée d'automne. Personne d'autre ne peut réaliser la même chose que toi ; même pas si elle se conforme à tes rituels avec une précision infaillible.

Il mit la main dans son sac et en sortit un petit pot avec une jeune plante verte poussant dedans, ses bourgeons bien fermés.

— Tu dois apprendre à sentir l'âme de la nature avec laquelle tu travailles, poursuivit-il en touchant gentiment la plante, et à former avec elle un lien si proche, si intime, qu'en plus de savoir comment plier ses composants à ta volonté — il fouilla parmi une rangée de bouteilles et en choisit une, l'ouvrant et déposant une goutte de son contenu sur son doigt —, tu sauras aussi comment déployer son potentiel et lui permettre de se développer comme personne d'autre ne peut l'aider à le faire.

Il caressa précautionneusement chaque bourgeon fermé avec son doigt mouillé et quand il retira sa main, les minuscules boutons s'épanouirent pour révéler des fleurs d'un pourpre vif.

Il leva le regard vers les yeux écarquillés de Laurel.

— Commençons, veux-tu?

SEPT

LAUREL S'AGENOUILLA SUR LE BANC DEVANT SA FENÊTRE, LE NEZ pressé contre la vitre, plissant les yeux en regardant le sentier menant aux grilles d'entrée de l'Académie. Tamani avait dit qu'il arriverait à onze heures, mais elle ne pouvait pas s'empêcher de l'espérer plus tôt.

Déçue, elle retourna distraitement à son travail — aujourd'hui, un sérum monastuolo qui, selon toute évidence, tournait terriblement mal. Toutefois, Yeardley insistait sur le fait qu'elle devait aller au bout de ses échecs, même si elle savait la cause perdue, car elle comprendrait mieux ce qu'elle ne devait *pas* faire. Aux yeux de Laurel, il s'agissait d'une perte de temps, mais elle avait appris à ne pas douter de Yeardley. Malgré son apparence bourrue, elle avait découvert un autre côté de lui ce dernier mois. Il était obsédé par l'herboristerie et rien ne le réjouissait davantage qu'un étudiant dévoué. Et il avait toujours, *toujours* raison. Tout de même, Laurel demeurait sceptique par rapport à cette règle particulière.

Elle était sur le point de s'asseoir et de lancer le composant suivant dans la préparation quand une personne frappa à sa porte. *Enfin !* Prenant un instant pour examiner sa chevelure et ses vêtements dans la glace, Laurel respira profondément et ouvrit à Celia, la fée de printemps familière qui, en plus d'avoir découpé ses fiches de notes, lui avait aussi rendu des centaines de petits services au cours des récentes semaines.

— Il y a quelqu'un pour toi dans l'atrium, dit-elle en penchant la tête.

Peu importe le nombre de fois où Laurel leur avait demandé de ne pas le faire, les fées de printemps trouvaient *toujours* une façon de s'incliner devant elle.

Laurel la remercia pour le message et se glissa par la porte. Chaque pas lui donnait l'impression d'être plus légère. Elle ne détestait pas ses cours — au contraire, à présent qu'elle les comprenait mieux, ils étaient fascinants. Cependant, elle avait eu raison sur une chose dès le début : c'était beaucoup de travail. Elle suivait ses leçons avec Yeardley huit heures par jour, elle observait les fées d'automne plusieurs heures, et elle faisait chaque soir de nouvelles lectures en plus de s'exercer à fabriquer des potions, des poudres et des sérums. Elle était occupée de l'aube au crépuscule, avec seulement une courte pause pour dîner à la toute fin de la journée. Katya lui avait assuré que ce n'était pas ainsi pour toutes les fées d'automne ; qu'elles travaillaient et étudiaient « seulement » douze heures par jour. Même cela paraissait excessif aux yeux de Laurel.

Mais au moins, *ils* disposaient d'un peu de temps libre. Pas Laurel.

— J'admets que la somme de travail attendue de toi est un peu exagérée, avait dit Katya un jour — une énorme concession de la part de la fidèle et studieuse fée.

Elle était plutôt comme David à cet égard. Cependant, quand Laurel avait tenté de la complimenter en le lui disant, Katya avait été mortellement offensée d'être comparée à un humain.

Donc, lorsque la note de Tamani était arrivée trois jours auparavant pour requérir la compagnie de Laurel pour un après-midi, elle avait été folle de joie. Juste une petite pause, mais c'était une occasion bienvenue de reprendre de la vigueur et se préparer à une dernière semaine d'études éreintantes avant de retourner chez ses parents.

Laurel était tellement distraite qu'elle faillit ne pas remarquer Mara et Katya debout devant la rampe d'un palier surplombant l'atrium.

— Il est encore ici, dit Mara, le dédain suintant de ses lèvres rubis parfaites. Ne peux-tu pas le faire attendre dehors ?

Laurel arqua un sourcil.

— Si les choses se passaient à ma façon, il viendrait me rencontrer à ma chambre.

Les yeux de Mara s'arrondirent et elle lança un regard furieux à Laurel, mais celle-ci s'était habituée aux airs vaguement menaçants de la beauté sculpturale.

Les choses ne s'étaient pas améliorées depuis le premier coup d'œil colérique dans le laboratoire. De manière générale, Laurel évitait simplement de regarder Mara. La seule fois où Laurel l'avait questionnée sur son projet — l'étude d'un cactus, quel sujet approprié —, Mara lui avait juste tourné le dos et fait semblant de ne pas l'avoir entendue.

La tête haute, Laurel continua son chemin sans un autre mot.

Katya lui emboîta le pas.

— Ne te soucie pas d'elle, lança-t-elle, la voix chaleureuse. Personnellement, je pense que c'est plutôt courageux de ta part.

Laurel jeta un coup d'œil à Katya.

— Que veux-tu dire par courageux ?

— Je ne connais pas beaucoup de fées de printemps à part notre personnel.

Katya haussa les épaules.

— Particulièrement des soldats.

— Des sentinelles, la corrigea automatiquement Laurel sans trop savoir pourquoi.

— Tout de même. Ils semblent tellement... grossiers.

Elle marqua une pause et regarda furtivement dans l'atrium par-dessus la rampe, là où Tamani patientait.

— Et ils sont tellement *nombreux*.

Laurel roula les yeux.

— Bien sûr, vous deux vous connaissez depuis longtemps, alors j'imagine que c'est différent.

Laurel hocha la tête, bien qu'en réalité ce ne soit qu'en partie vrai. Dans sa mémoire à elle, elle ne connaissait Tamani que depuis moins d'un an. Mais un an, c'était beaucoup plus long que la réminiscence qu'elle gardait de n'importe quelle fée d'automne qu'elle fréquentait maintenant tous les jours.

— Bien, je te verrai plus tard, dit joyeusement Laurel, la lassitude des dernières semaines réduite à un mince souvenir.

— Combien de temps t'absentes-tu? demanda Katya, les yeux ronds.

Aussi longtemps que je pourrai, songea Laurel. Mais à Katya, elle répondit :

— Je l'ignore. Mais si je ne te revois pas ce soir, ce sera demain.

Katya semblait encore incertaine.

— Je ne pense vraiment pas que tu devrais y aller seule. Caelin devrait peut-être t'accompagner.

Laurel réprima son envie de rouler de nouveau les yeux. Par un hasard extraordinaire, Caelin était l'unique fée d'automne mâle près de l'âge de Laurel. Et malgré sa taille chétive et sa voix perçante, il insistait pour jouer le rôle du protecteur auprès de toutes ses « dames », comme il les surnommait. La dernière chose dont elle avait besoin, c'était de le voir traîner autour en essayant de prouver qu'il était meilleur que tous les autres mâles qu'ils rencontreraient. Ce qui était *précisément* la façon dont Caelin se comporterait.

Elle ne voulait même pas songer à la réaction de Tamani.

Un sourire traversa son visage. Mais encore, ce serait peut-être intéressant. Caelin ne donnait pas l'impression de pouvoir tenir dix secondes en présence de Tamani. Elle prendrait plaisir à le voir remis à sa place. Mais pas autant qu'elle aimerait son temps seul à seul avec Tamani.

— Fais-moi confiance, Katya, je n'ai pas besoin d'un chaperon.

— Si tu le dis.

Katya sourit.

— Amuse-toi, lança-t-elle d'un ton à la fois enthousiaste et sceptique.

— Alors, où allons-nous ? s'enquit Laurel, une fois complétée la charade de leur marche silencieuse et qu'ils eurent officiellement quitté les terres de l'Académie, passé les grilles.

— Ne peux-tu pas le deviner ? demanda Tamani avec un grand sourire en désignant le gros panier d'osier se balançant à sa main gauche.

— J'ai demandé où nous allions, non ce que nous faisions.

Il n'y avait toutefois pas d'agacement dans sa voix. C'était bon de laisser l'Académie derrière elle, de sentir le vent frais sur son visage, le doux terreau sous ses pieds, et d'apercevoir Tamani du coin de l'œil, la suivant de près. Elle avait envie de tendre les bras, de tournoyer et de rire, mais elle réussit à se contenir.

— Tu verras, dit-il, les doigts sur son dos, la guidant vers une fourche dans le sentier qui les menait loin des maisons entre lesquelles ils s'étaient promenés la dernière fois. Je veux te montrer quelque chose.

À mesure qu'ils marchaient, le sentier se rétrécissait et devenait plus raide; après quelques minutes, ils franchirent la crête de la grande colline, et pendant un instant, Laurel crut éprouver des problèmes de vision. Il y avait un immense arbre ombrageant la vaste étendue au sommet de la colline, déployant ses larges branches. Il ressemblait vaguement à un chêne, avec des feuilles en dentelles allongées, mais au lieu d'avoir un haut tronc sculptural, il était immensément gros, noueux et difforme. Laurel soupçonnait qu'il donnerait l'air d'un nain même au plus imposant des séquoias poussant dans la forêt nationale aux limites de sa terre à Orick.

À part son immensité, il ne semblait pas trop hors de l'ordinaire, mais lorsque Laurel avança sous l'ombre de ses branches, le souffle lui manqua quand elle sentit... quelque chose... quelque chose qu'elle était incapable d'identifier ou d'expliquer. C'était presque comme si l'air s'était épaissi, tourbillonnant autour d'elle comme de l'eau. Une eau vivante qui s'infiltrait discrètement dans l'air qu'elle respirait et la remplissait, de l'intérieur comme de l'extérieur.

— Qu'est-ce que c'est? dit-elle dans un souffle dès qu'elle retrouva la voix.

Elle n'avait pas réalisé que Tamani avait refermé l'espace entre eux et placé une main sur sa taille pour la stabiliser.

— On l'appelle l'arbre du Monde. Il... il est fait avec des fées.

— Comment...

Laurel ne savait pas trop comment terminer sa question.

Tamani fronça les sourcils.

— J'imagine que c'est... bien, une longue histoire.

Il la tint plus près de l'arbre.

— Il y a une éternité — avant même qu'il y ait des humains —, des fées ont surgi des forêts d'Avalon. Selon la légende, nous ne parlions pas encore. Cependant, il y avait une fée — la toute première fée d'hiver — qui détenait un pouvoir plus grand que n'importe quelle fée d'hier à aujourd'hui. Et ce pouvoir était accompagné d'une immense sagesse. Quand il a senti sa mort prochaine, il a cherché à transmettre la sagesse qu'il avait accumulée. Alors, au lieu d'attendre de se faner, il est venu sur cette colline et a prié Gaïa, la mère de toute la Nature, et il lui a dit qu'il donnerait sa vie si elle préservait sa connaissance sous la forme d'un arbre.

— Donc... il... est cet arbre ? demanda Laurel en s'approchant du tronc noueux.

Tamani hocha la tête.

— Il est l'arbre original. Et les autres fées pouvaient monter ici avec leurs questions ou leurs problèmes. Et si elles écoutaient très attentivement, quand le vent soufflait, elles entendaient le bruissement des feuilles et il partageait sa sagesse. Des années ont passé et les oiseaux enseignèrent bientôt aux fées à parler et...

— Les oiseaux ?

— Oui. Les oiseaux furent les premières créatures que les fées entendirent chanter et faire des vocalises, et nous avons appris d'eux à utiliser notre voix.

— Que s'est-il passé ensuite ?

— Malheureusement, quand les fées ont commencé à parler et à chanter, elles ont fini par oublier comment écouter le bruissement des feuilles. L'arbre du Monde a été un arbre ordinaire pendant très longtemps. Puis, Efreisone est devenu roi. Efreisone était aussi un érudit et il a découvert les légendes sur l'arbre du Monde éparpillées dans ses textes anciens. Une fois qu'il a rassemblé les morceaux de l'histoire, il n'a plus rien voulu d'autre que ressusciter l'arbre du Monde et exploiter sa sagesse. Il a passé des heures et des heures à l'ombre de cet arbre, à le soigner et à le réveiller de sa longue période de sommeil. Et pendant ces heures, il a découvert qu'il commençait à entendre les mots prononcés par l'arbre. De lui, il a appris les histoires des autres époques et chaque soir, lorsqu'il revenait à la maison, il les transcrivait et les partageait avec ses sujets. Et quand il a senti que son temps achevait, il a décidé de s'unir à l'arbre.

— Que veux-tu dire par s'unir à l'arbre ?

Tamani hésita.

— Il… il s'est greffé lui-même à l'arbre. Il a poussé dans l'arbre pour finir par en faire partie.

Laurel essaya de visualiser la situation. Elle était à la fois grotesque et fascinante.

— Pourquoi ferait-il cela ?

— Les fées qui s'unissent à l'arbre du Monde libèrent leur connaissance en lui. La sagesse de milliers de fées vit dans cet arbre. Des milliers et des milliers.

Il marqua une pause.

— On les appelle les Silencieux.

La compréhension s'épanouit sur le visage de Laurel, qui sursauta en silence.

— Ton père a fait cela. Il fait partie de l'arbre.

Tamani hocha la tête.

Laurel s'écarta de l'arbre, se sentant tout à coup comme une intruse. Mais après un moment, elle tendit la main et toucha le tronc avec des doigts hésitants. Yeardley lui avait appris à percevoir l'âme de toute plante avec des doigts prudents — une des rares leçons qu'elle avait comprise facilement et rapidement. Elle ferma les yeux et chercha à l'atteindre maintenant, ses mains pressées contre l'écorce.

Il ne ressemblait à aucune autre plante qu'elle avait caressée auparavant. La vie ne bourdonnait pas doucement sous ses mains, elle rugissait comme un fleuve majestueux ; elle s'écrasait comme un tsunami. Elle avala une rapide respiration quand quelque chose comme une chanson coula dans sa main, remonta son bras et sembla la remplir de la tête aux pieds. Elle tourna des yeux ronds vers Tamani.

— Il vit donc pour l'éternité.

— Oui. Mais inaccessible pour nous, c'est donc comme s'il était mort. Il... il me manque.

Laurel retira sa main de l'arbre et la glissa dans celle de Tamani.

— À quelle fréquence les fées font-elles cela ?

— Pas souvent. Cela exige un sacrifice. Tu dois t'unir à l'arbre quand tu as encore la force de compléter le processus. Mon père avait cent soixante ans — il avait facilement entre trente à quarante ans devant lui —, mais il se sentait faiblir et il savait qu'il devait agir bientôt.

Il fit un rire malsain.

— C'est la seule fois où j'ai vu mes parents se disputer.

Il marqua une pause et son ton redevint sombre.

— Si tu t'unis à l'arbre, tu dois y aller seul, alors j'ignore quelle partie de l'arbre il a choisie. Mais parfois, je jure que je suis capable de déceler ses traits sur cette troisième branche vers le haut, dit-il en la désignant.

Il haussa les épaules.

— Je rêve, probablement.

— Peut-être pas, dit Laurel, cherchant désespérément des paroles de réconfort.

Après un lourd silence, elle demanda :

— Combien de temps cela prend-il ?

Dans sa tête, elle voyait une fée âgée envahie par le grand arbre, sa vie lentement étouffée.

— Oh, c'est rapide, répondit Tamani, balayant l'horrible image de l'esprit de Laurel. N'oublie pas que la fée qui est devenue l'arbre, tout comme la première qui s'est unie à lui, était une fée d'hiver. L'arbre conserve une partie de cet immense pouvoir. Mon...

Il hésita.

— Mon père m'a dit que tu choisis ton endroit sur l'arbre et que tu te soumets à lui, et que lorsque ton esprit est vide et que tes intentions sont pures, l'arbre te soulève et tu es instantanément transformé.

Elle vit ses yeux s'égarer de nouveau vers l'endroit où il croyait reconnaître les traits de son père.

Laurel s'approcha un peu plus.

— Tu as dit que l'arbre communique. Ne peux-tu pas lui parler ?

Tamani secoua la tête.

— Pas à lui en particulier. On s'adresse à l'arbre en entier et il nous répond d'une seule voix.

Laurel leva les yeux vers les imposantes branches.

— Pourrais-je, *moi*, parler à l'arbre ?

— Pas aujourd'hui. Cela demande du temps. Tu dois venir soumettre ta question ou ton inquiétude à l'arbre, et ensuite tu t'assois, en silence, et tu écoutes jusqu'à ce que tes cellules se rappellent comment comprendre son langage.

— Combien de temps cela prend-il ?

— Des heures. Des jours. C'est difficile à prédire. Et cela dépend de l'attention avec laquelle tu écoutes. Et aussi de ton ouverture d'esprit face à la réponse.

Elle hésita longtemps avant de finir par lui demander :

— As-tu essayé ?

Il se tourna vers elle, le regard vulnérable comme elle l'avait peu souvent vu.

— Oui.

— As-tu reçu une réponse ?

Il hocha la tête.

— Combien de temps cela a-t-il pris ?

Il hésita.

— Quatre jours.

Puis, il fit un grand sourire.

— Je suis têtu. Je n'étais pas prêt à entendre la bonne réponse. J'étais décidé à recevoir la réponse que *je* souhaitais.

Elle tenta de s'imaginer Tamani assis en silence sous l'arbre pendant quatre jours.

— Qu'a dit l'arbre ? murmura-t-elle.

— Peut-être te le confierai-je un jour.

La bouche de Laurel s'assécha quand il la regarda simplement et que l'air vivant tourbillonna autour d'elle. Puis, Tamani sourit et il désigna une parcelle d'herbes épaisses à plusieurs mètres à l'extérieur de la voute ombragée de l'arbre du Monde.

— Ne pouvons-nous pas manger ici ? demanda-t-elle, réticente à quitter le tronc de l'arbre.

Tamani secoua la tête.

— Ce n'est pas poli, répondit-il. Nous laissons l'arbre autant que possible disponible pour les fées en quête de réponse. C'est une chose très intime, ajouta-t-il.

Bien que Laurel puisse comprendre cela, elle éprouvait quand même un peu de tristesse à sortir de son ombre pour regagner le soleil. Tamani disposa un léger pique-nique — il n'était tout simplement pas nécessaire de beaucoup s'alimenter sous les rayons de soleil nourrissants d'Avalon — et ils s'installèrent tous les deux sur l'herbe, Laurel se laissant tomber sur le ventre et profitant, pendant ce bref interlude, du fait de ne rien faire.

— Alors, comment sont les études ? s'enquit Tamani.

Laurel réfléchit à la question.

— Incroyables, répondit-elle enfin. Je ne savais pas le nombre de choses que l'on peut faire avec des plantes.

Elle roula pour lui faire face, s'appuya sur son coude et mit la tête dans sa main.

— Et ma mère est naturopathe, alors crois-moi ; ça en dit long.

— As-tu beaucoup appris ?

— Un peu.

Elle fronça les sourcils.

— Enfin, techniquement, j'ai *appris* des masses. Plus que j'aurais cru possible d'absorber en quelques semaines seulement. Mais il n'y a rien que je suis capable de *faire*.

Elle soupira en s'effondrant de nouveau sur le sol.

— Aucune de mes potions ne fonctionne. Certaines sont plus près de la réussite que d'autres, mais pas une seule n'a été parfaite encore.

— Aucune? demanda Tamani, un courant d'inquiétude dans la voix.

— Yeardley affirme que c'est normal. Il prétend qu'on peut mettre des années à réussir sa première potion à la perfection. Je n'ai pas ce genre de temps; pas ici à Avalon, ni avant de devoir protéger ma famille. Mais il dit que j'évolue bien.

Elle se tourna pour regarder Tamani encore une fois.

— Il dit que même si je ne peux pas m'en souvenir, c'est évident pour lui que je réapprends. Que je comprends inhabituellement vite. J'espère qu'il a raison, grommela-t-elle. Et toi? Ta vie doit être plus intéressante que la mienne en ce moment.

— En fait, non, pas vraiment. Cela a été plutôt tranquille au portail. Trop tranquille.

Il était assis avec ses genoux repliés sur son torse et les bras enroulés autour d'eux, observant l'arbre du Monde.

— J'ai fait beaucoup de tours de reconnaissance dernièrement.

— Qu'entends-tu par *tour de reconnaissance*?

Il la regarda une seconde avant de reporter son attention sur l'arbre.

— J'ai quitté le portail. Je me suis aventuré ailleurs pour mieux connaître la configuration de la terre.

Il secoua la tête.

— Nous n'avons pas vu un seul troll depuis des semaines. Et je ne sais pourquoi, je ne crois pas que ce soit parce qu'ils ont soudainement abandonné leurs vues sur Avalon, ajouta-t-il avec un rire tendu.

Il reprit son sérieux.

— Je cherche la raison qui explique cela, mais j'ai mes limites. Je ne suis pas humain — j'ignore comment me fondre dans le monde des humains. Je ne peux donc pas obtenir toute l'information que je désire. Il... il me manque quelque chose, déclara-t-il fermement. Je le sais. Je le sens.

Il haussa les épaules.

— Sauf que je ne sais pas ce que c'est; ni où le trouver.

Laurel jeta un coup d'œil à l'arbre.

— Pourquoi ne leur poses-tu pas la question? demanda-t-elle en le pointant.

Il secoua la tête.

— Ça ne fonctionne pas ainsi. L'arbre n'est ni diseur ni omniscient de bonne aventure. C'est la sagesse combinée de milliers d'années, mais il n'est jamais sorti d'Avalon.

Il secoua de nouveau la tête.

— Même les Silencieux ne peuvent pas m'aider avec ce problème. Je dois le résoudre moi-même.

Ils restèrent allongés plusieurs minutes, affalés sur le dos, profitant des chauds rayons de soleil.

— Tam ? demanda Laurel avec hésitation.

— Oui ?

Il avait les yeux fermés et paraissait presque endormi.

— Est-ce que...

Elle hésita.

— Est-ce que tu te lasses d'être une fée de printemps ?

Ses yeux s'ouvrirent largement pendant une seconde avant qu'il ne les referme.

— De quelle façon ?

Elle demeura silencieuse, essayant de réfléchir à la manière de poser sa question sans l'insulter.

— Personne ne pense que les fées de printemps sont aussi bonnes que les autres. Tu dois t'incliner, et servir, et marcher derrière moi. C'est injuste.

Tamani garda le silence un moment, faisant courir sa langue sur sa lèvre inférieure en méditant. Enfin, il dit :

— Est-ce que tu te lasses du fait que les gens te prennent pour une humaine ?

Laurel secoua la tête.

— Pourquoi pas ? Je ressemble à une humaine ; c'est logique.

— Non, c'est le raisonnement logique qui explique *pourquoi* les gens pensent que tu es humaine. Je veux savoir pourquoi cela ne te dérange pas.

— Parce que tout le monde a toujours cru que j'étais une humaine. J'y suis habituée, dit-elle, les mots sortant de sa bouche avant de comprendre qu'elle était tombée directement dans son piège.

Il sourit largement.

— Tu vois ? C'est la même chose. J'ai toujours été une fée de printemps ; j'ai toujours agi comme une fée de printemps. Tu pourrais aussi bien me demander si je suis las de vivre. C'est ma vie.

— Mais ne réalises-tu pas que, quelque part, c'est mal ?

— Pourquoi est-ce mal ?

— Parce que tu es une personne, comme tous les autres ici. Pourquoi le type de fée que tu es devrait-il définir ton statut social ?

— Je pense que la façon dont le statut social des humains est défini est tout aussi scandaleuse. Plus, peut-être.

— De quelle façon ?

— Les médecins, les avocats : pourquoi sont-ils si respectés ?

— Parce qu'ils sont éduqués. Et les médecins sauvent la vie des gens.

— Donc, vous les payez davantage et ils occupent un rang plus élevé dans la société, n'est-ce pas ?

Laurel acquiesça d'un signe de tête.

— Comment est-ce différent ? Les fées d'automne sont plus éduquées ; elles sauvent aussi des vies. Les fées d'hiver font encore plus : elles préservent Avalon des étrangers, protègent nos portails, empêchent les humains de nous découvrir. Pourquoi ne devrait-on pas les vénérer davantage?

— Mais ce n'est qu'un hasard. Personne ne choisit d'être une fée de printemps.

— Peut-être pas; mais tu choisis de travailler aussi durement que tu le fais. Comme toutes les fées d'automne. Ce n'est pas comme si tu restais les bras croisés et ne mélangeait qu'une potion de temps à autre. Tu m'as dit à quel point tu étudies. Toutes les fées d'automne étudient beaucoup. Même si elles ne choisissent pas d'être une fée d'automne, elles choisissent de travailler et de perfectionner leurs talents pour m'aider, *moi*. Si cela ne vaut pas mon respect, je ne sais pas ce qui le vaudra.

C'était logique, en quelque sorte. Mais cela prenait encore Laurel à rebrousse-poil.

— Ce n'est pas seulement que l'on vénère les fées d'automne et d'hiver, continua-t-elle, c'est que l'on méprise les fées de printemps. Vous êtes tellement nombreuses, dit-elle, légèrement prise de remords quand elle se souvint que Katya avait dit la même chose juste quelque temps avant — bien que pas tout à fait sur le même ton. Les fées d'hiver protègent peut-être Avalon, mais ce sont les fées de printemps qui la font tourner. Vous autres occupez presque tous les emplois. Enfin, les fées d'été se chargent du divertissement et de ce qui s'ensuit; mais qui cuisine la nourriture, qui construit les routes et les maisons, qui coud et lave mes vêtements?

demanda-t-elle, sa voix commençant à monter. C'est vous. Ce sont les fées de printemps ! Vous n'êtes pas rien ; vous êtes *tout*.

Quelque chose dans les yeux de Tamani lui dit qu'elle avait touché un point sensible. Sa mâchoire était serrée et il prit quelques instants avant de répondre.

— Tu as peut-être raison, commença-t-il doucement, mais c'est ainsi que sont les choses. C'est ainsi qu'elles ont toujours été. Les fées de printemps servent Avalon. Nous sommes heureux de servir, ajouta-t-il, une touche de fierté teintant sa voix. *Je* suis heureux de servir, précisa-t-il. Ce n'est pas comme si nous étions des esclaves. Une fois mes devoirs accomplis, je peux faire ce que je veux et aller où il me plaît.

— Es-tu libre ? demanda Laurel.

— Je le suis.

— Libre à quel point ?

— Aussi libre que je le veux, répliqua-t-il avec un peu de virulence.

— Es-tu libre de marcher à côté de moi ?

Il garda le silence.

— Es-tu libre d'être autre chose qu'un ami pour moi ? *Si* — et elle appuya lourdement sur le *si* — je décidais un jour de vivre à Avalon et désirais être avec toi, aurais-tu assez de liberté pour cela ?

Il détourna les yeux et Laurel vit qu'il avait tenté d'éviter une telle conversation.

— Et bien ? insista-t-elle.

— Si tu le voulais, dit-il enfin.

— Si *je* le voulais ?

Il hocha la tête.

— Je n'ai pas le droit de te le demander. Ce serait à toi de le faire.

Le souffle manqua à Laurel et Tamani la regarda.

— Pourquoi penses-tu que David me dérange autant ?

Laurel baissa les yeux sur ses cuisses.

— Je ne peux pas simplement arriver en coup de vent et proclamer mes intentions. Je ne peux pas « t'enlever ». Je dois juste patienter et espérer qu'un jour, tu me demanderas.

— Et si je ne le fais pas ? dit Laurel, sa voix à peine plus qu'un murmure.

— Alors, j'imagine que j'attendrai éternellement.

HUIT

LAUREL ÉTAIT DEBOUT DANS SA CHAMBRE À COUCHER, examinant l'assortiment délirant de choses répandu sur son lit. Elle en était venue à apprécier ses vêtements cousus par des fées encore davantage que pour leur unique beauté; ils ne ressemblaient à rien qu'elle pouvait trouver dans le monde des humains. La plupart étaient coupés dans une étoffe soyeuse semblable à de la gaze et — bien que Laurel ne soit pas certaine qu'on ne se moquât pas d'elle — tissés avec du fil de soie d'araignée, au dire de plusieurs fées. Peu importe son origine, le tissu permettait une photosynthèse de tout son corps, donc Laurel ne ressentait pas le besoin de toujours porter des débardeurs et des shorts comme à la maison.

Et puis, il y avait la robe qu'elle avait découverte dans l'une des échoppes de la place d'été au cours d'une courte promenade entreprise pour s'éclaircir les idées après une journée particulièrement éreintante. Elle était splendide et exactement à sa taille; une robe longue bleu foncé, taillée près des reins dans le dos pour accommoder sa fleur, avec une jupe ajustée jusqu'aux genoux qui allait ensuite en s'évasant, style sirène. Une deuxième bande de tissu à volants transparents était enroulée par-dessus la première jupe et flottait à la moindre brise. Elle s'était sentie un peu coupable de la prendre — après tout, elle n'avait aucune occasion de la porter —, mais elle était trop parfaite pour la laisser là.

Elle possédait aussi beaucoup de longues jupes qui balayaient le sol, des chemises coupées à la paysanne, qui lui rappelaient celles de Tamani, et quelques jupes et robes courtes, qui lui donnaient l'impression d'être une fée dans un conte. Juste pour le plaisir.

Cependant, seule une fraction de tout cela tiendrait dans son sac à dos.

Et elle ne partirait pas sans son nécessaire.

De toutes les choses qu'on lui avait fournies, il s'agissait de la plus précieuse. Son nécessaire — environ de la taille d'une boîte à chaussures et offert par Yeardley ce matin — contenait des douzaines d'extraits. Plus particulièrement, il renfermait plusieurs potions dissuasives pour les trolls, préparées par des fées d'automne beaucoup plus habiles que Laurel. Il comptait aussi plusieurs des extraits qu'elle pourrait utiliser pour protéger davantage sa maison et sa famille. En supposant qu'elle s'améliorait avec de la pratique, en tout cas. C'était bien mieux que rien.

Sauf que le nécessaire prenait la moitié de l'espace dans son sac à dos.

Pendant qu'elle méditait sur ses vêtements, Katya passa la porte et lança quelque chose sur le lit.

— Il me semble que tu pourrais utiliser ceci, dit-elle en riant.

Laurel ramassa un sac rose qui ressemblait à du papier de soie. Elle le soupçonnait d'être beaucoup plus résistant qu'il ne paraissait.

— Merci, répondit-elle. Je m'apprêtais justement à sonner Celia pour voir si elle pouvait me trouver quelque chose.

Katya examina la pile de vêtements sur le lit, puis jeta un regard dubitatif sur le sac à dos de Laurel.

— Tu n'allais pas vraiment essayer de tout rentrer là-dedans, non ?

— Non, la rassura Laurel avec un grand sourire.

— Bien, dit Katya avec un rire tintant. Je pense que cela exigerait une magie de niveau fée d'hiver.

Laurel rit de la plaisanterie que seule une autre fée comprendrait. Elle détendit la corde en haut du sac et repéra le *K* brodé sur le côté dans une belle calligraphie.

— Je ne peux le prendre. Il porte un monogramme.

Katya le regarda.

— Oh ? Franchement, je ne l'avais pas remarqué. J'en possède des tas.

— Vraiment ?

— Bien sûr. Ils me revenaient comme cela chaque fois que je les envoyais nettoyer. J'imagine qu'ils utilisent une autre personne maintenant.

Laurel commença à enfoncer les vêtements dans le sac rose. Elle devrait quand même laisser quelques trucs ici, mais c'était une amélioration.

Pendant plusieurs secondes, Katya l'observa en silence, puis — presque timidement — elle demanda :

— Est-ce que tu dois réellement partir ?

Laurel leva les yeux, surprise. Sauf quelques exceptions notables, les autres fées s'étaient montrées gentilles avec elles — et très bavardes —, mais Laurel n'en aurait qualifié aucune d'amie. De toute évidence, Katya voyait les choses autrement.

— Je reviendrai, dit Laurel.

— Je sais.

Katya se força à sourire, puis demanda :

— Mais est-ce que tu *dois* réellement y retourner ? Je n'ai entendu que quelques mots ici et là, mais la rumeur veut que ta mission soit terminée. Tu as obtenu les titres de la propriété où se situe le portail. Ne peux-tu pas rester avec nous, à présent ?

Laurel baissa les yeux sur les vêtements qu'elle pliait, évitant le regard de Katya.

— C'est plus compliqué que cela. J'ai de la famille, des amis. Je ne peux pas les laisser seuls.

— Tu pourrais les visiter, suggéra gaiement Katya, mais Laurel sentit le caractère solennel de sa suggestion.

— C'est plus qu'un désir de les revoir, lui expliqua sérieusement Laurel. Je dois les protéger. Ils courent un danger à cause de moi, et j'ai un devoir envers eux.

— Un devoir envers les humains?

Laurel serra les mâchoires. Katya n'était pas vraiment responsable. Elle était dans l'ignorance. Elle n'avait même jamais vu un humain avant. Une idée lui vint à l'esprit et, au lieu de répondre, Laurel fouilla dans une pochette de son sac à dos et en sortit une petite photographie. Il s'agissait d'un cliché d'elle et de David à une danse un peu plus tôt ce printemps. Il se tenait derrière Laurel, l'entourant de ses bras. Le photographe avait surpris la jeune fille juste au moment où elle se tournait pour regarder David, offrant sa silhouette riante de profil, lui baissant les yeux vers elle avec l'envie dans le regard. C'était l'une de ses photos favorites. Elle la tendit à Katya.

Un sourire zébra le visage de Katya.

— Tu es déjà entrelacée? lança-t-elle avec un petit cri aigu. Tu ne me l'avais pas dit, reprit-elle, les yeux grands ouverts et profondément fascinés.

Elle jeta un coup d'œil autour de la pièce et abaissa le ton.

— Est-ce un Unseelie? J'ai entendu parler d'eux. Ils vivent juste à l'extérieur du portail et…

— Non, l'interrompit Laurel. C'est David. L'humain dont je t'ai parlé.

Le visage de Katya s'allongea sous l'incrédulité.

— Un humain? dit-elle, frappée d'horreur.

Elle baissa de nouveau les yeux sur la photo, un pli de dégoût se formant entre ses sourcils.

— Mais… il te *touche*.

— Oui, il me touche, reprit Laurel avec virulence en lui arrachant la photo. C'est mon petit ami. Il me touche et il m'embrasse et…

Elle s'obligea à se taire pendant quelques secondes.

— Il m'aime, déclara-t-elle avec assurance, mais calmement.

Katya la fixa pendant plusieurs secondes avant que son expression ne s'adoucisse.

— C'est juste que je m'inquiète de te savoir dans ce monde, lui confia-t-elle, son regard volant de nouveau vers la photo choquante. Les humains n'ont jamais été gentils avec les fées.

— Que veux-tu dire?

Le visage de Katya était sincèrement inquiet. Elle haussa les épaules.

— Avalon ne s'est pas impliquée dans les affaires humaines depuis bien longtemps. Je sais que c'est nécessaire, parfois. Mais il semble que les relations entre les humains et les fées se terminent toujours mal.

Laurel releva brusquement la tête.

— Vraiment?

— Évidemment. Sanzang, Schéhérazade, puis Guenièvre. Et aussi, il y a eu cet incident honteux avec Ève.

Katya ne remarqua pas la photo tombée en tourbillonnant, oubliée, des mains figées de Laurel.

— Et il y en a d'autres. Chaque fois qu'Avalon tend la main dans le monde des humains, quelque chose tourne au vinaigre. C'est tout ce que je dis.

— Ma famille m'aime; David aussi. Ils ne feraient jamais rien pour me blesser.

— Sois juste prudente, dit Katya.

Laurel emballa ses choses en silence pendant quelques minutes, enveloppant son bijou pour cheveux dans une de ses longues jupes. Après avoir fouillé la chambre à la recherche de quelque chose qu'elle aurait pu oublier, elle regarda du côté de Katya, un sourcil arqué.

— Ève? Sérieusement?

— Bien sûr. Pourquoi? Que disent les humains sur elle?

Laurel patientait sur une chaise longue de brocart quand les portes de l'Académie s'ouvrirent devant Jamison et ses gardes omniprésents. C'était là une raison de ne pas souhaiter être une fée d'hiver. Laurel ne voudrait certainement pas être suivie partout où elle allait. Être épié la *moitié* du temps lui suffisait amplement.

— Laurel, ma chère, dit Jamison, les mains tendues.

Il serra ses mains dans les siennes et lui sourit comme un grand-père qui l'adorait avant de s'installer à côté d'elle sur la chaise.

— Yeardley m'a dit que tu t'es montrée une excellente élève.

Laurel sourit devant le compliment du sévère professeur.

— Il a été enchanté de m'apprendre que tu as un grand talent, poursuivit Jamison. *Phénoménal*, je crois, a été le mot qu'il a employé. Quoique je n'ai pas été étonné le moins du monde, ajouta-t-il en tournant vers elle un sourire chaleureux. J'ai senti ton incroyable potentiel à notre rencontre l'an dernier.

— Oh, non, dit Laurel, surprise. Je ne suis pas comme cela. Je suis déjà tellement en retard, je ne pourrai jamais...

— Oh, je pense que si. Tu révèles encore plus de potentiel que nous le suspections quand tu n'étais qu'un jeune plant. Avec le temps et la pratique, je suis certain que tes dons s'épanouiront de manière spectaculaire. Ils sont puissants.

Il lui tapota la main.

— Je me trouve être un excellent juge de ces choses.

— Vraiment ? dit Laurel doucement, un peu étonnée de sa propre hardiesse.

Mais son retard marqué sur les fées de son âge avait été on ne peut plus décourageant ; elle avait très envie d'entendre de telles déclarations de confiance.

Le sourire disparut, remplacé par une expression grave.

— Je le suis, en effet. Et tu auras besoin des habiletés que tu as développées. Je me doute qu'elles te serviront plus vite qu'autrement.

Il se tourna vers Laurel, le visage très sérieux.

— Je suis content que tu sois venue, dit-il avec ferveur. Le travail que nous devons te confier est beaucoup plus important que nous ne le pensions. Tes leçons de cet été ont été rigoureuses et pénibles, mais tu dois persévérer. Exerce les habiletés apprises, maîtrise-les. Nous aurons sûrement encore besoin de toi dans le monde des humains.

Laurel leva les yeux vers lui.

— Mais n'avez-vous pas toujours voulu que je revienne à Avalon pour reprendre mes études ?

— À l'origine, oui, dit Jamison. Mais les choses ont changé. Nous devons te demander plus. Dis-moi, Laurel, que connais-tu de l'érosion ?

Laurel ne voyait pas le rapport, mais elle répondit quand même.

— Par exemple, quand l'eau ou le vent use le sol ?

— C'est exact. Si on leur en donne le temps, le vent et la pluie emporteront la plus grande des montagnes dans la mer. Toutefois, dit-il, un doigt levé, un flanc de coteau couvert d'herbes résistera à l'érosion et une berge peut être retenue par des buissons et des arbres. Ils étendent leurs racines, dit-il en allongeant les bras pour illustrer son histoire, et ils s'accrochent. Et bien que la rivière attire la terre, si les racines sont assez fortes, elles gagneront. Sinon, elles seront aussi entraînées avec le temps.

» Pendant presque deux mille ans, nous avons protégé notre pays de l'exploitation par les trolls comme par les humains. Là où l'érosion menace nos défenses, nous plantons des graines — comme toi. Quand nous t'avons placée avec tes parents, nous attendions de toi la même chose que de la plupart des fées : que tu pousses là où l'on t'avait plantée. Toute ta tâche consistait à vivre et à grandir et à hériter de la terre, ainsi que d'une identité irréprochablement humaine, ce qui aide à dissimuler nos transactions aux yeux des trolls. Nous n'avions pas l'intention de te ramener à l'Académie avant que tu n'aies atteint l'âge adulte dans le monde des humains.

» Mais à présent, ton rôle sera plus actif.

Il posa une main sur le bras de Laurel et elle fut tout à coup envahie par une vive inquiétude.

— Laurel, quelqu'un se prépare à nous attaquer, à s'en prendre à notre terre et à notre peuple, et le temps n'est pas avec nous. Nous avons besoin que tu étendes tes racines, Laurel. Nous avons besoin que tu combattes la rivière bouillonnante, peu importe quelle identité elle adoptera. Si tu ne le peux pas…

Il se détourna brusquement, regardant par la fenêtre panoramique la campagne d'Avalon s'étirant sous eux. Il mit un moment à reprendre la parole.

— Si tu ne le peux pas, je crains que tout ceci ne soit réduit en poussière.

— Vous parlez des trolls, dit Laurel quand elle retrouva sa voix. Vous parlez de Barnes.

Elle n'avait pas prononcé ce nom à voix haute depuis des mois — il n'y avait eu aucun signe de lui depuis décembre —, mais il n'était jamais loin dans ses pensées. Depuis l'automne dernier, elle sursautait devant les ombres et regardait prudemment avant de tourner les coins.

— Je serais un imbécile si je croyais qu'il a agi seul, déclara Jamison.

Il revint à Laurel, croisant son regard avec ses yeux bleu pâle assortis aux racines à peine apparentes de sa chevelure argentée.

— Et toi aussi.

— Qui s'acoquinerait à lui? Et pourquoi? s'enquit Laurel.

— Nous l'ignorons, rétorqua Jamison. Ce dont nous sommes sûrs, par contre, c'est que Barnes lui-même est vivant et tapi quelque part.

— Sauf qu'il ne peut plus m'utiliser. Il ne peut pas me forcer à lui vendre ma terre, protesta Laurel.

Jamison sourit tristement.

— Si seulement c'était aussi simple. Il peut encore se servir de toi pour tant de choses. Même s'il sait où se trouve la terre, il ignore la position du portail. Il pourrait tenter de t'utiliser pour le découvrir.

— Pourquoi a-t-il besoin de le savoir? Ne peut-il pas se contenter de venir avec ses hordes et raser toute la forêt?

— Il pourrait essayer, mais ne sous-estime pas les talents de nos sentinelles ou la solidité du portail et la magie des fées d'hiver. Le portail peut être détruit, mais cela exigerait une immense quantité de force concentrée. S'il ne peut pas découvrir l'emplacement exact du portail, il ne peut pas le supprimer.

— Je ne le révélerais jamais, affirma Laurel avec ferveur.

— Je sais cela. Et au fond de lui, je soupçonne qu'*il* le sait. Cependant, cela ne l'empêchera pas de chercher à se venger de toi, de toute façon. Aucune autre créature n'a le concept de la vengeance aussi fortement ancré en eux que les trolls. Uniquement pour cette raison, il reviendra pour toi.

— Alors, pourquoi ne l'a-t-il pas fait? demanda-t-elle. Il a bénéficié de suffisamment d'occasions. Plus de six mois se sont écoulés.

Elle haussa les épaules.

— Il est peut-être mort, en fin de compte.

Cependant, Jamison secoua la tête.

— As-tu déjà observé une dionée? demanda-t-il.

Laurel rit sous cape, se rappelant sa conversation avec David à propos des dionées l'an dernier.

— Ouais, répondit-elle. Ma mère en cultivait une lorsque j'étais enfant.

— N'as-tu jamais voulu savoir comment une dionée attrape les mouches? s'enquit Jamison. La mouche est plus rapide, peut voir le danger qui la guette, a la capacité de fuir avec plus de facilité. Logiquement, toutes les dionées devraient mourir de faim. Pourquoi n'est-ce pas le cas?

Laurel haussa les épaules.

— Parce qu'elles sont patientes, déclara Jamison. Elles sont immobiles et paraissent inoffensives. Elles n'agissent pas avant que la mouche s'aventure, avec suffisance, au cœur du piège. La dionée ne bouge que lorsque la capture est pratiquement inévitable. Les trolls sont patients aussi, Laurel. Barnes attendra ; il patientera jusqu'à ce que tu te détendes et cesses d'être prudente. Alors, et seulement alors, il frappera.

Laurel sentit sa gorge se serrer.

— Que puis-je faire pour l'arrêter ? demanda-t-elle.

— Pratique ce que Yeardley t'a enseigné, répondit Jamison. Ce sera ta meilleure défense. Montre-toi particulièrement prudente quand le soleil est couché...

— Barnes peut sortir le jour, l'interrompit Laurel. Nous le savons déjà.

— Ce n'est pas infaillible, dit Jamison, sa voix ne trahissant aucun agacement devant son intervention, mais c'est toujours un fait que Barnes — tous les trolls — sera plus vulnérable pendant la journée et que toi, tu seras plus faible le soir venu. Ta prudence après le coucher du soleil ne les arrêtera pas, mais cela leur coûtera au moins leur avantage.

Il s'assit un peu plus droit.

— Et cela en donnera un à tes gardiens.

— Mes gardiens ?

— Après l'incident de l'automne dernier, nous avons placé des sentinelles dans les bois près de ta nouvelle demeure. Shar ne voulait pas que je t'en informe — il craignait que cela ne serve qu'à te rendre nerveuse —, mais je pense que tu as le droit de savoir.

— On m'espionne de nouveau ? dit Laurel, sa vieille rancune remontant à la surface.

— Non, répondit fermement Jamison. Tu es simplement protégée. Il n'y aura pas de fée pour regarder par tes fenêtres ou pour porter atteinte à ta vie privée. Cependant, on surveille ta *maison* et on assure sa sécurité. Elle a aussi été préparée contre les trolls ; tant que tu es à l'intérieur, seul le plus fort des trolls peut t'atteindre. Mais sois consciente que les bois derrière ta maison ne sont pas seulement la demeure des arbres. Les sentinelles sont là pour te garder du danger.

Laurel hocha la tête, la mâchoire serrée. Elle était encore agacée d'avoir été si étroitement surveillée — et qu'on avait occasionnellement effacé ses souvenirs — par des sentinelles la majeure partie de sa vie dans le monde des humains. Même ce rétablissement légèrement moins intrusif de sa garde personnelle lui donnait instantanément l'impression d'être emprisonnée. Mais comment pouvait-elle s'y opposer ? Elle avait vu de visu la rage de Barnes, l'avait regardé faire feu sur Tamani, puis tomber de quatre mètres en bas d'une fenêtre et s'enfuir après qu'elle lui avait tiré dessus. C'était une force avec laquelle compter, et même si Yeardley avait foi en ses jeunes talents, ce n'était pas le cas de Laurel. Elle avait besoin d'aide et elle ne pouvait pas le nier.

Comme toujours, Jamison avait raison. Il respirait la sagesse — même le plus sage des enseignants de l'Académie ressemblait à une faible bougie vacillante à côté de la lumière solaire enrichissante émanant de la perspicacité de la fée d'hiver. Cela lui semblait idiot qu'il soit ici à la réconforter de sa peur et de son manque d'assurance quand Avalon pouvait profiter plus directement de ses conseils.

— Pourquoi...

Laurel interrompit toutefois sa question. Comme il y avait si peu de fées d'hiver parmi lesquelles choisir un dirigeant, elle s'était souvent demandé pourquoi Jamison n'avait pas été élu pour régner sur Avalon. Mais cela ne la regardait pas.

— Continue.

Laurel secoua la tête.

— Ce n'est rien.

— Tu veux savoir...

Jamison observa son visage, puis sourit. Il parut légèrement surpris, mais pas du tout mécontent.

— Tu veux savoir pourquoi je ne suis pas le roi.

Laurel sursauta.

— Comment savez-vous...

— Certaines choses dans la vie ne sont rien d'autre qu'un hasard, et c'est le cas ici. Feu la reine était âgée de seulement quelques années de plus que moi, mais suffisamment jeune au moment de la succession pour devenir reine. Et quand son temps est venu de retourner à la terre — il rit —, bien, je n'étais plus un jeune plant, capable de plier et d'être modelé pour le rôle. Peut-être que s'il n'y avait pas eu d'autres fées d'hiver pour prendre la couronne... mais heureusement, nous n'avons pas expérimenté ce problème depuis des générations.

— Oh.

Laurel ne savait pas quoi ajouter. *Je suis désolée* lui paraissait inapproprié dans les circonstances.

— Cela ne me dérange pas, reprit Jamison, semblant encore une fois lire dans ses pensées. J'ai passé plus de cent ans comme conseiller de l'une des plus grandes reines dans l'histoire considérable d'Avalon.

L'étincelle revint dans son œil.

— Ou, du moins, c'est ce que je pense.

Il soupira avec lassitude.

— Cette nouvelle reine... bien, avec la croissance que seuls le temps et l'expérience peuvent mener à sa plénitude, peut-être que son jugement s'améliorera.

Sa critique de la reine, bien que délicate, choqua Laurel. Autant qu'elle pût en juger, personne ne disait jamais rien de fâcheux à son sujet. Mais c'était logique qu'une autre fée d'hiver ait la liberté d'exprimer sa pensée. Elle ne put s'empêcher de se demander ce qu'il pensait que la reine méjugeait, précisément.

L'expression pensive du visage de Jamison rappela à Laurel le père de Tamani.

— Deviendrez-vous un... un Silencieux, Jamison?

Il baissa les yeux sur elle et rit très doucement.

— Bon, qui t'a parlé d'eux?

Elle pencha la tête, légèrement embarrassée, et ne répondit pas. Quand elle la releva, Jamison ne l'observait pas, il regardait plutôt par la fenêtre donnant à l'est, où les branches noueuses et la grande voûte feuillue de l'arbre du Monde pouvaient être aperçues juste au-dessus des autres arbres, plus ordinaires lorsqu'on savait ce que l'on cherchait.

— C'est Tamani, n'est-ce pas ?

Laurel hocha la tête.

— Il a trop broyé de noir depuis que son père a entrepris son union. J'espère que tu pourras l'aider à retrouver le bonheur.

Laurel se sentit coupable encore une fois et souhaita que Jamison ignorât combien de temps elle était restée absente alors que Tamani l'attendait.

— J'aurais profondément aimé suivre les pas du père de Tamani, reprit Jamison. Mais le moment est passé pour moi. La force me manquerait aujourd'hui.

Il baissa de nouveau le regard vers elle, son sourire chassant la tristesse sur son visage — quoique pas complètement.

— On a besoin de moi ici. Parfois, on doit mettre ses propres désirs de côté afin de servir le bien commun. Je crains qu'Avalon ne soit — comme cela a été le cas si souvent dans le passé — sur des charbons ardents.

Il jeta un coup d'œil aux gardes, mais ils regardaient soigneusement ailleurs. Malgré tout, il baissa la voix.

— Je suis allé à l'arbre et j'ai écouté le vent.

Laurel retint son souffle, son regard accroché à celui de Jamison.

— Il y a encore une tâche pour moi. Une chose que moi seul peux... ou veux... faire. Et donc, je suis satisfait de rester.

Avant qu'elle ne puisse continuer à le questionner, Jamison se leva et lui offrit son bras.

— Allons-y, veux-tu ?

Ils suivirent le même sentier familier pour sortir de l'Académie, passèrent le mur carré qui abritait les grilles d'entrée, et les sentinelles fermèrent les rangs derrière eux. Laurel était excitée de voir comment Jamison ouvrirait sa route magique vers la maison. Elle attendit qu'il accomplisse un geste sensationnel — une pluie d'étincelles et un éclair de lumière, ou au moins qu'il prononce une incantation ancienne —, mais tout ce qu'il fit fut de tendre la main et d'entrouvrir le portail, qui glissa silencieusement sur ses gonds. Avec un coup d'œil aux fées derrière lui, il l'ouvrit complètement, et tout à coup, un autre groupe de sentinelles se tenaient en demi-cercle de l'autre côté. Au centre de l'arc, il y avait Shar — grave et superbe — et à sa droite, Tamani. Elles étaient toutes vêtues de l'armure complète des sentinelles ; une vue intimidante, mais à laquelle Laurel s'habituait.

Jamison tendit le bras une nouvelle fois, invitant Laurel à passer le portail. À la dernière seconde, il saisit son épaule doucement et se pencha près de son oreille.

— Reviens, murmura-t-il. Avalon a besoin de toi.

Mais quand elle regarda derrière son épaule, il refermait le portail. Deux secondes supplémentaires, puis Avalon se mêla aux ombres et disparut.

— Je vais prendre cela, dit Tamani, surprenant Laurel.

Elle sourit et lui tendit le grand sac rose. Il y jeta un œil et rit.

— Les femelles et leurs vêtements.

Laurel lui sourit largement et se tourna pour apercevoir le portail une dernière fois. Cependant, il s'était déjà tordu en un arbre d'allure ordinaire. Elle secoua la tête, encore ébahie de tout ce qu'elle avait vu cet été.

— Autant j'aimerais que ce ne soit pas le cas, nous devons nous hâter, l'informa Tamani. Nous nous attendons à ce que ta mère arrive bientôt et ce serait mieux si tu étais là pour l'accueillir.

Il posa une main sur sa taille, et Laurel sentit que les autres fées se fondaient dans la forêt pendant qu'elle et Tamani remontaient le sentier.

Laurel ressentait de la gêne, comme toujours quand elle devait dire au revoir à Tamani. Ils marchèrent en silence jusqu'à ce qu'ils atteignent un endroit à peine visible depuis la maison de bois et la longue allée de garage.

— Il n'y a encore personne, déclara Tamani. Mais je crois que ce n'est qu'une question de minutes maintenant.

— Je...

La voix lui manqua et elle recommença.

— Je suis désolée qu'il n'y ait pas plus de temps.

Tamani lui sourit gentiment.

— Je suis content que tu sois désolée.

Il colla son dos à un arbre, levant une jambe pour s'appuyer contre le tronc. Il ne la regarda pas.

— Combien de temps resteras-tu loin, cette fois ?

Le cœur de Laurel brûlait de culpabilité alors qu'elle se rappelait les paroles de Jamison.

— Ce n'est pas ce que tu crois, commença-t-elle. Je dois...

— Ça va, l'interrompit Tamani. Je ne voulais rien sous-entendre. Je me le demandais, tout simplement.

— Pas aussi longtemps que la dernière fois, dit-elle, sous l'impulsion du moment.

— Quand ? s'enquit Tamani, puis il la regarda, son apparente insensibilité volée en éclat, ne serait-ce que pour un instant.

— Je l'ignore, répondit Laurel sans croiser son regard.

Elle était incapable de le regarder dans les yeux ; pas quand ils étaient si transparents et vulnérables.

— Puis-je simplement venir te voir, à un moment donné ?

Tamani garda le silence un moment.

— D'accord, acquiesça-t-il. Je vais trouver une façon d'arranger cela. Reviens, ajouta-t-il avec ferveur.

— Je viendrai, promit-elle.

Ils tournèrent tous les deux la tête quand ils entendirent le bruit d'un moteur quittant l'autoroute et se rapprochant.

— Ton char, lança Tamani avec un grand sourire, mais sa bouche était tendue.

— Merci, dit Laurel. Pour tout.

Il haussa les épaules, les mains enfoncées dans ses poches.

— Je n'ai rien fait de spécial.

— Tu...

Elle tenta de trouver les mots pour exprimer ce qu'elle ressentait, mais rien ne semblait approprié.

— Je...

Cette fois, sa phrase fut interrompue par une courte série de coups de klaxon.

— C'est ma mère, l'informa-t-elle d'un ton d'excuse. Je dois y aller.

Tamani hocha la tête, puis resta complètement immobile.

La balle était dans son camp.

Elle hésita, puis s'avança rapidement vers lui et l'embrassa sur la joue, puis partit en flèche avant qu'il ne puisse dire quelque chose. Elle se hâta le long du sentier et vers la voiture à présent garée et silencieuse. Elle s'arrêta. Ce n'était pas la voiture de sa mère.

— David.

Le nom s'échappa de ses lèvres un instant avant que les bras de David ne se referment sur elle, l'attirant contre lui. Ses orteils quittèrent le sol et elle tourna, de la même façon que Tamani l'avait fait tournoyer à l'extérieur de l'Académie. La sensation de sa joue contre le cou de David raviva des souvenirs d'elle se pelotonnant contre lui sur le sofa, sur la pelouse du parc, dans la voiture, sur son lit. Elle s'accrocha à lui en réalisant — à moitié honteuse — qu'elle avait à peine songé à lui depuis son départ. Deux mois d'ennui de lui l'envahirent d'un coup et des larmes lui piquèrent les yeux alors qu'elle enroulait ses bras autour de son cou.

Des doigts caressants lui soulevèrent le menton et ses lèvres trouvèrent les siennes — douces et insistantes. Elle ne pouvait rien faire d'autre que de l'embrasser en retour, sachant que Tamani devait être tout près, juste hors de vue, observant leur réunion avec cette expression prudente qu'il affichait si bien.

NEUF

— LAUREL ?

Le minuscule cylindre de verre en sucre éclata quand Laurel sursauta.

— En haut, cria-t-elle avec lassitude.

David passa la porte à grandes enjambées et lança un bras autour d'elle, puis déposa un baiser sur sa joue. Ses yeux se braquèrent sur le matériel devant elle.

— Que fais-tu ?

Impossible de dissimuler l'excitation dans sa voix.

Laissant les menus éclats de verre tomber de sa main en tintant sur la table, Laurel soupira.

— *J'essaie* de fabriquer des fioles en verre de sucre.

— Sont-elles vraiment en sucre ?

Laurel hocha la tête et se frotta les tempes.

— Tu peux manger ces morceaux, là, si tu le désires, dit-elle en ne s'attendant pas réellement à ce qu'il s'exécute.

David lança un regard dubitatif à la pile de verre éclaté, puis ramassa l'un des plus grands bouts. Il l'examina un moment avant de lécher le côté plat — loin de la pointe acérée.

— Cela ressemble un peu au sucre d'orge, déclara-t-il en le reposant sur la table. Bizarre.

— Plutôt frustrant, je dirais.

— À quoi servent-elles ?

Laurel se tourna vers son nécessaire et en retira une fiole en verre — une de celles fabriquées par Yeardley et non pas elle. Elle n'en avait pas encore réussi une qui avait de l'allure. Elle tendit la fiole à David.

— Certaines potions ou quelques élixirs et autres choses semblables ne peuvent pas être entreposés dans leur forme définitive. On les prépare donc en deux parties. Dès qu'elles se mélangent, l'effet que l'on vise se produit immédiatement. Alors, on les conserve dans des fioles en sucre individuelles afin de pouvoir les assembler au bon moment ou les écraser dans sa main en cas d'urgence.

— Ça me paraît douloureux, constata David en remettant précautionneusement la délicate fiole à Laurel.

Laurel secoua la tête.

— Elle n'est habituellement pas suffisamment épaisse pour te couper. Mais, le cas échéant, le sucre se dissoudrait et tu n'aurais pas besoin d'extirper des bouts de verre de ta main ou rien : c'est pourquoi nous n'utilisons pas de verre normal. Idéalement, on les laisse simplement tomber toutes les deux dans un mortier, ou autre chose, mais on doit être prêt à tout.

Je dois être prête à tout, ajouta-t-elle en elle-même.

— Les potions n'entraînent-elles pas la dissolution du sucre?

— Elles ne semblent pas le faire.

— Pourquoi pas?

— Je l'ignore, David, répondit Laurel avec brusquerie. Elles ne le font pas, c'est tout.

— Désolé, s'excusa doucement David.

Il tira un tabouret rose rembourré à lui et rejoignit Laurel à son bureau.

— Alors, comment t'y prends-tu?

Laurel inspira profondément et s'apprêta à recommencer.

— J'ai de la canne à sucre en poudre, commença-t-elle en pointant un sac de toile avec une fine poudre verdâtre, et je la mélange à de la résine de pin.

Elle suivit ses propres explications, essayant de se concentrer malgré le souffle de David près de son oreille et ses yeux examinant ses mains. Elle pouvait presque entendre son esprit tourner pendant qu'il tentait de tout assimiler.

— Le mélange épaissit et devient collant comme du sirop, continua-t-elle en brassant la mixture avec une cuillère d'argent, et il chauffe.

David hocha la tête sans cesser de l'observer.

— Ensuite, je prends cette petite paille, poursuivit-elle en s'emparant de ce qui ressemblait à une courte paille à boire en verre.

Elle ne dit pas à David qu'il s'agissait d'un diamant d'un seul morceau.

— Je le trempe dans le mélange sucré et je souffle, comme pour du verre normal.

Cela paraissait facile, et la plupart des Mélangeurs de son âge fabriquaient leurs propres fioles depuis des années. Cependant, Laurel n'avait pas encore le bon tour de main.

Elle inspira, attirant juste un tout petit peu de la mixture sucrée dans son tube, puis elle souffla, très lentement, tout en visualisant — avec concentration — la forme qu'elle souhaitait lui donner. Elle tourna le tube en soufflant et la petite bulle au bout s'allongea, s'étira — contrariant toutes les lois de la physique — en un long cylindre au lieu d'une bulle ronde. La mixture opaque et trouble blanchit, puis devint translucide.

Laurel souffla un peu plus d'air dans le tube et le tourna encore une fois avant de retirer sa bouche avec hésitation. Elle réussissait habituellement bien jusqu'à cette étape.

— C'est...

— Chut ! lui ordonna Laurel, soulevant un petit couteau en argent ressemblant à un scalpel.

Elle traça une marque sur le verre en sucre tout autour du bord du tube de diamant, puis elle tira sur le cylindre, lentement, le séparant de la paille.

Le premier côté vint facilement et Laurel fit méticuleusement rouler le cylindre, décollant les autres bords. Elle retint son souffle en tirant sur le tube à son dernier point d'ancrage. Le sucre encore souple plia, puis s'étira en formant un long fil et, enfin, se détacha.

Ce faisant, le cylindre éclata.

— Bon sang! cria Laurel, jetant brutalement le tube sur son bureau.

— Attention avec cet objet, lui dit David.

Laurel chassa son inquiétude en agitant une main agacée.

— Je ne peux pas le briser, marmonna-t-elle.

Un long silence suivit pendant que Laurel examinait la pile d'éclats de verre, essayant de déterminer ce qui avait mal tourné. Peut-être que si elle aspirait un peu plus de sirop de sucre, la fiole serait plus épaisse.

— Puis-je... Puis-je essayer? demanda David avec hésitation.

— S'il le faut, dit Laurel, même si elle savait qu'il n'y arriverait pas.

Mais David sourit largement, puis il fila vers la chaise qu'elle venait de quitter. Elle l'observa pendant qu'il tentait d'imiter ses gestes, aspirant une petite quantité de sirop collant dans la paille et soufflant avec précaution. Pendant une seconde, il sembla que cela allait fonctionner. Une minuscule bulle commença à se former, bien qu'elle fut ronde plutôt qu'oblongue. Mais presque aussitôt formée, elle éclata, émettant un léger *gloup*, et le liquide coula inutilement hors du tube en diamant.

— Qu'ai-je mal fait ? s'enquit David.

— Rien, déclara Laurel. Tu ne peux pas le faire, c'est tout.

— Je ne vois pas pourquoi ? dit David, regardant la goutte verdâtre pendue au bout du tube. Ce n'est pas logique que nous exécutions exactement les mêmes gestes et obtenions des résultats aussi diamétralement opposés. À tout le moins, ils devraient se ressembler.

— Il ne s'agit pas de physique, David ; ce n'est pas une science. Cela marche pour moi parce que je suis une fée d'automne et c'est la fin de l'explication. Enfin, reprit-elle en prenant le tube à David, cela fonctionne *presque*.

— Mais pourquoi ?

— Je ne sais pas ! lança Laurel, exaspérée.

— Bien, est-ce que tu souffles d'une manière précise ? Y a-t-il une technique que je suis incapable de voir ? demanda David, ne prenant pas du tout conscience du ton de Laurel.

— Non. Ce que tu vois, c'est ce que je fais. Aucune méthode secrète ni rien.

— Alors, qu'est-ce que je fais de mal ?

— Ce que *tu* fais de mal ?

Laurel rit avec cynisme.

— David, je ne sais même pas ce que *moi*, je fais de mal !

Elle s'effondra sur son lit.

— À Avalon, j'ai passé une heure par jour ces trois dernières semaines à m'exercer à souffler des fioles de verre. Et je n'ai pas réussi à en fabriquer une seule sans la briser. Pas une seule!

David la rejoignit sur le lit.

— Une heure chaque jour?

Laurel savait qu'il se demandait si la pratique l'aiderait lui aussi à souffler des fioles, mais au moins, il ne le dit pas.

— Mes enseignants affirment sans cesse que si j'ai étudié les composants et les procédures, mon intuition devrait s'occuper du reste, mais cela n'a pas encore fonctionné.

— Donc, tu es censée *savoir* quoi faire.

— C'est ce qu'ils disent toujours.

— Comme... l'instinct?

À ce mot, Laurel retomba sur le dos, un souffle de frustration s'échappant d'elle dans un bruissement.

— Oh mince! L'instinct; voilà un mot sacrilège à Avalon. Yeardley n'arrête pas de me dire : «Tu essaies de te fier à ton instinct; tu dois plutôt faire confiance à ton intuition.» Mais j'ai cherché ces deux mots dans le dictionnaire et ils signifient exactement la même chose.

David s'allongea à côté d'elle et elle se tourna vers lui, se nichant au creux de son bras, la main drapée sur son torse. Comment avait-elle pu vivre sans cela pendant huit semaines?

— C'est tellement frustrant. Tout le monde de mon âge à Avalon est bien en avance sur moi. Et ils continuent d'évoluer. En ce moment même!

Elle soupira.

— Je ne les rattraperai jamais.

— Bien sûr que si, déclara doucement David, ses lèvres lui chatouillant le cou. Tu finiras par tout comprendre.

— Non, cela n'arrivera pas, dit Laurel d'un ton maussade.

— Oui, tu réussiras, répéta David, le nez collé sur celui de Laurel.

Ses bras se resserrèrent autour de la taille de la jeune fée et elle ne put s'empêcher de sourire.

— Merci, dit-elle.

Elle ferma les yeux, attendant son baiser, mais un petit coup discret à la porte lui fit relever brusquement la tête.

— Pourriez-vous au moins ne pas vous embrasser à bouche que veux-tu sur ton lit lorsque je suis à la maison? demanda sèchement la mère de Laurel. Tu sais; *faire semblant* de respecter les règlements.

David s'était déjà relevé promptement et écarté à un mètre du lit.

Laurel se redressa lentement et péniblement.

— J'ai quand même laissé la porte ouverte, répliqua-t-elle.

— Oh, bien, rétorqua sa mère. Je suis impatiente de voir ce qui se passera ici la prochaine fois que je passerai devant. Je vais au magasin, poursuivit-elle avant que sa fille ne puisse réagir. Je veux que vous descendiez tous les deux, s'il vous plaît.

Laurel regarda sa mère s'éloigner, vêtue d'une jolie jupe et d'une blouse et portant un sac d'un style très professionnel à l'épaule. C'était juste un des nombreux changements qui avaient accueilli Laurel à son retour d'Avalon.

Le premier avait été génial. David avait ramené Laurel de la terre hier et s'était garé dans son allée de garage à côté d'une Nissan Sentra noire, couronnée d'un chou rouge.

— Je me suis dit que puisque tu es responsable de notre situation financière actuelle, autant que tu en tires certains bénéfices, avait déclaré son père en riant pendant que Laurel poussait des cris perçants et le serrait contre elle.

Le diamant que lui avait offert Jamison l'an dernier pour empêcher ses parents de vendre leur terre avait payé plus que les factures médicales de son père. Cependant, Laurel ne s'était pas attendue à un tel avantage pour elle-même.

Le deuxième gros changement en était un dont elle était au courant. Ses parents avaient décidé de rénover leur très petite demeure en y ajoutant une salle de divertissement — avec de nombreuses grandes fenêtres pour Laurel — et d'élargir la cuisine. L'absence de Laurel pendant l'été leur était apparue comme l'occasion idéale de procéder. Le travail devait en principe être effectué pour son retour, mais la première chose qu'avait faite Laurel en passant la porte hier avait été de trébucher sur un tas d'outils. Les entrepreneurs avaient promis d'être partis à la fin de la semaine, mais Laurel en doutait.

Le changement le plus radical, par contre, fut une surprise encore plus grande que la voiture. Au printemps, le père de Laurel avait acheté un espace commercial à côté de sa librairie avec l'intention d'agrandir son magasin. Cependant, peu de temps après son départ pour Avalon, ses parents avaient plutôt décidé d'ouvrir un nouveau commerce : une boutique de naturopathie pour sa mère. Cure Naturelle — inaugurée juste avant le retour à la maison de Laurel — vendait des remèdes faits maison et une vaste gamme de vitamines, d'herbes et d'aliments naturels, ainsi qu'une belle sélection de livres sur la santé et le bien-être fournis par l'excellente librairie voisine. Avec tout le temps que ses deux parents passaient dans leurs boutiques, ils se voyaient à présent davantage que jamais auparavant au cours de leur mariage.

C'est formidable! se disait Laurel. Après tout, sa mère méritait de posséder quelque chose comme cela pour elle-même. Cependant, pendant l'absence de Laurel, sa mère… s'était éloignée d'elle. Son père ne semblait pas se lasser d'entendre parler d'Avalon, mais pendant ces conversations, sa mère se rappelait soudainement une chose dont elle devait s'occuper dans une autre pièce. Laurel avait l'impression que la nouvelle boutique présentait une voie d'échappement additionnelle; au cours des vingt-quatre heures depuis son retour, Laurel n'avait vu sa mère que pour un court dîner, et une fois ou deux alors qu'elle partait faire des courses ou en revenait.

Elle soupira et se leva du lit, tirant sur le bras de David pour qu'il l'aide à se relever.

— Viens, allons en bas.

— Ouais, mais...

David désigna les fournitures de fabrication de verre sur le bureau de Laurel.

— J'ai fini pour aujourd'hui, dit-elle. Allons faire quelque chose d'amusant. Il ne nous reste que quelques jours avant notre retour en classe.

Laurel le tira vers la porte.

— Ma mère a cuisiné des brioches à la cannelle ce matin, ajouta-t-elle, essayant de lui donner un motif pour s'exécuter.

Il se laissa entraîner par Laurel cette fois, mais pas avant d'avoir longuement regardé le bureau.

Dans la cuisine, David prit une brioche à la cannelle sur la plaque de cuisson et appliqua dessus une épaisse couche de glaçage au fromage à la crème. En mordant dedans, il se tourna vers la large fenêtre de la cuisine — un nouvel ajout que Laurel aimait vraiment beaucoup.

— Je n'ai pas encore vu Chelsea. Devrions-nous lui téléphoner et lui proposer d'aller voir un film ou de faire autre chose ce soir ?

Laurel referma la pellicule de plastique bien serrée autour du bol de glaçage. L'odeur lui donnait toujours un brin la nausée.

— Bien sûr, si elle n'est pas occupée avec Ryan.

— Ryan? demanda Laurel, rangeant le glaçage dans le réfrigérateur. Le grand Ryan?

— Ouais.

— Sont-ils, genre, ensemble?

— Chelsea n'a pas été très bavarde à ce sujet — si tu peux imaginer cela —, mais s'ils ne le sont pas maintenant, cela ne saurait tarder. Tu seras peut-être capable de lui tirer les vers du nez.

— Possiblement. C'est bizarre.

Pas que Chelsea ait un petit ami — Laurel était excitée de cela —, mais qu'elle ait choisi Ryan. Ryan, grand et dégingandé, qui ne parlait pas beaucoup et était particulièrement peu perspicace. Laurel approuvait l'idée que les contraires s'attirent, mais il se pouvait que l'on soit *trop* contraire.

Et puis, évidemment, s'ajoutait à cela le problème que Chelsea était amoureuse de David depuis plusieurs années. Toutefois, si elle s'était remise de cet amour, et bien, tant mieux.

Ils gardèrent le silence plusieurs minutes, David terminant sa brioche à la cannelle et Laurel regardant fixement par la fenêtre panoramique en songeant à Chelsea. Enfin, David avala sa dernière bouchée et prit une grande respiration.

— Je pensais avoir vu Barnes hier, juste avant de venir te chercher.

Un frisson de peur glaciale étreignit la poitrine de Laurel.

— Tu *pensais*?

— Ouais, ce n'était pas lui. C'était seulement le gars qui dirige la salle de quilles.

— Oh, je l'ai moi-même confondu à deux reprises il y a quelques mois.

Le rire de Laurel était tendu et il s'évanouit complètement quand elle vit le visage de David.

— Pourquoi n'est-il pas revenu, Laurel? s'enquit-il à voix basse.

Laurel secoua la tête et elle fixa la forêt derrière sa maison par la fenêtre panoramique. Elle se demanda combien de fées exactement vivaient là, l'observant en ce moment même. Peut-être était-ce le bon moment de raconter à David sa discussion avec Jamison.

— Je l'ignore, répondit-elle, en remettant cela à un peu plus tard.

— Nous avons ruiné ses plans. De gros, gros plans. Et il sait où tu demeures.

— Merci de me le rappeler, dit Laurel avec ironie.

— Désolé, je n'essaie pas de te faire peur. Mais j'ai l'impression... Je ne sais pas, comme s'il y avait une corde qui se resserrait un peu plus tous les jours. J'attends constamment qu'il se passe *quelque chose*. Et cela ne fait qu'empirer, poursuivit-il. Je vois des trolls partout. Chaque fois que j'aperçois un visage étranger portant des lunettes de soleil, je me pose la question. Avec la saison touristique qui a battu son plein cet été, tu peux imaginer que j'ai été paranoïaque pendant deux mois. Et avec toi partie...

Il lui prit le poignet et l'attira à lui, l'embrassant sur le dessus de sa tête blonde.

— Je suis juste content que tu sois revenue.

— Bien.

Elle enroula ses bras autour de la taille de David et se leva sur le bout des orteils pour un baiser. Il lui fallait pas mal s'étirer ces jours-ci : il mesurait presque trente centimètres de plus qu'elle à présent. Il avait grandi de huit centimètres ces six derniers mois et il avait aussi commencé à soulever des poids. Il ne l'avait pas dit ainsi, mais elle soupçonnait que son assurance en avait pris un coup lors de leur rencontre avec Barnes. Peu importe sa motivation, elle ne pouvait pas s'empêcher d'en apprécier les résultats. Elle aimait sa stature ; elle se sentait en sécurité et protégée.

Si seulement elle pouvait réussir les choses qu'elle avait apprises à Avalon, elle se sentirait peut-être encore plus en sécurité.

Chelsea poussa un cri perçant et lança ses bras autour de Laurel, qui rit dans ses cheveux, réalisant à quel point son amie lui avait manqué.

— J'allais venir chez toi hier, lui apprit Chelsea, mais je me suis promis de d'abord t'accorder un jour avec David. Il a été malheureux sans toi.

Laurel sourit largement. Elle était plutôt satisfaite de cela.

— Il a traîné avec moi presque tous les jours et a parlé de toi sans arrêt tout le long du premier mois, mais ensuite j'ai commencé à fréquenter Ryan, et David est devenu tout bizarre, alors je ne l'ai pas vu beaucoup depuis deux semaines. Viens en haut, dit Chelsea au moment où un enchevêtrement de membres s'écrasait dans l'entrée, où elles se tenaient toutes les deux. La dernière semaine avant que l'école recommence est toujours la pire, déclara-t-elle en pointant ses frères luttant sur le plancher.

Laurel n'était pas certaine s'il s'agissait d'une vraie bagarre ou seulement d'un jeu. Dans un cas comme dans l'autre, il valait sûrement mieux s'écarter. Elle suivit une Chelsea bavardant toujours jusqu'en haut, dans sa chambre à coucher ornée de fées. Laurel était toujours un peu mal à l'aise ici, avec les traditionnelles fées aux ailes de papillons la fixant depuis les murs, le plafond et le dos des livres sur les fées de l'impressionnante collection de Chelsea.

— Alors, tu ne me parais pas très bronzée, dit Chelsea, attendant la réponse.

— Euh, dit Laurel, prise totalement au dépourvu. Quoi ?

— Bronzée, répéta Chelsea. Tu ne parais pas très bronzée. Après presque deux mois dans une retraite en pleine nature, j'ai pensé que tu serais plutôt bronzée.

Laurel avait pratiquement oublié l'alibi que lui avait inventé David : qu'elle était partie en retraite en pleine nature. Une retraite où, fort à propos, on n'avait ni téléphone ni accès à Internet. Laurel se sentait très mal de mentir à Chelsea, sauf que cette dernière était beaucoup trop franche pour garder des secrets. Ironiquement, c'était l'une de ses meilleures qualités.

— Euh, crème solaire, répondit Laurel pour se dérober. Des litres et des litres de crème solaire.

— Et des chapeaux, apparemment, ajouta sèchement Chelsea.

— Ouais. Alors, parle-moi de Ryan, dit Laurel, changeant nerveusement de sujet.

Chelsea découvrit tout à coup quelque chose de très intéressant à examiner sur le tapis.

Laurel rit.

— Chelsea, est-ce que tu rougis?

Son amie rit nerveusement et haussa les épaules.

— Il te plaît? insista Laurel.

— Oui. Je ne pensais pas que ce serait le cas, mais *oui*.

— C'est formidable, déclara sincèrement Laurel. Donc… êtes-vous déjà officiellement un couple?

— Comment devient-on *officiellement* un couple? demanda Chelsea. Est-ce qu'on doit avoir un genre de conversation spéciale où l'on se dit : «Oh mince, je t'aime bien et tu m'aimes bien et nous aimerions nous embrasser, alors à présent c'est officiel?» Comment cela fonctionne-t-il?

Les yeux de Laurel s'arrondirent.

— Tu as des séances de baisers passionnés avec Ryan?

— Je crois que si.

— Soit c'est oui, soit c'est non, reprit Laurel en levant un sourcil.

— Et bien, nous nous embrassons beaucoup. Est-ce que ça compte?

— Non seulement ça compte, mais je pense que cela vous donne le statut de couple officiel.

— Oh, bien, dit Chelsea en soupirant de soulagement. J'étais totalement stressée parce que nous n'avions pas eu de conversation spéciale ni rien.

— S'embrasser, c'est mieux que se parler, dit Laurel avec un grand sourire. Alors, comment est-ce arrivé?

Chelsea haussa les épaules.

— Naturellement. Enfin, un peu. Je veux dire, tu sais que j'aimais intensément David depuis une éternité.

Laurel hocha la tête, mais songea qu'il valait mieux ne rien dire.

— C'était au point où je n'avais d'yeux que pour lui. Toujours. Et je détestais que tu sois avec lui; mais j'adorais vous voir heureux tous les deux et c'était affreux d'être déchirée ainsi.

Laurel se rapprocha un peu plus près et posa une main sur le bras de Chelsea. Il s'agissait là d'un sujet qu'elles n'avaient jamais abordé auparavant, malgré le fait que Laurel savait que cela avait dû être difficile pour Chelsea. Cette dernière sourit et haussa les épaules.

— J'ai donc décidé que je devais mettre un terme à tout cela. Arrêter tout ce qui touchait David. Cesser de penser à lui, de l'observer, même de l'aimer.

— Comment as-tu réussi cela ? demanda Laurel, songeant immédiatement à ses problèmes avec Tamani.

— Je l'ignore, en fait. Je l'ai fait, tout simplement. C'était étrange. J'ai passé des années à essayer très fort d'attirer le regard de David, de *faire en sorte* qu'il m'aime. Et c'est comme si j'étais incapable de voir autre chose. Et puis, ce n'est pas tant que j'ai cessé de centrer mon attention sur David, c'est plutôt que je me suis *laissée* regarder ailleurs. Et c'était vraiment génial.

Ses yeux s'arrondirent d'une manière spectaculaire.

— Il y a des gars partout ; le savais-tu ?

Laurel rit.

— J'ai bien peur d'être encore plutôt centrée sur David.

— Tu le devrais, dit Chelsea sérieusement. Donc, en tout cas, Ryan et moi avons commencé à passer plus de temps ensemble, et puis il m'a invitée à voir un film et ensuite à déjeuner et le temps de le dire, nous étions tout le temps ensemble.

— Et vous vous embrassiez.

— Et nous nous embrassions, acquiesça Chelsea avec enthousiasme. Ryan embrasse extrêmement bien.

Laurel leva les yeux au ciel.

— Bien, *voilà* une chose que je désirais vraiment savoir, dit-elle avec sarcasme.

— Ah, allons : tout le monde se le demande.

— Pas moi !

— Évidemment. Je me suis toujours demandé comment était David de ce côté-là.

— Euh, c'est une de ces questions que tu n'es pas censée poser.

Chelsea rit.

— Je ne l'ai pas fait. J'ai juste dit que je me la posais.

— C'est demander.

— Pas du tout.

Elle s'appuya sur sa tête de lit.

— Bien sûr, tu pourrais me le dire quand même.

— Chelsea !

— Quoi ? *Je* te l'ai dit.

— Je ne l'ai pas demandé.

— Détail technique.

— Je ne le dirai pas.

— C'est le code pour *il est pourri*.

— Il n'est pas pourri.

— Ah ah !

Laurel soupira.

— Tu es tellement étrange.

— Ouais, dit Chelsea avec un grand sourire, repoussant ses boucles bondissantes. Mais tu m'aimes.

Laurel rit.

— Oui, c'est vrai.

Elle se pencha et inclina sa tête sur l'épaule de Chelsea.

— Et je suis contente que tu sois heureuse.

— Je serais plus heureuse si tu me disais comment est David au lit.

Laurel lança un regard incrédule à Chelsea, puis la frappa avec un oreiller.

DIX

.

LAUREL ÉTAIT ASSISE EN TAILLEUR DANS SA CHAMBRE, TRIANT ses fournitures scolaires et remplissant son sac à dos. David, qui était prêt pour sa rentrée depuis déjà une semaine — probablement un mois, c'est juste que Laurel n'en détenait pas la preuve —, était vautré sur son lit et l'observait. Elle sortit un paquet de quatre surligneurs d'un sac et prit un moment pour le serrer contre elle.

— Oh, surligneurs, chantonna-t-elle d'un ton théâtral, comme vous m'avez manqué !

David rit.

— Tu pourras les emporter avec toi l'an prochain.

— Ouf. L'an prochain. En ce moment, je ne peux pas m'imaginer devoir travailler encore aussi dur.

Elle leva les yeux sur lui.

— N'était-ce pas censé être des *vacances* d'été ?

David tendit les bras vers elle et, les enroulant autour de son corps, il la souleva sur le lit à côté de lui et elle rit.

— Je n'ai pas eu non plus l'impression que c'était des vacances ; toi, absente pendant toute cette période, déclara-t-il en se recouchant sur ses oreillers.

Laurel se pelotonna contre son torse.

— Et à présent, elles sont terminées, se lamenta-t-elle.

— La journée n'est pas encore finie, murmura David, son souffle lui chatouillant l'oreille.

— Bien, commença Laurel en gardant un visage sérieux, il est vrai que mes parents me disent de profiter au maximum de chaque jour.

— Je suis tout à fait d'accord avec cela, déclara David d'un ton moqueur, mais avec un léger grognement dans la voix.

Ses doigts se pressèrent dans le dos de la jeune fille alors qu'il embrassait doucement son épaule, nue sous la bretelle de son haut. Les bras de Laurel s'enroulèrent autour de son cou et elle fit courir ses mains dans ses cheveux. C'était une de ses caresses préférées. Les boucles soyeuses s'accrochaient très légèrement entre ses doigts, puis glissaient au travers quand elle tirait un peu plus fort.

La respiration de David se faisait entendre au fond de sa gorge alors que ses lèvres trouvaient celles de Laurel et qu'elle se laissa glisser dans la douce satisfaction qu'elle éprouvait toujours dans les bras du jeune homme. Elle sourit quand il s'écarta et reposa son front contre le sien.

— Comment ai-je pu être aussi chanceux? demanda-t-il doucement, sa main posée sur le flanc de Laurel.

— La chance n'a rien à y voir, répliqua-t-elle, se pelotonnant davantage contre lui et l'embrassant gentiment.

Une fois, deux fois et la troisième fois elle l'attira plus rudement à elle, prenant plaisir à la caresse de sa bouche sur la sienne. Sa main s'égara sous son chandail, sentant son souffle rapide soulever ses côtes. Elle hésita une seconde — évaluant les probabilités que l'un de ses parents revienne tôt à la maison — puis elle releva le vêtement de David avec deux mains, le guidant par-dessus ses bras et ensuite sa tête. C'était une de ses gâteries favorites; se coller contre son torse nu. Il était toujours si chaud — même en été, quand la température de son corps à elle était presque aussi élevée que la sienne. Elle adorait sentir la chaleur se répandre en elle à partir de chaque parcelle de peau où elle le touchait, s'infiltrant lentement en elle jusqu'à ce qu'elle soit agréablement réchauffée, son pied paresseusement enroulé autour de la jambe de David.

Les yeux fermés, elle attendait son prochain baiser, et après quelques secondes, elle les ouvrit. David la fixait des yeux, un demi-sourire sur le visage, mais le regard sérieux.

— Je t'aime, dit-il.

Elle sourit, raffolant du son de ces mots. Chaque fois qu'il les prononçait, c'était comme la première fois.

* * *

— Hé, Mademoiselle la fée.

Laurel sourit largement en descendant les marches de l'escalier. Son père avait commencé à l'appeler ainsi après son retour de l'hôpital. Ils avaient toujours été proches, mais après l'avoir presque perdu l'an dernier, elle avait l'impression que chaque minute comptait en double. Et même si sa curiosité insatiable pour tout ce qui touchait aux fées la rendait folle parfois, elle adorait sa facilité à l'accepter comme elle était.

— Comment s'est passée ta première journée d'école ?

Laurel se dirigea en flânant jusqu'au sofa en bifurquant par le réfrigérateur, où elle prit un Sprite.

— Bien. Mieux que l'an passé. Et je pense que je suis mieux préparée pour la chimie que je ne l'étais pour la biologie.

— Il semble que ce soit une amélioration globale, déclara-t-il en levant les yeux de son livre.

— Que lis-tu ? demanda-t-elle, jetant un coup d'œil au livre de poche écorné.

Il parut un peu dépité.

— *Stardust*.

— Encore.

Il haussa les épaules. Les romans fantastiques — particulièrement ceux avec des fées — s'étaient élevés au sommet de la liste de lecture de son père, et le récit sur les fées de Neil Gaiman occupait une place parmi ses préférés.

— Où est maman? s'informa Laurel, même si elle pouvait deviner la réponse.

— Elle dresse son inventaire, vint la réplique attendue. Elle doit passer sa commande demain.

— Je me disais, aussi, lança Laurel.

Son père regarda son visage sombre et déposa son livre.

— Est-ce que ça va?

Elle haussa les épaules. Son père se redressa un peu et tapota la place à côté de lui. Laurel soupira et le rejoignit sur le sofa, appuyant sa tête contre son épaule.

— Qu'est-ce qui se passe?

— Je ne sais pas. C'est juste que… c'est un peu étrange que tu sois brusquement plus présent que maman. Elle est toujours à la boutique.

Son bras se resserra autour d'elle.

— Elle est simplement occupée en ce moment. Démarrer un commerce exige beaucoup de travail. Tu te souviens l'an dernier quand j'ai ouvert la librairie. Je n'étais *jamais* à la maison.

Il émit un petit rire.

— En fait, je pense que si j'avais été davantage à la maison, j'aurais réalisé ce qui se passait.

Il marqua une pause et serra encore une fois les épaules de Laurel.

— Tu dois comprendre que, lorsque je… suis tombé malade, ta mère s'est sentie totalement démunie. Notre couverture d'assurances était minime, les factures d'hôpital s'empilaient, et s'il m'était arrivé quelque chose, elle n'aurait pas eu l'argent pour prendre soin de toi. Elle n'a jamais pris le tour de diriger ma librairie. Elle aurait peut-être réussi à joindre les deux bouts, mais tout juste. Elle craint de se retrouver un jour dans cette même situation, et regardons les choses en face : nous ne sommes pas jeunes.

Il se tourna directement vers elle.

— Elle le fait pour toi. Afin de pouvoir assurer ton bien-être s'il se passe autre chose un jour.

Laurel frotta son orteil le long du coussin du sofa.

— Mais parfois, je pense…

Elle marqua une pause, puis se dépêcha de tout lâcher d'un souffle de peur de changer d'avis.

— Qu'elle déteste que je sois une fée.

Son père se redressa un peu brusquement.

— Que veux-tu dire ?

Après la première phrase, le reste débaula.

— Tout a commencé à changer quand elle l'a appris. Elle agit comme si elle ne me connaissait plus : comme si j'étais une étrangère vivant dans sa maison. Nous ne parlons pas. Nous avions l'habitude de bavarder tout le temps, à propos de tout. Et maintenant, j'ai l'impression qu'elle évite mon regard et quitte la pièce lorsque j'y entre.

— Ma douce, tu dois lui accorder un peu de temps pour démarrer sa boutique. Je pense vraiment…

— C'était avant la boutique, l'interrompit Laurel en secouant la tête. Elle n'aime pas entendre quoi que ce soit indiquant que je ne suis pas normale. Quand j'ai reçu l'invitation pour me rendre à Avalon, j'étais tellement excitée : c'était la chance d'une vie. Et elle m'a presque interdit d'y aller !

— En toute justice, ce n'était pas nécessairement lié à cette histoire de fées, mais plutôt au fait que tu serais partie pendant deux mois avec de complets étrangers.

— Tout de même, s'obstina Laurel. J'espérais que les choses évolueraient pendant mon absence. Que ce serait peut-être plus facile de s'habituer à l'idée lorsque je ne serais pas là, à le lui rappeler constamment ! Mais rien n'a changé, dit-elle à voix basse. Au contraire, c'est pire.

Son père réfléchit un instant.

— Je ne sais pas pourquoi elle éprouve autant de difficulté à accepter la situation, Laurel, commença-t-il de façon hésitante. Elle ne comprend tout simplement pas. Cela a complètement détraqué sa vision du monde. Cela pourrait exiger du temps. Je te demande uniquement d'être patiente.

Laurel prit une longue respiration frémissante.

— Elle m'a à peine serrée dans ses bras à mon retour. J'essaie d'être patiente, mais c'est comme si elle ne m'aimait plus.

— Non, Laurel, ajouta son père, la tenant contre son cœur pendant qu'elle refoulait ses larmes en battant des paupières. Ce n'est pas ainsi, je te le promets. Il ne s'agit pas de toi ; c'est elle qui doit finir par accepter l'existence des fées en général.

Il regarda Laurel directement dans les yeux.

— Mais elle t'aime, lui assura-t-il fermement. Elle t'aime tout autant qu'avant. Je le jure.

Il posa sa joue sur le dessus de sa tête.

— Souhaiterais-tu que je lui parle ?

Laurel fit immédiatement signe que non.

— Non, je t'en prie. Elle n'a pas besoin d'autres sujets d'inquiétude.

Elle se força à sourire.

— Je vais simplement lui donner du temps — être patiente, comme tu l'as suggéré. Les choses reviendront à la normale sous peu, n'est-ce pas ?

— Absolument, dit-il avec un grand sourire et un enthousiasme que Laurel était incapable d'égaler.

Quand elle se leva et retourna tranquillement dans la cuisine, son père reprit son livre. Elle s'agenouilla à côté du réfrigérateur et commença à ajouter de nouvelles cannettes de Sprite dans la porte.

— Normal, se moqua-t-elle. Bien sûr.

Elle leva les yeux sur les restes de nourriture emballés dans des Tupperwares bien rangés dans le réfrigérateur.

— Hé, papa, as-tu déjà mangé ? demanda-t-elle.

— Euh… non, dit-il, penaud. J'avais l'intention de lire uniquement le premier chapitre, mais je me suis laissé emporter.

— Grosse surprise, répliqua Laurel d'un ton traînant. Puis-je te préparer quelque chose ?

— Inutile, dit son père en se levant du sofa et en s'étirant. Je peux réchauffer mes propres restes.

— Non, je veux m'en occuper, déclara Laurel. Vraiment.

Son père lui lança un regard étrange.

— Assieds-toi. Je dois juste courir à ma chambre. Je redescends dans une seconde.

Alors qu'elle se dirigeait vers l'escalier, son père haussa les épaules et se glissa sur une chaise à la table de la cuisine en ouvrant de nouveau son livre.

Laurel attrapa son nécessaire en s'obligeant à ne pas regarder le dernier tas d'éclats de fioles en verre en sucre éparpillé sur son bureau et se hâta en bas. Il y avait un Tupperware de viande et de légumes sautés avec des nouilles, un favori de son père. Cela conviendrait. Elle ouvrit son nécessaire à côté de la cuisinière, laissa tomber le sauté dans une petite poêle et alluma le brûleur.

Le père de Laurel leva les yeux en entendant le son de la poêle cognant sur la cuisinière.

— Ce n'est pas nécessaire de faire cela, dit-il, le four à micro-ondes ira très bien.

— Ouais ; mais je souhaite préparer quelque chose de spécial.

Son père arqua un sourcil.

— Spécial comment ?

— Tu verras, lança Laurel, agitant ses doigts dans la vapeur s'élevant de la poêle alors que la sauce commençait à bouillir.

Elle ne désirait pas changer la saveur : il ne s'agissait pas d'un simple ajout d'épices. Elle voulait améliorer la saveur déjà présente. Ses professeurs à Avalon lui avaient maintes fois répété que si elle était familière avec la plante, et qu'elle faisait confiance à son intuition, elle pouvait réussir presque n'importe quoi. Ceci devrait être facile. N'est-ce pas ?

Elle se détendit et ferma les yeux — contente que la cuisinière ne soit pas face à la table de la cuisine — et sous peu, les ingrédients de la nourriture semblèrent prendre vie sous ses doigts, baignés de vapeur. Elle inclina la tête sur le côté, sentant l'ail et le soya, le gingembre et le poivre.

Du crocus, se dit-elle. *De l'huile de crocus et une touche de sauge. Cela fera ressortir l'ail et le gingembre.* Elle se concentra, pressentant qu'il y avait une seule autre chose qu'elle devrait ajouter pour rendre le plat parfait. *De l'algue verte d'eau douce*, décida-t-elle enfin. Probablement en raison de sa teneur élevée en amidon, qui rehausserait le soya. Et, bien, le poivre était du poivre. Il serait suffisamment fort par lui-même.

Elle tendit la main vers son nécessaire pour prendre un petit mortier. Elle y déposa quelques gouttes d'huile de crocus et une pincée de sauge. L'algue verte, par contre, venait dans une très petite bouteille avec un vaporisateur minuscule qui en libérerait moins d'une goutte. Laurel vaporisa l'algue dans le bol en pierre, réfléchit, puis recommença. En utilisant son pilon, elle écrasa les menues graines de sauge, mélangeant les trois essences jusqu'à ce que l'odeur se modifie légèrement.

Elle retourna le bol et laissa quelques gouttes mouchetées de vert tomber dans les nouilles bouillonnantes. Une vapeur écumeuse s'éleva, se dissipant quand Laurel brassa la nourriture, les gouttes supplémentaires se mêlant à la sauce brune.

— Bon appétit, dit Laurel, déposant le repas devant son père avec un geste théâtral.

Il leva les yeux de son livre, un peu surpris.

— Oh. Merci.

Laurel sourit, puis revint près de la cuisinière pour nettoyer. Elle n'arrêtait pas de lui jeter des coups d'œil discrets, se demandant s'il remarquerait le changement sans qu'elle le lui dise.

Elle n'eut pas à attendre longtemps.

— Wow, Laurel, c'est bon ! dit son père. J'imagine que c'est vraiment mieux de le réchauffer sur la cuisinière et non dans le four à micro-ondes.

Il mangea avec vigueur et Laurel sourit, irrationnellement fière que quelque chose eût enfin fonctionné après tous les échecs des dernières semaines.

— As-tu ajouté quelque chose ? lui demanda-t-il après avoir dévoré la moitié du contenu dans l'assiette. Parce que le sauté teriyaki n'a jamais goûté aussi bon.

Il marqua une pause avant de prendre une autre grosse bouchée.

— Et j'en ai mangé il y a deux jours alors qu'il venait d'être préparé, déclara-t-il avec encore des nouilles dans la bouche.

Laurel tourna un sourire de conspiratrice vers lui.

— J'ai peut-être ajouté un petit *quelque chose*, avoua-t-elle.

— Bien, tu dois le dire à ta mère parce que c'est le sauté le plus incroyable que j'ai jamais goûté.

Laurel sourit largement, pivota pour mettre la poêle et le Tupperware dans l'évier et elle fit couler l'eau chaude. Elle enfila des gants de caoutchouc, puis commença à nettoyer les deux articles.

— Tu vois, c'est ce que j'aimerais que maman comprenne, dit Laurel, sa voix tout juste perceptible par-dessus le bruit de l'eau. Les choses que je fais, elles ne sont pas uniquement pour les fées ; je peux faire des trucs pour vous aussi. Améliorer le goût de votre nourriture, par exemple, comme personne d'autre ne peut le faire. Et je fabrique d'excellentes vitamines. Ma version de la vitamine C est extraordinaire.

Elle ferma le robinet après avoir rincé les quelques plats.

— Du moins, elle le sera, une fois que je la réussirai correctement. J'aimerais juste que maman constate que je ne suis pas différente d'avant. Je ne suis pas devenue une fée, je l'ai toujours été. Je suis toujours la même personne. Enfin, *tu* réalises cela, dit-elle en se tournant. Est-ce...

Elle resta bouche bée.

Son père dormait — et ronflait doucement — avec sa joue posée dans les quelques restes du sauté.

— Papa ?

Laurel marcha vers lui et lui toucha l'épaule. Quand il ne réagit pas, elle le secoua, légèrement tout d'abord, puis plus brusquement. *Qu'est-ce que j'ai fait!* Elle était à mi-chemin dans l'escalier pour aller chercher la petite bouteille bleue de tonique guérissant lorsqu'elle se souvint de *toutes* les utilisations des algues vertes. Elle s'affala sur les marches et se remémora le passage dans son manuel. *Si le besoin s'en faisait sentir, une pincée d'algues vertes endormirait profondément n'importe quel animal. Pas instantané, mais parfait si vous avez tout le temps de vous enfuir.* Jusqu'à aujourd'hui, Laurel n'avait jamais fait le lien entre ce qu'elle avait appris de l'usage des plantes pour les animaux et ses parents. Mais techniquement, c'est ce qu'ils étaient.

Lentement, Laurel se leva et retourna à la cuisine. Son père ronflait plus bruyamment maintenant. Elle prit un gant de toilette, souleva délicatement sa tête et nettoya la sauce collante sur sa joue. Ensuite, elle glissa *Stardust* sous ses mains et reposa sa tête sur ses bras. Ce ne serait certainement pas la première fois qu'il s'endormait en lisant. À la table de la cuisine, cela constituerait une première, mais elle se doutait que personne ne poserait de questions. Il avait travaillé dur dernièrement.

Elle emporta l'assiette dans la cuisine et vida les restes du sauté dans la poubelle. Elle allait devoir nettoyer l'assiette également. Elle ne pouvait courir le risque que sa mère découvre à quel point elle s'était trompée en essayant d'épater la galerie. Après avoir

ONZE

Une semaine après le début des classes, Laurel marchait vers Mark's Bookshelf avec David, sa main dans la sienne, balançant leurs bras sous les derniers souffles chauds de l'été. Sur un baiser, il s'écarta d'elle pour se diriger vers son travail à la pharmacie et Laurel ouvrit la porte de la librairie, faisant tinter un joyeux carillon par la même occasion.

Maddie leva les yeux sur elle en souriant largement.

— Laurel, lança-t-elle joyeusement, comme chaque fois qu'elle la voyait.

C'était une constance dans sa vie qu'elle adorait. Peu importe ce qui se passait avec ses parents, les trolls, Avalon et ainsi de suite, Maddie se trouvait toujours derrière le comptoir de la librairie, prête à lui sourire et à la serrer dans ses bras.

Laurel rit lorsque la femme l'étreignit avec force.

— Où est mon père ? demanda-t-elle en examinant les lieux.

— À l'arrière, lui apprit Maddie. L'inventaire.

— Comme d'habitude, déclara Laurel en se dirigeant vers les portes battantes menant à l'arrière-boutique.

— Hé, papa, dit-elle avec un sourire quand il la regarda.

Même si elle soupçonnait que c'était inutile, elle l'avait étroitement surveillé. Il n'était pas sorti du sommeil induit par l'algue verte avant huit heures le matin suivant. À part une raideur dans le cou, il paraissait indemne. Sa femme l'avait réprimandé à la fois pour avoir travaillé trop dur et pour avoir veillé trop tard, mais heureusement elle n'avait eu aucun soupçon au-delà de cela. Malgré tout, Laurel s'était depuis gardée de s'approcher de la nourriture de ses parents. Mieux valait prévenir que guérir.

Elle se glissa sur une chaise en face de l'ordinateur et tripota une petite pile de signets.

— Comment était l'école ? s'enquit son père.

— Bien, répondit Laurel avec un large sourire. Facile.

Après Avalon, tout lui semblait aisé. Sept heures d'école par jour ? Aucun problème. Une ou deux heures d'études par soir ? Du gâteau. Son voyage à Avalon avait amélioré toute son attitude envers le système d'éducation humain. Si seulement ils avaient plus de lucarnes.

— As-tu besoin d'aide aujourd'hui ? s'enquit Laurel, examinant l'arrière-boutique.

— Pas vraiment, dit son père en se relevant et en s'étirant le dos. En fait, je me suis acquitté de tâches administratives en retard tellement ç'a été tranquille.

Il regarda par la petite fenêtre derrière son bureau.

— Splendide journée. Apparemment, les gens préfèrent rester dehors à profiter du beau temps au lieu de chercher quelque chose à lire dans une vieille librairie mal aérée.

— Ta boutique n'est pas mal aérée, dit Laurel en riant.

Elle garda le silence un moment.

— Crois-tu qu'une aide pourrait être utile à maman ? lança-t-elle sans croiser son regard.

Il la regarda une seconde, puis s'enquit d'un ton nonchalant :

— As-tu besoin d'argent ?

Laurel secoua la tête.

— Non, j'ai pensé… J'ai pensé que… cela pourrait améliorer les choses entre nous, détendre l'atmosphère. Peut-être que nous attendons chacune de notre côté que l'autre fasse les premiers pas, dit-elle à voix basse.

Son père marqua une pause, les doigts levés au-dessus du clavier. Puis, il retira ses lunettes, contourna son bureau et la serra contre lui.

— C'est bien d'être proactive, dit-il dans son oreille. Je suis fier de toi.

— Merci.

Laurel passa son sac à dos sur son épaule et se tourna pour agiter la main juste avant de se diriger vers l'avant de la librairie. Elle prit une profonde respiration, s'obligea à ne plus tergiverser et marcha jusqu'à la porte à côté chez Cure Naturelle. Au cours des semaines écoulées depuis son retour d'Avalon, elle n'était allée que quelques fois dans la boutique de sa mère et l'attention qu'elle portait aux détails l'impressionnait chaque fois. Elle poussa la porte d'entrée pour l'ouvrir et au lieu d'entendre un carillon mécanique, le coin de la porte frappa une clochette en argent qui retentit doucement. Des plantes en pot occupaient tous les rebords des fenêtres et une fontaine de sérénité glo012loutait dans le coin où elle était posée dans un petit jardin zen. Il y avait même d'étincelants prismes de cristal suspendus devant une vitre. Laurel prit le temps d'en caresser un, ravie que sa mère ait adopté une des idées de décoration dans la chambre à coucher de sa fille pour son magasin. Malgré la tension actuelle entre elle et sa mère, Laurel soupçonnait qu'elle aimerait encore plus travailler ici qu'à la librairie — ce qui en disait long.

Laurel pivota quand sa mère passa un rideau de billes menant à l'arrière-boutique, transportant une grande boîte. Son visage était un peu rouge et elle était haletante.

— Oh, Laurel, c'est toi. Bien. Je peux déposer ceci une seconde.

Elle laissa tomber la grosse boîte au milieu du plancher et s'essuya le front.

— On penserait qu'ils expédieraient ces trucs dans des paquets plus petits. Alors, qu'est-ce qui t'amène ? lui demanda sa mère en se penchant, faisant glisser la boîte sur le sol au lieu de la soulever.

— Je suis juste venue voir si tu avais besoin d'aide. Les affaires sont lentes de l'autre côté, ajouta-t-elle, puis elle regretta immédiatement son commentaire.

Elle ne voulait pas que sa mère croie qu'elle était son deuxième choix.

— Oh, dit sa mère, souriant d'une manière qui, du moins, *paraissait* sincère. Ce serait parfait. Je remplis les étalages aujourd'hui, et un coup de main pourrait m'être utile.

Elle rit.

— Ton père a des employés ; je n'en suis pas encore là.

— Excellent, renchérit Laurel, retirant son sac à dos et venant se placer à côté de la boîte récemment reçue.

Sa mère lui décrivit le contenu de la boîte — dont la plupart des produits étaient familiers à Laurel après des années de cohabitation avec une naturopathe — et elle lui montra ensuite son système d'étiquetage qui l'aiderait à ranger les bouteilles et les boîtes aux bons endroits sur les étagères.

— Je vais aller remplir la facture et commencer à préparer ma commande pour la semaine prochaine, mais fais-moi signe si tu as besoin d'aide, d'accord ?

— Je le ferai, affirma Laurel, puis elle sourit.

Sa mère lui sourit en retour. Jusqu'ici, tout allait bien.

Laurel fut étonnée de voir combien d'herbes médicinales elle se rappelait avoir étudiées cet été au cours de sa séance d'études intensives. Les fiches de notes *avaient* valu la peine. À mesure qu'elle retirait les différents articles des boîtes et les plaçait sur les étagères appropriées, elle récitait leurs utilisations dans sa tête. *Consoude, utilisée sous forme d'huile pour calmer les inflammations, réduire la durée de vie des mauvaises herbes et pour les yeux lorsque la vision baisse. Sarriette des montagnes, pour la clarté de l'esprit et l'insomnie. Bon aussi pour les carpes koï, si on l'ajoute à leur eau. Favorise l'oxygénation. Thé aux feuilles framboise, pour les jeunes plants qui refusent de manger. Ajouter du sucre à profusion pour augmenter sa valeur nutritionnelle. Énergisant lorsque l'on doit rester éveillé tard le soir.*

Elle aimait particulièrement trier les médicaments homéopathiques, qui étaient totalement sûrs pour les fées puisqu'ils étaient habituellement conservés dans le sucre, mais dont l'effet sur les humains était presque toujours à l'opposé de celui sur les fées. Par exemple, la fève de Saint-Ignace pouvait être utilisée comme tonique contre l'ennui pour l'humain. Pour les fées, elle servait de sédatif. La bryone blanche réduisait la fièvre chez l'humain, mais elle était extrêmement efficace pour empêcher les fées de geler. Tamani lui avait appris que les sentinelles qui gardaient le portail au Japon buvaient tous les jours un thé froid fait à partir de bryone blanche pendant les mois d'hiver, quand le temps pouvait devenir vraiment glacial dans les hautes montagnes.

Penser à Tamani eut l'effet de distraire Laurel un moment, et sa main resta immobile — serrée autour d'un cylindre de Natrum muriaticum — pendant presque une minute avant que sa mère ne la rejoigne et la sorte de sa rêverie.

— Est-ce que tout va bien, Laurel?

— Quoi? Oh, ouais, grommela-t-elle, levant les yeux vers sa mère avant de se pencher de nouveau pour prendre d'autres cylindres dans la petite boîte. Juste perdue dans mes pensées.

— D'accord, rétorqua sa mère en la regardant un peu bizarrement.

Elle pivota, puis s'arrêta une seconde.

— Merci d'être venue m'offrir un coup de main, dit-elle. Je t'en suis reconnaissante.

Elle passa un bras autour de Laurel et l'étreignit de côté. C'était une étreinte gênée, de celle que l'on donne à quelqu'un alors que l'on préférerait simplement lui serrer la main. Un genre d'accolade obligatoire.

Le téléphone sonna, et avec une envie inassouvie dans le cœur, Laurel regarda sa mère retourner au comptoir-caisse. C'était étrange de s'ennuyer de quelqu'un qui se tenait droit devant elle, mais c'est ce que ressentait Laurel. Sa mère lui manquait.

— Pardon, lança une voix juste derrière elle.

Laurel se tourna et aperçut une femme plus âgée qu'elle se rappelait vaguement avoir vue en ville.

— Oui?

— Pouvez-vous m'aider?

Laurel jeta un coup d'œil à sa mère, toujours au téléphone. Elle revint à la femme.

— Je peux essayer, dit-elle en souriant.

— J'ai besoin de quelque chose pour mes maux de tête. Je prends des Advil, mais cela ne m'aide plus beaucoup. Je pense que mon corps s'y est habitué.

— Cela arrive, affirma Laurel en hochant la tête avec sympathie.

— Je veux quelque chose d'un peu plus naturel. Mais d'efficace aussi, ajouta-t-elle.

Laurel essayait de se rappeler ce qu'elle avait déposé sur les tablettes, juste quelques minutes auparavant. Elle avait tenu la petite bouteille pendant plusieurs secondes, se demandant si elle devait en prendre pour elle-même — avec le stress des derniers mois, Laurel avait souffert de plus d'un mal de tête. Elle se déplaça dans la rangée adjacente et trouva la bouteille.

— Voici, dit-elle en la remettant à la femme. C'est un peu coûteux — elle pointa l'étiquette de prix —, mais cela en vaut la peine. Je pense m'en procurer pour moi-même. Ce sera beaucoup mieux que les Advil.

La femme sourit.

— Merci. Cela vaut certainement la peine de tenter le coup.

Elle emporta la bouteille à la caisse enregistreuse pendant que Laurel retournait au classement de ses remèdes homéopathiques. Une minute après, la mère de Laurel guida la femme vers l'étalage de Laurel et, après avoir lancé un regard lourd de sous-entendus à sa fille, elle prit l'un des cylindres verts.

— Ceci fonctionnera beaucoup mieux, déclara-t-elle. C'est du cyclamen et j'en donne à mon mari depuis des années pour ses migraines. Cela fait des merveilles.

Alors qu'elles retournaient au comptoir, la mère de Laurel expliqua comment utiliser les pilules homéopathiques et la femme partit peu après.

Sa mère resta quelques secondes à la porte pour saluer la femme de la main, puis elle se dirigea vers Laurel.

— Laurel, commença-t-elle — et Laurel perçut la frustration qu'elle retenait avec précaution —, si tu ne sais pas quoi recommander, viens me voir. Ne te contente pas de choisir des bouteilles au hasard sur les étagères. J'aurais aimé que tu attendes que je termine mon appel. Ces gens cherchent de l'aide, et toutes ces herbes agissent très différemment.

Laurel se sentit comme une petite enfant réprimandée par un adulte qui faisait très attention à ne pas heurter ses sentiments.

— Je n'ai pas choisi une bouteille au hasard, protesta Laurel. Ce truc est vraiment bon pour les maux de tête. Je l'ai sélectionné intentionnellement.

— Vraiment? dit sa mère d'un ton sec. Je ne sais pourquoi, mais je ne pense pas qu'il s'agisse de *ce* type de mal de tête.

— Quoi?

— Du pausinystalia yohimbe? Sais-tu seulement dans quel but le pausinystalia yohimbe est commercialisé? C'est une herbe de stimulation masculine.

— Beurk, répugnant! lança Laurel, dégoûtée à présent par son idée de s'en procurer pour elle-même.

Elle savait que la plupart des herbes agissaient différemment sur les fées, mais dans ce cas, c'était tout simplement mauvais!

— Exactement. Je le tiens uniquement parce que ce type est venu la semaine dernière et m'a demandé de le commander exprès pour lui. Voilà une chose que je n'avais pas besoin de savoir à propos de mon banquier de soixante ans, ajouta-t-elle.

— Je suis désolée, dit sincèrement Laurel. Je l'ignorais.

— Je ne m'attends pas au contraire. Mais je suis là pour cela. Je suis vraiment contente que tu sois venue me donner un coup de main, mais remettre des pilules pour le sexe pour soigner des maux de tête ne m'aide pas. Tu pourrais tuer quelqu'un en lui proposant les mauvaises herbes, selon son état de santé. Je t'en prie; penses-y la prochaine fois.

— J'y ai pensé, rétorqua Laurel, soudainement furieuse de l'attitude de sa mère. Cela m'aurait aidé *moi*! ajouta-t-elle impulsivement.

Sa mère soupira lourdement et se détourna.

— Je me suis emmêlé les pinceaux, dit Laurel en la suivant. J'oublie que les herbes n'agissent pas de la même manière sur les humains que sur les fées. J'ai simplement commis une petite erreur.

— Laurel, pas maintenant, s'il te plaît.

Elle se dirigea de l'autre côté du comptoir.

— Pourquoi pas maintenant? demanda Laurel en faisant claquer ses mains sur le comptoir. Quand? À la maison? Parce que tu ne veux jamais discuter de ma condition de fée là-bas non plus.

— Laurel, baisse le ton.

La voix de sa mère était tranchante — un avertissement clair de faire attention au ton de sa voix.

— Je veux seulement parler, maman. C'est tout. Et je sais qu'ici n'est pas l'endroit idéal, mais je ne peux plus attendre la situation parfaite. Je suis fatiguée de ce qui nous arrive. Nous étions amies. À présent, tu ne veux jamais entendre parler de ma vie de fée. Tu ne me regardes même plus! Tes yeux glissent sur moi sans me voir. Cela fait des *mois*, maman.

Les sanglots s'accumulèrent dans sa voix.

— Quand vas-tu t'habituer à moi?

— C'est ridicule, Laurel, déclara sa mère, levant les yeux comme pour prouver qu'elle avait tort.

— Vraiment?

La mère de Laurel soutint son regard pendant quelques secondes, et Laurel crut voir quelque chose changer dans ses yeux. Pendant une seconde, elle pensa que sa mère cèderait — qu'elle lui parlerait vraiment. Mais ensuite elle cligna des paupières, s'éclaircit la voix et se referma. Sa mère baissa les yeux et commença à feuilleter des reçus sur le comptoir.

— Je pourrai ranger le reste des produits plus tard, dit-elle doucement. Tu peux partir.

Laurel resta immobile, abasourdie, avec l'impression d'avoir été giflée. Après avoir pris quelques rapides respirations, Laurel tourna sur ses talons et ouvrit la porte, la joyeuse cloche la raillant.

Un fort coup de vent la frappa au visage lorsque la porte se referma et Laurel réalisa qu'elle ignorait complètement où aller. David travaillait; Chelsea était à une séance d'entraînement de course à pied. Sa réaction suivante fut d'aller parler à son père et elle alla même jusqu'à poser la main sur la poignée avant de s'arrêter. Ce ne serait pas juste de dresser ses parents l'un contre l'autre, de courir vers l'un quand l'autre l'avait blessée. Elle resta juste hors de vue, derrière une grande affiche annonçant le plus récent roman de Nora Roberts, et elle observa son père et Maddie aider un client avec une grosse pile de livres. L'homme dit quelque chose que Laurel ne put entendre et son père pencha la tête en arrière et éclata de rire pendant qu'il enveloppait les livres dans du papier de soie et que Maddie les regardait avec un doux sourire.

Après un dernier regard à son père, Laurel pivota et se mit en route vers sa maison vide.

DOUZE

LAUREL ET DAVID FAISAIENT ÉQUIPE POUR LEUR LABORATOIRE de chimie, observant leur première expérience notée échouer lamentablement. David parcourait leurs opérations mathématiques des yeux, cherchant une étape qu'ils auraient passée ou un calcul incorrect. Laurel plissa le nez devant la mixture âcre bouillonnant sur leur brûleur Bunsen.

— Avons-nous incorporé l'acide sulfurique ? demanda David. Oui, n'est-ce pas ?

— Oui, affirma Laurel. Cinquante millilitres. Nous avons vérifié l'équation trois fois.

— Je ne comprends pas ! se plaignit David à voix basse. Elle aurait dû devenir bleue, genre, depuis deux minutes.

— Donne-lui quelques minutes supplémentaires. Elle se transformera peut-être.

— Non. C'est trop tard. Regarde ; c'est écrit juste ici : « La solution devrait devenir bleue une minute après avoir atteint le point d'ébullition. » Nous nous sommes totalement trompés. Et elle a affirmé qu'il s'agissait d'un laboratoire simple.

Il passa ses mains dans ses cheveux. Pour une raison inconnue, David avait décidé que quatre cours de niveau enrichi, ce n'était pas trop pour un seul semestre ; Laurel n'en était pas convaincue. L'école avait repris depuis deux semaines seulement et déjà il était très nerveux.

— David, ça va, dit-elle.

— Non, ça ne va *pas*, murmura-t-il. Si je n'obtiens pas un A dans ce cours, monsieur Kling ne me laissera pas suivre la physique avancée. Je *dois* être admis dans le cours de physique avancée.

— Tu t'en sortiras bien, déclara Laurel, une main sur son épaule pour le calmer. Je suis loin de penser qu'une seule expérience qui empeste t'empêchera de suivre le cours de monsieur Kling.

David hésita un moment, puis ses yeux revinrent rapidement se poser sur leur feuille.

— Je vais vérifier l'équation une dernière fois pour voir si je peux découvrir où nous avons commis une erreur.

Cela ne ressemblait tellement pas à David de s'énerver pour quoi que ce soit ; mais maintenant, il était sur le point de s'effondrer. Laurel soupira. Elle respira à fond et plaça ses doigts au-dessus du vase à bec fumant, assez loin pour ne pas les brûler.

— Elle est simplement censée devenir bleue ?

David leva les yeux au son de sa voix monotone.

— Ouais, pourquoi ?

Laurel lui fit signe de se taire pendant qu'elle se concentrait, tortillant ses doigts dans la vapeur pendant quelques secondes. Après un rapide coup d'œil à David, toujours penché sur leurs calculs, Laurel ferma les paupières et prit plusieurs profondes respirations, tentant de se vider l'esprit comme le lui avaient enseigné ses professeurs à Avalon. Ses doigts picotèrent vaguement alors qu'elle s'efforçait de passer au crible les éléments de la solution, mais il n'y avait pas d'ingrédient végétal à identifier. Ce serait délicat.

— Laurel, chuchota David près de son oreille, que fiches-tu ?

— Tu me distrais, répondit Laurel d'un ton égal, essayant de conserver sa fragile emprise sur sa concentration.

— Est-ce que tu fais des trucs de fée ? demanda-t-il.

— Peut-être.

Le regard de David vola autour de la pièce.

— Je ne pense pas qu'il s'agisse d'une bonne idée.

— Pourquoi ; parce que je pourrais ruiner notre expérience *parfaite* ? lança-t-elle avec sarcasme.

— Je suis un peu inquiet que tu fasses exploser l'école, déclara-t-il, toujours dans un murmure.

Elle retira brusquement sa main de la vapeur.

— Je ne vais pas faire exploser l'école, martela-t-elle, d'un ton juste un peu trop élevé.

L'équipe à la table derrière eux leva les yeux et échangea des regards amusés.

— Allez, dit David, la main sur son bras. Les choses ne se sont pas particulièrement bien passées au rayon des expériences.

Il marquait un point. Elle avait l'impression de ne réaliser aucun progrès depuis son retour d'Avalon, malgré ses exercices d'au moins une heure par jour. Jamison lui avait dit d'être vigilante et elle faisait de son mieux. Mais cela ne fonctionnait pas. Encore.

— Devrais-je simplement abandonner?

— Non, bien sûr que non. Toutefois, devrais-tu vraiment tenter une expérience avec un travail *noté*?

Laurel n'écoutait pas.

— Fais le guet pour moi, d'accord?

— Quoi?

— Il suffit de m'avertir si madame Pehrson regarde par ici.

— Que fabriques-tu? demanda-t-il, mais ses yeux restèrent rivés sur leur professeur.

Laurel tendit la main dans son sac à dos et souleva le loquet de son nécessaire — toujours présent au fond de son sac. Elle passa le contenu en revue et dévissa une petite bouteille d'huile de valériane et la pressa pour en faire sortir une goutte sur le bout de son doigt. Elle s'empara d'une autre bouteille et la secoua pour recevoir une pincée de poudre d'écorce de cannelier dans la paume. Après avoir soufflé dessus, Laurel frotta l'huile dans sa paume, la mélangeant avec la poudre grumeleuse.

— Donne-moi notre petite cuillère machin truc, murmura-t-elle à David.

— Laurel, tu ne peux pas faire cela.

— Je peux! Je pense vraiment que je réussirai cette fois.

— Ce n'est pas ce que j'ai voulu dire. Il s'agit d'un travail. Nous sommes censés...

Laurel l'interrompit en tendant la main à travers la table pour prendre la cuillère à long manche en acier inoxydable qu'il avait refusé de lui remettre. Elle gratta la mixture sur sa paume et, avant que David ne puisse l'arrêter, elle la laissa tomber dans la solution bouillante, brassant prudemment dans une direction, puis dans l'autre.

— Laurel!

— Chut! lui ordonna-t-elle en se concentrant sur son mélange.

Pendant qu'elle observait, la solution commença lentement à prendre une teinte bleutée. Plus elle brassait, plus le bleu s'intensifiait.

— Est-ce que c'est bon? demanda Laurel.

David ne fit que regarder fixement.

Laurel jeta un coup d'œil derrière elle, là où deux autres élèves avaient terminé leur projet. Les bleus paraissaient identiques. Elle interrompit donc son mouvement.

— Essaie de l'inciter à venir à notre table après, dit Laurel. La solution est trop chaude pour que la couleur puisse tenir très longtemps.

David la fixa avec une expression que Laurel était incapable de déchiffrer, mais il ne semblait pas content.

— Très bien, David et Laurel, déclara madame Pehrson, les surprenant tous les deux en arrivant derrière eux. Et juste à temps. La cloche est sur le point de sonner.

David leva les yeux alors que madame Pehrson notait quelque chose sur son écritoire à pince en se détournant.

— Attendez, Madame Pehrson!

Elle pivota, et Laurel lança un regard d'avertissement à David.

— Euh...

Laurel et madame Pehrson le fixaient.

Ses yeux parurent déterminés pendant une seconde, puis ils se détendirent.

— Je me demandais seulement si c'était sécuritaire de jeter ce truc dans l'évier.

— Oui. Ne l'ai-je pas précisé sur la feuille que je vous ai remise? Assurez-vous simplement de ne pas vous brûler, ajouta-t-elle en se dirigeant vers la table suivante.

Laurel et David nettoyèrent en silence et sursautèrent tous les deux au son de la cloche. Alors qu'ils marchaient dans le corridor, Laurel glissa sa main dans celle de David.

— Pourquoi es-tu en colère? demanda-t-elle. Je viens juste de t'obtenir un A.

— Tu as triché, dit David à voix basse. Et je l'ai laissée me donner un A parce qu'il n'y avait absolument aucune façon de lui expliquer *pourquoi* c'était tricher.

— Je n'ai pas triché, lança Laurel, insultée à présent. J'ai découvert comment faire virer la solution au bleu. N'était-ce pas l'objectif ?

— Le but était de suivre les instructions.

— Vraiment ? Je pensais que le but était de trouver quoi mélanger ensemble pour que le tout devienne bleu. N'est-ce pas tout aussi important ?

Il soupira.

— Je ne sais pas. Je suis nul en chimie.

— Pas du tout, dit Laurel, mais son ton manquait de conviction.

— Oui. Je ne pige pas comme j'en suis capable en biologie. Ce n'est pas logique pour moi. Nous avons commencé depuis deux semaines seulement et j'en ai déjà par-dessus la tête. Comment se déroulera le reste du semestre ?

Il soupira.

— J'étudie tellement pour ce cours.

— Je connais tes efforts, reprit Laurel. Et tu mérites une bonne note. Qu'est-ce que ça fait alors si je t'ai un peu aidé ? Je pense que toutes les études que tu fais justifient qu'on trafique un peu les résultats. D'ailleurs, ajouta-t-elle après une pause, tu es la seule raison pour laquelle on m'a admise dans le cours de chimie avancée. Il me semble juste de t'aider à entrer dans celui de physique avancée.

Ils gardèrent le silence un moment avant que Laurel ne lui donne gentiment de petits coups dans les côtes.

— Elle a bien dit que nous devrions penser à notre partenaire de laboratoire comme à un membre de notre équipe.

— Es-tu certaine que ce n'est vraiment pas tricher?

— David, pour ce que j'en sais, la raison pour laquelle tout a échoué, c'est que quelque chose à propos de mes — elle baissa la voix — habiletés de fée d'automne interférait. Elle a dit qu'elle nous avait donné une expérience facile pour notre premier laboratoire. Tout ce que nous devions faire, c'était de suivre les instructions. Cela aurait dû fonctionner. Je pense vraiment que *j'ai* été la cause de l'échec.

Il la fixa un long moment.

— Tu as peut-être raison, dit-il. Les instructions m'ont toujours réussi avant.

— Tu vois?

Là, David se mit à rire. Il recula contre un casier et se laissa glisser au sol. Laurel le rejoignit avec lassitude.

— Est-ce si mal de ne pas savoir si je devrais être furieux ou croire que c'est le truc le plus génial qui soit? demanda David.

Il lança un bras autour d'elle.

— Tu as réussi, par contre. Tu l'as fait correctement.

Laurel sourit.

— C'est vrai, n'est-ce pas?

Elle riait maintenant.

— Je ne suis pas nulle.

— Tu n'es pas nulle, acquiesça David, puis il l'attira à lui et lui embrassa le front. Bon travail.

— Trouvez-vous une chambre !

David releva brusquement la tête, mais c'était seulement Chelsea, qui leur décocha un large sourire depuis l'autre côté du corridor avant de se tourner de nouveau vers Ryan.

— Je ne suis toujours pas habitué à cela, déclara David, secouant la tête en souriant.

— Je sais, dit Laurel en se sentant indiscrète d'observer d'autres gens s'embrasser, sans pour autant être capable de détourner le regard.

— Je me demande combien de temps passera avant qu'ils ne reprennent leur souffle.

— Sois gentil, lança Laurel avec une petite trace de sérieux dans la voix. Elle est heureuse.

— Je l'espère.

— Nous devrions faire quelque chose avec eux. Tous les quatre, je veux dire.

— Comme un rendez-vous à quatre ?

— Ouais. Nous n'avons rien fait du tout avec eux depuis qu'ils sont ensemble. Nous le devrions, il me semble. J'aime bien Ryan. Il a un goût excellent en matière de filles.

David rit.

— Mon goût est meilleur.

Laurel arqua un sourcil.

— Je pense que quiconque m'a embrassée ne pourrait qu'être d'accord que c'est moi qui ai le meilleur goût.

— Nous ne pouvons pas tous goûter le nectar, rétorqua David d'un ton moqueur, la main posée sur son cou alors qu'il l'embrassait. Tu as un avantage déloyal, chuchota-t-il contre sa bouche, sa main glissant le long de son dos et la pressant contre lui.

— Aïe! lâcha-t-elle en s'écartant.

David baissa les yeux sur elle, la perplexité nettement visible sur son visage.

— Je suis désolé? dit-il, d'une voix mi-affirmative, mi-interrogatrice.

Laurel jeta un coup dans le corridor.

— Je m'apprête à fleurir, murmura-t-elle. Encore deux ou trois jours, je pense.

David eut un large sourire, puis toussa pour tenter de le cacher. Sans succès.

— Ça va, déclara Laurel. Je sais que tu aimes cela. Et comme je connais la chanson cette fois-ci, cela ne me dérange pas vraiment. C'est juste sensible.

— Bien, je vais être prudent, promit-il en se penchant pour un autre baiser.

Ils sursautèrent quand la porte du laboratoire de chimie s'ouvrit à la volée, frappant bruyamment le mur derrière elle. Le son strident du détecteur de fumée remplit le corridor alors que de la fumée bleue s'élevait en tourbillons dans l'embrasure de la porte et que plusieurs étudiants émergeaient du nuage en toussant.

— Sortez! Sortez!

La voix de madame Pehrson résonna par-dessus le vacarme alors qu'elle chassait un groupe de première année hors de la classe. Le brouillard bleu se propagea dans le corridor et quelqu'un tira l'alarme de feu, déclenchant le cacophonique système d'alarme dans tout l'édifice.

David observa le brouillard bleu et les étudiants courant vers les sorties. Il se leva et aida Laurel à se relever.

— Bien, dit-il avec ironie, la bouche près de son oreille, c'était l'expérience de *qui*, d'après toi?

Ils se regardèrent et éclatèrent de rire.

* * *

Laurel se tenait devant la glace dans sa chambre à coucher, fixant les pétales bleu pâle s'élevant juste au-dessus de ses épaules. Après le retour de son père de l'hôpital l'an dernier, la famille avait décidé que la maison serait un refuge sécuritaire pour Laurel — qu'elle n'aurait jamais à cacher sa véritable nature. Mais entre acquiescer à cela et descendre l'escalier sans dissimuler sa fleur, l'écart était grand. Elle devait partir pour l'école dans une demi-heure; ce serait peut-être compréhensible si elle arrivait en bas avec ses pétales déjà attachés.

Mais son père serait déçu.

Bien sûr, sa mère serait possiblement soulagée.

Laurel regarda la large ceinture dans sa main. Cette année, elle ne vivait pas la crainte d'être atteinte d'une étrange maladie, mais pour une raison inconnue, la vive inquiétude qu'elle associait à sa fleur ne s'était pas réellement calmée.

En serrant les dents, Laurel enroula la ceinture autour de son poignet.

— Je n'ai pas honte de ce que je suis, déclara-t-elle à son reflet.

Cependant, son estomac continuait de se tordre alors qu'elle tournait la poignée et ouvrait la porte, ses pétales étalés derrière elle au regard de tous.

Elle descendit à pas de loup la moitié des marches, puis changea d'avis — ne voulant pas donner l'impression de se faufiler discrètement dans sa propre maison — et dévala bruyamment le reste.

— Wow!

Laurel leva le regard brusquement pour le plonger dans celui de David. Les yeux du garçon volèrent vers son nombril exposé puis remontèrent immédiatement à son visage. Laisser ses pétales détachés avait tendance à relever légèrement le devant et le dos de son chandail. David sembla apprécier ce fait ; Laurel, quant à elle, avait oublié l'inconfort d'un chandail retroussé sur ses côtes, serrant les minuscules feuilles à la base de sa fleur. Plusieurs des hauts qu'elle avait rapportés d'Avalon étaient taillés bas dans le dos, parfaitement adapté à sa floraison, mais aujourd'hui, elle devait dissimuler sa condition.

— Qu'est-ce que *tu* fabriques ici ? demanda-t-elle.

— Je suis content de te voir aussi, répondit David, un sourcil levé.

— Désolée, reprit Laurel en lui serrant la main. Tu m'as surprise.

— Je savais que tu y étais presque hier ; j'ai pensé m'arrêter pour t'offrir mon soutien. Ou autre chose.

Laurel sourit et l'étreignit. C'était bon, en effet, de le voir ici. Même s'il n'était réellement venu que pour admirer plus rapidement sa fleur.

Dans la cuisine, la mère de Laurel faisait du tapage avec la machine à café, évitant soigneusement les yeux de sa fille. Du coin de l'œil, cependant, Laurel la surprit en train de lui jeter des regards furtifs en se versant du café frais dans une tasse à emporter. Rien n'avait changé après leur dispute au magasin. Pas d'excuses, mais pas de gêne supplémentaire non plus. C'était comme si Laurel n'y était jamais allée ce jour-là ; ce qui, elle ne savait trop pourquoi, semblait pire. Leur relation paraissait de plus en plus s'appuyer sur l'espoir qu'en ignorant leurs problèmes, ils disparaîtraient. Mais ce n'était pas le cas.

— Où est papa ? demanda Laurel.

Son père agita son journal depuis le sofa, tout juste caché par l'embrasure de la porte du salon.

— Je suis ici, répondit-il distraitement.

— Elle a fleuri, lança David.

Laurel plaça une main sur son front quand elle entendit son père se lever rapidement.

— Ah ouais? Voyons voir.

— Commère, murmura-t-elle à David.

Sa mère attrapa un grand sac en toile et passant devant alors que son père arrivait du salon.

— Je vais à la boutique, lança-t-elle, évitant les yeux de son mari.

— Mais ne veux-tu pas…

— Je suis en retard, insista-t-elle, même s'il n'y avait pas de sécheresse dans sa voix.

Cela résonnait étrangement aux oreilles de Laurel, presque comme si elle voulait rester sans pouvoir s'y résoudre. Laurel et son père la regardèrent jusqu'à ce qu'elle passe la porte.

Les yeux de la jeune fille restèrent collés sur la porte, souhaitant qu'elle s'ouvre; que sa mère revienne.

— Ouah! lança son père, reportant son attention sur Laurel. C'est… c'est énorme.

— Je te l'avais dit, rétorqua-t-elle, sachant que si elle avait été humaine, son visage serait rouge comme une pivoine en ce moment.

Être une plante comportait certains avantages.

— Bien sûr. Mais je pensais…

Il se gratta l'arrière du cou.

— Franchement, je pensais que tu exagérais un peu.

Il tourna autour de Laurel, dont la gêne grandissait.

— Comment as-tu réussi à nous cacher cela?

Quelle occasion parfaite!

— Comme ceci, dit-elle en tirant sur la ceinture à son poignet pour enrouler ses pétales autour de ses côtes et de sa taille.

Elle baissa son haut style blouse de paysanne et laissa tomber ses cheveux longs jusqu'à la taille par-dessus le tout.

— Ta-da !

Il hocha la tête.

— Impressionnant.

— Ouais, répliqua Laurel en attrapant la main de David. Partons.

— Et le petit déjeuner ? demanda son père alors qu'elle prenait son sac à dos sur la table.

Laurel lui lança un regard.

— Désolé ; l'habitude.

— Ta voiture ou la mienne ? demanda David après qu'elle eut refermé la porte.

— La tienne. Conduire avec une fleur écrasée ne sera sûrement pas confortable.

— Bon point.

David ouvrit la portière du côté passager pour elle. Même après presque un an, il n'oubliait jamais.

— Bien, commença David en démarrant le moteur, nous bénéficions d'une demi-heure avant la première cloche. Devrions-nous aller directement à l'école ?

Sa main glissa sur la cuisse de Laurel.

— Ou bien quelque part d'autre avant ?

Laurel sourit quand David se pencha pour lui embrasser le cou.

— Hum, ce parfum m'a manqué.

Ses lèvres remontèrent le long de son cou jusqu'à sa mâchoire.

— David, mon père nous regarde par la fenêtre.

— Je n'ai aucun problème avec cela, murmura-t-il.

— Ouais, parce que ce n'est pas *ton* père. Ôte-toi ! lâcha-t-elle en riant.

David s'écarta et enclencha la marche arrière.

— J'imagine que je peux me retenir jusqu'à ce que je nous conduise un ou deux pâtés de maisons plus loin.

Il regarda la maison et agita la main en direction de la petite ouverture dans les rideaux du salon.

— David !

Ils se refermèrent.

— Tu es tellement un mauvais garçon.

Il esquissa un petit sourire satisfait.

— Tes parents m'adorent.

Et c'était vrai. Laurel avait toujours pensé que ce serait une bonne chose. Parfois, cependant, elle n'en était plus aussi sûre.

TREIZE

LE LENDEMAIN, LAUREL ET CHELSEA ÉTAIENT ASSISES SUR LA balancelle de la véranda devant la maison de Laurel, se balançant paresseusement.

— Je déteste les samedis, déclara Chelsea, sa tête pendant par-dessus un bras de la balançoire, ses paupières fermées pour se protéger du soleil.

— Pourquoi ? demanda Laurel, installée de la même façon.

— Parce que les petits amis doivent toujours travailler.

— Parfois, tu as des courses.

— C'est vrai.

— Et d'ailleurs, cela t'offre l'occasion de venir passer du temps avec moi. Cela ne vaut-il pas quelque chose ? dit Laurel en lui donnant un petit coup.

Chelsea ouvrit les yeux et regarda son amie, l'œil sceptique.

— Tu n'embrasses pas aussi bien que Ryan.

— Tu ne le sais pas, répondit Laurel avec un sourire.

— Pas encore, rétorqua Chelsea en se penchant vers son amie.

Laurel lui tapa le bras et elles se recouchèrent en gloussant.

— Tu as un point valable, reprit Chelsea. Nous ne passons plus autant de temps ensemble ; à part pour les déjeuners à l'école, je veux dire.

— Et tu disparais *mystérieusement* environ la moitié du temps, déclara Laurel en riant.

— Je suis une fille occupée, répliqua Chelsea en faisant semblant de se justifier. Oh, hé ! Ryan organise une grande fête chez lui vendredi prochain. Toi et David êtes invités. Il s'agit du classique « au revoir à l'été », sans l'eau froide, le sable rude et le feu qui fume.

— Il est un peu en retard, dit Laurel, oubliant que tout le monde n'était pas aussi hyper conscient qu'elle du changement de saison de l'été à l'automne.

— Meu. C'est assez proche. C'est encore une assez bonne raison pour faire la fête. Ryan possède la meilleure maison pour organiser des fêtes. Son ambiophonique, grande salle de divertissement. Ce sera formidable. Vous devriez venir.

— Bien sûr, répondit Laurel, acceptant l'invitation pour elle et David.

Cela ne le dérangerait pas ; c'est elle qui habituellement n'aimait pas les événements se terminant tard le soir.

— Génial.

Chelsea plissa les yeux sous le soleil.

— Est-il déjà dix-sept heures?

Laurel rit.

— Je serais étonnée qu'il soit même quinze heures.

Chelsea retroussa sa lèvre inférieure d'une manière théâtrale.

— Ryan me manque.

— C'est bien. Tu devrais t'ennuyer de ton petit ami.

— J'avais l'habitude de me moquer des filles qui s'évanouissaient presque quand leurs copains passaient près d'elles. Je voulais toujours leur dire de développer leur propre personnalité et d'arrêter de se définir par rapport à une autre personne. Parfois, je leur ai dit.

Laurel roula les yeux.

— Pourquoi ne suis-je pas étonnée?

— Et à présent, je suis l'une d'elles, reprit Chelsea avec un gémissement.

— Sauf que tu as une personnalité.

Chelsea avait plus de tempérament que toute autre connaissance de Laurel.

— Je l'espère bien. Mais sérieusement, il est devenu une partie tellement grande de ma vie.

Elle souleva la tête et regarda Laurel encore une fois.

— Savais-tu que les deux courses auxquelles il a assisté cette année ont été mes deux meilleures? Je *cours* plus vite lorsqu'il est là. Et avant, je pensais courir aussi vite que je le pouvais. Je suis une des coureuses de notre équipe qui marque des points à présent. C'est grâce à lui !

Elle mit la main sur son front et feignit de s'évanouir dans la balancelle.

— Il est merveilleux.

— Je suis tellement contente, Chelsea. Tu mérites un bon gars et Ryan paraît vraiment t'apprécier.

— Ouais, c'est le cas. Étrange, hein ?

Laurel s'étrangla de rire.

— Penses-tu que nous faisons les choses trop vite ? s'enquit sérieusement Chelsea.

Laurel arqua un sourcil.

— Bien, cela dépend. Où en êtes-vous ?

— Oh, pas là du tout, répondit Chelsea, chassant d'une main l'inquiétude de Laurel. Ce que je veux plutôt dire, c'est que je me demande si je m'engage trop à fond trop vite.

— C'est-à-dire ?

— Je m'inscrivais au SAT[1] de novembre l'autre jour...

— Novembre ? l'interrompit Laurel. Comment cela, novembre ? David et moi ne le passons pas avant le printemps.

— Cas typique de l'élève qui veut réussir avant tout le monde, dit Chelsea d'un ton dédaigneux. En tout cas, on me demandait à quelles écoles je souhaitais qu'on envoie mes résultats. Et j'ai répondu...

Elle regarda Laurel.

---

1. N.d.T. : Le Scholastic Aptitude Test est un examen pour l'admission aux collèges et aux universités aux États-Unis.

— Harvard. Tu as toujours voulu fréquenter Harvard, répondit Laurel sans même avoir besoin d'y penser.

— Je sais, exactement, reprit Chelsea en s'assoyant le dos droit maintenant, les jambes repliées sous elle. Mais j'étais sur le point d'inscrire Harvard quand je me suis dit : bien, attends. Ryan va à UCLA ; Boston est vraiment loin d'UCLA. Est-ce que je désire fréquenter une école aussi éloignée de lui ? Et je l'ai, genre, pas du tout écrit.

— Tu as fait envoyer tes résultats ailleurs ?

Laurel se redressa.

— Où ? À Stanford ? Tu détestes Stanford.

— Non ; j'ai seulement laissé un blanc. Je ne l'ai pas encore complété.

Elle marqua une pause.

— Est-ce que tu ressens la même chose ? À propos de David ?

— Ouais, dit Laurel. Je renoncerais, genre, totalement à Harvard pour David.

— Évidemment, dit Chelsea d'une voix traînante. C'est parce que tu veux aller à Berkeley, comme tes parents, n'est-ce pas ?

La question prit Laurel par surprise. Elle hocha la tête, vaguement, mais ses pensées étaient à Avalon. Il y avait une place pour elle à l'Académie — sans frais d'admission, logée et nourrie, nul besoin du SAT — et même si Jamison voulait son aide pour surveiller les trolls à présent, elle supposait que les fées s'attendaient à la recevoir à l'Académie à temps plein très bientôt. Mais comment pouvait-elle dire cela à Chelsea?

— Disons que David repart dans l'est. Renoncerais-tu à tes plans pour le suivre?

C'est dans deux ans, se dit Laurel, tentant d'étouffer son malaise grandissant. Elle haussa légèrement les épaules.

— Mais tu y réfléchirais, non?

— Peut-être, répondit automatiquement Laurel.

Toutefois, c'était bien plus qu'une simple question de suivre David à mille kilomètres. Suivre David signifiait laisser Avalon derrière elle, l'Académie, tout. Est-ce que fréquenter l'Académie voudrait dire ne pas choisir David? Il s'agissait là d'une nouvelle pensée, une que Laurel n'aimait pas.

— Alors, crois-tu que David et toi serez ensemble pour toujours? Parce que pour certaines personnes, c'est ainsi, ajouta Chelsea rapidement, se parlant davantage à elle-même qu'à Laurel. Elles se rencontrent au lycée et c'est, genre, boum!, des âmes sœurs.

— Je ne sais pas, répondit franchement Laurel. Je ne peux pas m'imaginer ne plus aimer David un jour. Je ne nous vois tout simplement pas rompre.

Mais déchirés? Tout à coup, cela lui apparut comme une réelle possibilité.

— Tu as dit « aimer », déclara Chelsea avec un grand sourire, tirant Laurel de ses mornes réflexions.

— Eh bien, oui; oui, je l'ai dit.

Laurel rit.

— Tu es amoureuse de David ?

Cette simple pensée réchauffait tout le corps de Laurel.

— Ouais. Je le suis.

— Donc, est-ce que vous... tu sais ?

Envolé, le doux nuage.

— Pas... exactement.

— Qu'est-ce que *cela* peut bien vouloir dire ?

— Cela veut dire pas exactement, insista Laurel obstinément.

Chelsea garda le silence un moment. Laurel espérait qu'elle ne méditait pas trop sur l'état précis de sa relation physique avec David.

— Je pense que je pourrais être amoureuse de Ryan, reprit enfin Chelsea, soulageant la tension de son amie. C'est pourquoi toute cette histoire de Harvard me jette à terre. C'est ce que je veux depuis, genre, l'âge de dix ans. Aller à Harvard, recevoir mon diplôme en journalisme, devenir reporter. Mais à présent, je peux à peine supporter l'idée de m'éloigner de Ryan.

— Peut-être *qu'il* devrait *te* suivre à Harvard.

— Ne crois pas que je n'y ai pas songé, rétorqua Chelsea. Il veut être médecin comme son père, et Harvard offre un excellent programme de médecine.

— Alors, envoie tes résultats à Harvard, reprit Laurel, faisant de son mieux pour se concentrer sur les problèmes de Chelsea au lieu des siens. Et, sérieusement, si tu dois abandonner un rêve pour être avec gars, tu as peut-être choisi le mauvais.

Chelsea plissa le front et joua avec ses doigts.

— Et si le temps arrivait et que le rêve ne paraissait plus en valoir la peine?

Les visages de David et Tamani flottèrent devant les yeux de Laurel, l'Académie planant en arrière-plan. Elle haussa les épaules et chassa les images de son esprit.

— Alors, il s'agissait peut-être du mauvais rêve.

La maison de Ryan vibrait sous l'impulsion de la musique quand Laurel et David se garèrent devant le vendredi soir.

— Wow, lança Laurel.

La résidence bleu gris de trois étages arborait un toit d'ardoises et des volets d'un blanc éclatant. Une paire de grandes fenêtres panoramiques ornait l'avant et offrait une vue sur un splendide parterre avec des cornouillers bordant un trottoir de pierre et un lierre rampant sur le mur au sud. La demeure était située juste devant le littoral rocailleux et Laurel se doutait qu'ils bénéficiaient d'une perspective incroyable depuis la terrasse arrière.

— C'est vraiment beau.

— Ouais. C'est agréable d'être le seul enfant du cardiologue de la ville.

— C'est ce que je vois.

Ils parcoururent le trottoir main dans la main jusqu'à la porte d'entrée. Puisqu'il s'agissait d'une petite ville et d'une grande maison, la fête n'était pas trop bondée, mais il y avait tout même pas mal de gens. Et dans les coins où il n'y avait personne, la musique tonitruait. Laurel ressentit une douleur sourde dans les oreilles.

— Là-bas, dit-elle, élevant la voix par-dessus la musique et pointant vers Ryan et Chelsea.

Ryan avait l'air plutôt normal avec un t-shirt rouge vif et un jean Hollister, mais Chelsea s'était surpassée. Elle avait relevé ses boucles en une queue de cheval haute et portait de longues boucles d'oreilles pendantes en or. Un jean bleu foncé, de jolies sandales noires et un débardeur noir avec des perles brillantes mettaient en valeur son bronzage estival.

Probablement peaufiné sur la terrasse de la piscine de Ryan.

— Regarde-toi! lança Laurel en approchant.

Elle attira Chelsea pour l'étreindre.

— Tu as l'air formidable!

— Toi aussi, répondit Chelsea.

Cependant, Laurel était déjà désolée d'avoir dû porter la longue blouse à taille empire attachée dans le dos avec une boucle plutôt grosse pour couvrir la bosse de sa fleur. Il faisait chaud et elle se sentait déjà confinée.

— N'est-ce pas qu'on ne peut qu'adorer cette maison? s'exclama Chelsea en attirant Laurel un peu à l'écart.

— Elle est superbe.

— J'adore venir ici. Avec trois frères de moins de douze ans, nous ne pouvons pas avoir beaucoup d'objets fragiles, dit Chelsea. Mais ici ? Ils mettent des statues sur la table à café. Au dîner, les verres sont — tu ne le croiras pas — en *verre*.

Elles rirent.

Chelsea tourna la tête pour voir David et Ryan bavarder et rire ensemble. Comme s'ils se sentaient observés, ils se tournèrent tous les deux pour regarder les filles. Ryan leur décocha un clin d'œil.

— Parfois, quand je les vois ensemble ainsi, je me demande comment Ryan a pu être là pendant tellement d'années sans que je le voie.

Elle pivota vers Laurel.

— À quoi je pensais ?

Laurel rit et passa un bras autour de Chelsea.

— Que David était plus séduisant ?

— Oh ouais, c'est vrai, reprit Chelsea en roulant des yeux. Allez, viens, dit-elle en tirant Laurel vers l'arrière de la maison. Tu dois absolument voir la vue.

QUATORZE

À VINGT-TROIS HEURES, LAUREL ÉTAIT TOTALEMENT ÉPUISÉE par la danse et le manque flagrant de lumière du soleil. Elle sourit de soulagement quand David joua des coudes dans la foule pour lui apporter une tasse en plastique remplie d'un genre de punch rouge.

— Merci, dit Laurel en la prenant. Sérieusement, je meurs de soif et je suis exténuée.

— Ton chevalier servant vole à ton secours, encore une fois, rétorqua David.

Elle amena la tasse à sa bouche, puis grimaça.

— Ouah. Quelqu'un a carrément arrosé cette boisson d'alcool.

— Vraiment? Où sommes-nous, dans un feuilleton télévisé des années cinquante?

— Sans blague.

Laurel ne pouvait même pas s'asseoir à la table avec ses parents lorsqu'ils consommaient du vin tellement cela la rendait nauséeuse. L'odeur de tous les alcools lui donnait mal au cœur.

— Bien, j'imagine qu'il me faudra m'acquitter de mon devoir de cavalier et les boire toutes les deux, dit David en prenant la tasse de Laurel.

— David !

— Quoi ? demanda-t-il après avoir avalé une longue gorgée.

Laurel leva les yeux au ciel.

— Je nous reconduirai à la maison.

— Ça me va, déclara David après une autre gorgée. Cela signifie que je peux m'en resservir.

— Tu seras complètement ivre.

— Oh, je t'en prie. Ma mère sert du vin au dîner au moins une fois par semaine.

— Vraiment ?

David lui fit un large sourire.

— Donne-moi ça, dit Laurel en reprenant sa tasse.

— Pourquoi ? Tu ne peux pas la boire.

— Je le peux certainement, déclara-t-elle en tendant la main dans sa bourse à la recherche de la petite bouteille qu'elle avait prise dans son nécessaire de fée.

— Qu'est-ce que c'est ? demanda David en se rapprochant rapidement d'elle.

— Du purificateur d'eau, répondit Laurel en faisant tomber d'une pression des doigts une goutte transparente dans sa tasse avant de mélanger doucement le contenu.

— L'as-tu préparé toi-même ?

— J'aimerais bien, affirma Laurel d'un ton sinistre. Ils me l'ont donné à l'Académie.

Laurel baissa les yeux sur sa tasse. Le punch rouge était maintenant incolore.

— Euh, dit-elle, j'imagine que le colorant est considéré comme une impureté lui aussi.

David inclina la tasse dans sa direction et la renifla.

— Tu sais, la plupart des gens paient pour *ajouter* de l'alcool dans leur breuvage, non l'inverse.

— Je suis mon propre chef.

— Alors, que te reste-t-il ? De l'eau sucrée ?

Laurel haussa les épaules et prit une gorgée.

— Ouais, essentiellement.

— Aussi appétissant que cela paraisse, je pense que je vais aller me chercher un deuxième verre au bol à punch, merci beaucoup.

— Soûlon, cria Laurel dans son dos, pour le taquiner.

Elle s'aventura dans un corridor vide avec sa tasse d'eau sucrée. C'était bon de s'éloigner de la foule suffocante. Si elle était totalement franche envers elle-même, elle était prête à rentrer à la maison se mettre au lit. La fête se poursuivrait encore au moins une heure — probablement deux ou trois — et elle savait que David voudrait rester jusqu'à la fin.

Tout de même, elle pouvait supporter une heure supplémentaire. Possiblement.

Elle erra sans but vers une large et haute fenêtre entre deux peintures assorties de ballerines et appuya son front contre la surface tout en regardant le ciel nocturne. Un bref mouvement à l'extérieur attira l'œil de Laurel. Une forme sombre, à peine illuminée par la lueur provenant de l'intérieur de la maison, bougea de nouveau. Elle se concentra dessus, essayant de distinguer de quoi il s'agissait. Pouvait-il s'agir d'un animal? Un chien, peut-être? Cela semblait trop gros pour en être un. Il se tenait à moitié dans l'ombre d'un gros arbre, ce qui l'empêchait de discerner autre chose qu'une silhouette. Puis, il leva la tête, et le faible rayon de lumière éclaira un visage pâle et déformé avec une netteté grotesque. Laurel se lança loin de la vitre, la poitrine serrée et la respiration courte. Après avoir lentement compté jusqu'à dix, elle jeta un coup d'œil en se penchant sur le rebord.

Il était parti.

Son absence s'avérait aussi impressionnante que sa présence, comme si un trou dans la lumière elle-même restait là où la forme corpulente était auparavant.

Est-ce que je l'ai imaginé? Ses mains tremblaient encore pendant qu'elle visualisait le visage inharmonieux : un œil à cinq centimètres plus bas que l'autre, une bouche férocement recourbée, un nez incroyablement croche. Non, elle l'avait vu.

La peur lui étreignit la poitrine. Elle devait localiser David.

S'obligeant à rester sereine, Laurel passa devant toutes les pièces en les fouillant du regard. La panique montait en elle alors qu'elle semblait trouver tout le monde *sauf* lui. Enfin, elle le repéra dans le coin de la cuisine, de la nourriture dans une main et une tasse dans l'autre, bavardant avec un groupe de gars. Elle s'avança vers lui, feignant le calme.

— Puis-je te parler? demanda-t-elle avec un sourire tendu, l'attirant à quelques mètres loin des garçons.

Elle se pencha près de son oreille.

— Il y a un troll dehors, lui annonça-t-elle d'une voix tremblante.

Le sourire de David disparut.

— En es-tu certaine? Je veux dire, nous sommes tous les deux plutôt nerveux. Mais nous n'avons pas vraiment vu un troll depuis des mois.

Laurel secoua la tête presque convulsivement.

— Oui, je l'ai vu. Il ne s'agit pas d'une erreur. Il est ici pour moi. Ah!

Elle gémit doucement.

— Comment ai-je pu être aussi stupide?

— Attends, attends, dit David en posant ses mains sur ses épaules. Tu ne sais pas s'il est ici pour toi. Pourquoi t'attaqueraient-ils *maintenant*, tout à coup? Ce n'est pas logique.

— Oui, ce l'est. Jamison m'a prévenue que cela se produirait. Et c'est le cas!

Ses mains tremblaient et les mots sortaient précipitamment de sa bouche à mesure qu'augmentait sa peur.

— J'ai été tellement prudente et, le seul soir où je baisse ma garde, ils sont ici. Exactement comme l'avait dit Jamison. Ils devaient me surveiller — attendant que j'oublie mon nécessaire. Je suis la mouche, David. Je suis la stupide, stupide mouche !

— Quelle mouche ? Laurel, tu dois te ressaisir. Tu es incompréhensible. Tu n'as pas ton nécessaire ?

— Non ! Je ne l'ai pas ! C'est ça, le problème. J'ai fourré quelques trucs de base dans mon sac à main et j'avais l'intention d'emporter mon sac à dos et de le laisser dans ta voiture, mais j'ai complètement oublié.

— D'accord, dit David en l'attirant encore plus loin de la foule. Prenons un moment pour réfléchir à tout cela. Qu'as-tu avec toi ?

— J'ai deux sérums monastuolo. Ils endorment les trolls.

— Parfait ; alors, nous devrions nous en sortir.

Laurel secoua la tête.

— Ils ne fonctionnent que dans un espace clos et pas instantanément. Ils servent dans des situations de fuite, pas comme maintenant. Si un troll entrait dans la maison, la moitié de ces jeunes serait morts avant que le sérum ne commence à faire effet.

David prit une profonde respiration.

— Alors, que faisons-nous ?

— Ils me veulent moi ; mais ils tueront tous les autres en une seconde s'ils pensent que cela les aidera. Nous devons l'attirer loin d'ici et nous devons agir rapidement.

— L'attirer où ?

— Vers ma maison, dit Laurel, détestant l'idée. Ma maison est sûre. Elle est protégée contre les trolls, et les sentinelles sont là-bas. C'est l'endroit le plus sécuritaire au monde pour nous en ce moment.

— Mais...

— David, nous n'avons pas le temps de discuter.

Il serra les mâchoires.

— D'accord. Je te fais confiance. Partons d'ici.

Il sortit les clés de sa poche.

— Je conduis.

— Crois-moi, Laurel, je me sens *très* sobre.

— Je m'en fous. Donne-moi les clés.

— Bien. Qu'est-ce que je dis à Chelsea ?

— Je ne vais pas bien. Quelque chose que j'ai mangé. Elle sait que mon estomac est bizarre.

— D'accord.

Ils repérèrent Chelsea et Ryan, dansant sur une chanson lente. La tête de Chelsea reposait sur l'épaule de Ryan et il la tenait serrée contre son torse.

— Esquivons-nous, tout simplement, dit Laurel. Je ne veux pas interrompre cela.

David hésita.

— Tu connais Chelsea. Elle s'inquiétera si nous partons sans un mot.

Il pivota pour regarder Laurel.

— Elle pourrait même passer par ta maison en rentrant chez elle après la fête pour vérifier que tu vas bien.

— Tu as raison. Je vais aller le lui dire.

Laurel se sentait mal de s'interposer, mais il n'y avait pas d'autre solution. Elle s'en excusa abondamment et rassura Chelsea trois fois qu'elle n'avait besoin de rien d'autre que de rentrer chez elle se reposer.

Son amie sourit et lança ses bras autour d'elle.

— Merci énormément d'être venus. Je vous verrai plus tard.

En serrant Chelsea à son tour, Laurel espéra désespérément qu'elle pouvait inciter les trolls à la suivre. Elle regretterait cette nuit pour le reste de sa vie si quelque chose arrivait à Chelsea — ou à tout autre invité.

David prit la main de Laurel et ils se dirigèrent vers la cuisine.

— La porte de côté est plus près de ma voiture, déclara-t-il en pointant, mais ce sera quand même une petite course.

— D'accord, allons-y.

Ils restèrent à la porte de la cuisine pendant quelques secondes et David passa le bras de Laurel sous le sien, le tenant fortement. Après avoir déposé un rapide baiser sur son front, il lui demanda :

— Prête?

— Ouais.

Ils prirent tous les deux quelques profondes respirations, puis David attrapa la main de Laurel et il poussa la porte.

— Partons! ordonna-t-il dans un murmure sifflant.

Main dans la main, ils coururent vers la Civic de David, environ quinze mètres plus loin. Ils se baissèrent vivement derrière plusieurs voitures avant d'ouvrir les portières à la volée et de sauter sur les sièges.

— Penses-tu qu'il nous a vus? demanda-t-elle, enfonçant la clé dans le contact et démarrant le moteur.

— Je l'ignore.

— Je ne peux pas partir s'ils ne nous ont pas vus.

— Bien, que suggères-tu? demanda David en scrutant l'obscurité par sa vitre.

Laurel prit une rapide respiration, osant à peine réfléchir à ce qu'elle était sur le point de faire. Avant de pouvoir changer d'avis, elle se glissa hors du siège du conducteur et sautilla sur place en agitant les bras.

— Hé! Est-ce que vous me regardez?

Une silhouette sombre se leva à six mètres devant eux. Laurel haleta, se lança dans la voiture et passa brusquement en marche arrière. Le troll se précipita en avant, son bleu de travail et son effroyable visage illuminés par les phares de la Civic. Il fit claquer ses mains sur le capot juste au moment où le levier s'enclenchait.

— Go, go, go! hurla David.

Laurel appuya fermement sur le champignon et retira l'autre pied de la pédale d'embrayage si vite que la voiture fila vers l'arrière, frappant presque le camion garé derrière eux. Le troll trébucha à l'endroit où l'auto se trouvait juste avant, mais il se releva aussitôt. Laurel poussa le levier en première vitesse et partit à fond de train dans l'allée de garage. David était contorsionné sur son siège, le regard fixé sur la vitre arrière.

— David! cria Laurel. Surveille les véhicules pour moi. Je ne peux pas m'arrêter au panneau d'arrêt ici.

David pivota vers l'avant et scruta l'obscurité dans les deux directions. Alors qu'ils approchaient de l'intersection, le pied de Laurel plana au-dessus du frein.

— Tu as le champ libre. Fonce!

Laurel pesa sur l'accélérateur, emportant la voiture au-delà du carrefour. Elle appuya fermement sur le frein en virant sur Pebble Beach Drive, la route croisant celle menant à la maison de Ryan. La Civic tangua et les pneus protestèrent bruyamment, mais Laurel réussit à garder les phares pointés dans la bonne direction.

— Il se trouve juste au coin de la rue, annonça David alors qu'ils n'avaient pas parcouru plus de dix secondes sur la route. Il est vilainement rapide.

— La limite est à cinquante kilomètres ici. À quelle vitesse puis-je rouler sans risquer de me faire intercepter? s'enquit Laurel, alors que l'aiguille de l'indicateur s'approchait lentement du soixante-dix kilomètres à l'heure.

— Les policiers sont le dernier de nos soucis ce soir, déclara David. Tu peux juste — Laurel, attention!

Une forme massive se précipita devant eux, stoppant au milieu de la route. Laurel appuya brusquement sur le frein et la voiture patina sur la chaussée pendant qu'elle luttait pour en garder le contrôle. Ils dérapèrent, ratant de peu un gros animal — un troll, sûrement —, et ils glissèrent sur le bas-côté et dans un fossé friable de l'autre côté. La Civic fit une embardée et s'arrêta, ses roues tournant inutilement dans la boue et le gravier.

David gémit en essayant de se redresser après avoir été projeté contre le tableau de bord. Laurel fouilla l'obscurité, mais ne put rien distinguer. Puis, son regard se concentra sur la silhouette irrégulière de la lisière de la forêt, à seulement cent mètres.

— Les arbres, David, dit Laurel d'un ton d'urgence. Nous devons courir vers les arbres.

— J'ignore si je peux courir, répondit David. Mes genoux ont été heurtés plutôt méchamment !

— Tu peux y arriver, David, affirma désespérément Laurel. Il le faut. Allons-y !

Elle ouvrit brusquement la portière et tira David derrière elle. Après quelques pas tremblants, il réussit à se redresser et ils filèrent, main dans la main, vers la forêt.

— Il va me sentir, dit David. Mon genou gauche saigne.

— Tu n'es pas en plus mauvais état que moi, déclara Laurel. Il va totalement sentir ma fleur. Nous restons ensemble. Pas de discussion.

Tout à coup, elle comprit son erreur — les trolls devaient avoir décidé d'agir parce qu'elle fleurissait. Elle n'avait aucune façon de leur échapper ; pas quand ils pouvaient traquer son parfum omniprésent. Elle détestait avoir baissé sa garde si facilement. Elle avait *permis* que cela lui arrive.

Alors qu'ils couraient, Laurel fouilla dans son sac à main et en sortit deux fioles qui composeraient le sérum monastuolo lorsqu'elle les écraserait ensemble. Elle savait qu'il ne serait pas très efficace en plein air, mais elle devait tenter quelque chose ; cela les ralentirait peut-être. Sa large ceinture se relâcha et sa fleur se libéra pendant qu'elle et David passaient les buissons à tombeau ouvert, mais elle n'avait aucune intention de s'arrêter pour la remettre en place ; elle entendait un troll juste derrière eux et un autre les approchant par la droite. David trébucha, trahi par son genou blessé, et le troll derrière eux grogna et bondit. Une brûlure lancinante remonta vivement dans le dos de Laurel depuis sa fleur. Se mordant les lèvres pour ne pas crier, elle pivota brusquement et, la paume ouverte, elle écrasa les fioles de monastuolo sur le front du troll. Il chancela vers l'arrière, mugissant de douleur, ses énormes mains collées sur son visage. Laurel bondit hors de portée, son dos élançant tellement qu'un sanglot se forma dans sa gorge et qu'elle lutta contre un vague de nausée.

Ses jambes lui faisaient mal à la limite du tolérable lorsqu'ils atteignirent le bord de la forêt en haut de la colline.

— Allons ; viens, David, le pressa-t-elle.

Ils entrèrent en trébuchant dans la forêt, les branches s'accrochant à leurs vêtements et fouettant leur peau, égratignant leurs visages. Quand ils arrivèrent à une petite percée dans les arbres, ils s'arrêtèrent brutalement et décrivirent des cercles.

— Dans quelle direction ? demanda David.

Un sourd grognement résonna d'un côté de la clairière.

— Celle-là, répondit Laurel en pointant loin du son.

Mais à l'instant même, un deuxième grognement lui fit écho de l'autre côté. Ils pivotèrent brusquement, seulement pour être confrontés à la silhouette indistincte d'un troisième troll, son souffle chaud formant de la buée dans l'air vif de l'automne.

David attira Laurel contre son torse, écrasant sa fleur douloureusement entre eux. Ils tentèrent de garder les yeux sur les trolls décrivant des cercles, mais les créatures étaient trop rapides, gravitant autour d'eux à une vitesse folle, puis changeant de direction, les entourant comme des requins.

Le son du métal raclant le métal remplit l'air et l'éclat d'un couteau brilla sous la lumière de la lune. Laurel sentit la respiration de David se coincer dans sa gorge.

Il étreignit rapidement Laurel, puis s'écarta d'un pas, les mains levées.

— J'abandonne, cria-t-il. Prenez-moi et laissez-la partir. Elle est inoffensive.

Laurel sursauta et attrapa le dos de son chandail, essayant de le faire reculer, mais il continua d'avancer.

Un gros rire remplit l'air.

— Inoffensive ? dit une voix criarde et râpeuse. À quel point nous crois-tu stupides, l'humain ? Si quelqu'un survit ce soir, ce ne sera pas elle.

Avant que David ne puisse rejoindre Laurel, deux trolls s'interposèrent entre eux. Un était plus grand que David, ses larges épaules tendant le tissu de son bleu de travail usé. L'autre était bossu, avait des cheveux longs, et fins et même sous la lueur de la lune, Laurel pouvait voir que sa peau blanche comme les os était craquelée et saignait aux articulations. Laurel s'obligea à ne pas fermer fortement les paupières, pendant que le grand troll femelle se rapprochait d'elle, son couteau levé.

QUINZE

LAUREL SE COUVRIT LA TÊTE AVEC SES DEUX BRAS ET SOUHAITA que David coure — et sauve sa vie —, même si elle savait qu'il ne le ferait pas. Puis, un gros bruit métallique résonna dans ses oreilles et elle mit quelques secondes à comprendre qu'elle respirait encore.

Les trolls criaient et grognaient en regardant autour d'eux pour trouver leur agresseur. Leurs lames avaient été envoyées brusquement au sol par un disque de métal à l'allure étrange, à présent fiché dans le tronc de l'arbre directement derrière Laurel, à un maigre quinze centimètres au-dessus de sa tête. Tout le corps de Laurel tremblait de soulagement, et pour la première fois de sa vie, elle crut qu'elle allait s'évanouir — sauf que le danger restait présent. En tirant avantage de la distraction momentanée des trolls, Laurel se laissa tomber sur le ventre et rampa vers le bord de la clairière. Quelque chose de gros et lourd se jeta violemment sur elle, l'emportant loin de la clairière, derrière un arbre. Une main couvrit sa bouche quand elle tenta de crier.

— C'est moi, siffla David dans son oreille.

David. Il était vivant lui aussi. Ses bras s'enroulèrent autour de lui, elle posa son oreille contre son torse, là où elle pouvait percevoir les battements bruyants et affolés de son cœur. C'était un son merveilleux.

— Penses-tu que nous pouvons nous enfuir discrètement? demanda Laurel, aussi doucement que possible.

— Je l'ignore. Nous devons attendre une bonne occasion, sinon ils nous rattraperont.

Laurel tenait le bras de David d'une main de fer quand les trolls commencèrent à bouger dans leur direction, le nez en l'air. Laurel entendit un clic caverneux et, avant qu'elle ne puisse deviner de quoi il s'agissait, la main de David s'abattit sur son crâne, la forçant à se baisser au sol, où il s'installa à côté d'elle. Aussitôt que son ventre eut frappé la terre, une salve de coups de feu retentit dans la forêt à un rythme rapide et cadencé. Laurel se couvrit les oreilles de ses bras et pressa son visage contre les feuilles humides en tentant d'étouffer le son des tirs et, avec eux, le flot de souvenirs de l'automne dernier.

Des cris de douleur s'élevaient entre les coups de feu et Laurel leva discrètement les yeux pour voir les trois trolls s'enfuir dans la forêt, une grêle de balles à leur trousse.

— Pleutres, lâcha doucement et calmement une voix de femme.

Laurel se redressa, la bouche légèrement ouverte.

— Vous pouvez sortir à présent, annonça la sombre silhouette, fixant toujours les trolls. Ils ne reviendront pas — c'est dommage que je ne sois pas venue préparée pour une vraie poursuite.

Laurel et David se relevèrent tant bien que mal. Laurel tira sa blouse aussi serrée qu'elle le pouvait par-dessus sa fleur, grimaçant sous la douleur. L'intensité du moment avait chassé sa blessure de son esprit ; elle se questionna sur l'ampleur des dommages causés par le troll, mais l'examen devrait attendre. David commença à sortir de derrière l'arbre, mais Laurel le retint par la main, le faisant reculer.

— Je ne mordrai pas, dit la femme d'une voix claire.

Laurel comprit que c'était inutile de demeurer cachés. Peu importe qui était cette femme, elle savait qu'ils étaient là. Laurel et David avancèrent de quelques pas hésitants pour leur premier véritable aperçu de la femme qui les avait sauvés. Elle mesurait plusieurs centimètres de plus que Laurel et elle était vêtue de noir de pied en cap, depuis son chandail à manches longues et son pantalon de jogging, jusqu'à ses gants de cuir et ses bottes de combat. Seules les lunettes de soleil aux verres réfléchissants posées nonchalamment sur sa tête s'écartaient de la combinaison, rehaussant les mèches de cheveux auburn coiffées au gel qui entouraient son visage et pointaient juste de la bonne façon à l'arrière. Elle semblait âgée d'environ quarante ans, et en excellente forme, mais elle n'était pas bâtie aussi massivement qu'un troll.

— Je ne vous blâme pas d'être nerveux, déclara la femme. Pas après ce que vous venez de subir ; mais ayez confiance en moi : je fais partie des gentils.

Elle leva son fusil et exécuta une série d'actions qui émit beaucoup de petits bruits secs avant de ranger son arme dans l'étui à sa hanche.

— Qui êtes-vous ? demanda Laurel sans mettre de gants.

La femme sourit, ses dents blanches éclatantes sous la lumière de la lune.

— Klea, les informa-t-elle. Klea Wilson. Qui êtes-vous ?

— C'était… c'était, wow ! bégaya David, ignorant sa question. Vous étiez incroyable. Je veux dire : vous êtes arrivée comme cela et ils… bien, vous savez.

Klea le fixa un long moment, un sourcil levé.

— Merci, répondit-elle d'un ton flegmatique.

— Comment avez-vous… commença à demander David, mais Laurel l'interrompit en lui tirant vivement le bras.

— Qu'étaient ces choses ? s'enquit Laurel, essayant de paraître naïve sans avoir l'air de trop feindre. Ils ne semblaient pas… humains.

David baissa les yeux vers elle, perplexe, mais un bref regard lourd de sous-entendus effaça son expression interrogatrice. Malgré tout, Laurel était décidée à garder la tête froide : le plus important était de ne pas révéler qui elle était à une étrangère — même si, comme elle le prétendait, elle « faisait partie des gentils ».

Klea hésita.

— Il s'agit... d'une espèce animale comme vous n'en avez jamais rencontrée auparavant. Contentons-nous de dire cela.

Elle croisa les bras sur sa poitrine.

— Je n'ai pas encore entendu vos noms.

— David. David Lawson.

— David, répéta-t-elle avant de se tourner vers Laurel.

Laurel se demanda si cela rimait à quelque chose d'essayer de cacher cette information. Mais ce n'était pas comme si c'était difficile à découvrir. Enfin, elle murmura :

— Laurel.

Les yeux de Klea s'arrondirent.

— Laurel Sewell ?

Laurel leva brusquement les yeux. Comment cette femme pouvait-elle la connaître ?

— Bien, reprit Klea à voix basse, presque pour elle-même, voilà qui en dit long.

David vint à la rescousse d'une Laurel confuse en changeant de sujet.

— Comment saviez-vous que nous étions...

Il désigna sans un mot le centre de la clairière.

— Je traque ces... sujets depuis plusieurs heures, répondit Klea. Ce n'est que lorsqu'ils se sont lancés à la poursuite de votre voiture que j'ai compris ce qu'ils fabriquaient. Désolée d'avoir agi à la toute dernière minute, mais je ne peux pas courir aussi vite que vous conduisez. C'est une bonne chose qu'ils vous aient forcés hors de la route à ce moment-là ; je ne serais jamais arrivée ici à temps.

— Comment avez-vous… commença Laurel.

— Écoutez, l'interrompit Klea, nous ne pouvons pas rester sur place à parler. Nous ignorons totalement si leurs renforts sont loin ou non.

Elle marcha vers l'arbre où son disque de métal s'était fiché. Elle le récupéra, puis regarda David, croisant son regard pour la première fois.

— Est-ce que cela vous dérangerait de me prendre en voiture ? Je vais vous guider vers un endroit sûr où nous pourrons discuter.

Elle tourna ses yeux vers Laurel.

— Nous devons vraiment parler.

L'esprit de Laurel lui criait de ne pas accepter : il la mettait en garde contre Klea, peu importe qui elle était. Cependant, elle leur *avait* sauvé la vie. D'ailleurs, David était plus qu'impatient d'acquiescer à sa demande.

— Ouais. D'accord. Bien sûr ! lança-t-il. Ma voiture… est juste un peu plus en bas… bien, vous savez où elle se trouve. Je peux totalement vous conduire quelque part — euh, sauf que, bien, elle est genre, coincée, mais…

Sa voix s'estompa et un silence embarrassé remplit la clairière.

Klea rangea le disque de métal dans un grand étui attaché dans son dos.

— J'imagine qu'à nous trois, nous pourrons la dégager en poussant. Allons-y.

Et elle partit à grandes enjambées en direction de la Civic.

David se tourna vers Laurel, les deux mains sur ses épaules.

— Est-ce que tout va bien ? demanda-t-il en parcourant son corps des yeux, cherchant des blessures.

Laurel hocha la tête. *Bien* n'était pas le meilleur mot, mais elle était vivante. Il soupira de soulagement et enroula ses bras autour d'elle, sa main pressant douloureusement contre sa fleur. Mais Laurel s'en foutait. Elle se blottit contre son épaule tout en souhaitant pouvoir éclater en sanglots soulagés. Mais cela devrait attendre.

— Je suis tellement content que tu sois saine et sauve, murmura-t-il.

— Je suis en vie, répliqua-t-elle d'une voix sceptique. Je ne sais pas encore si je suis sauve. Comment vont tes genoux ?

David secoua la tête.

— Ils me feront terriblement souffrir demain, mais au moins je marche.

— Bien, dit Laurel, le souffle encore un peu rapide.

Puis, se rappelant son instant de folie, elle le frappa à la poitrine.

— Et que diable était cette histoire de «prenez-moi et laissez-la partir»? voulut-elle savoir.

David sourit d'un air penaud.

— C'est la seule chose à laquelle j'ai pu penser sur le coup.

— Bien, ne refais plus jamais un truc pareil.

David resta silencieux un long moment, puis il haussa les épaules et se tourna vers la voiture.

— Nous ferions mieux d'y aller.

— Hé, dit Laurel, tendant une main pour toucher celle de David. Pars devant; je te suivrai dans une seconde, chuchota-t-elle. Je dois attacher ma fleur. Mais, reprit-elle avec brusquerie, ne lui révèle rien. Je ne lui fais pas confiance.

— Elle vient de nous sauver des trolls, protesta David. Elle a été incroyable!

— Je m'en fous! C'est une étrangère et elle sait quelque chose. Tu ne peux rien lui confier!

C'était différent pour David : il n'avait rien à cacher.

— Vas-y maintenant, avant qu'elle ne soupçonne quelque chose. Dis-lui que j'ai laissé tomber mon sac à main.

— Je ne veux pas te laisser seule, déclara-t-il avec fermeté.

— Je ne prendrai qu'une seconde, rétorqua Laurel. Je dois attacher ma fleur. À présent, je t'en prie, vas-y. Elle nous regarde.

Klea était rendue au bas de la colline et scrutait l'obscurité dans leur direction.

— Elle reviendra ici si elle ne te voit pas bientôt.

Après un long regard et une pression sur sa main, David sortit avec réticence des arbres et se dirigea vers Klea.

Laurel défit le nœud autour de sa taille, puis elle replia les pétales sur ses flancs. Le point dans son dos brûlait encore comme une plaie ouverte. Elle grinça des dents et attacha fermement ses pétales. Dès qu'elle recouvrit sa fleur avec sa blouse, elle se hâta hors de la forêt, s'obligeant à ne pas courir. Elle se fraya un chemin pour descendre de la colline sous la faible lueur de la lune et hurla presque quand elle trébucha et se retrouva face à face avec un troll. Elle se lança en arrière et commença à se relever péniblement sur ses pieds lorsqu'elle comprit qu'il ne bougeait pas. Elle s'approcha en rampant et réalisa qu'il s'agissait du troll qui avait reçu en plein visage son sérum monastuolo. Apparemment, il y avait moyen de contourner les limites du plein air.

Elle n'avait que quelques secondes pour se décider. Klea voudrait voir la créature inconsciente — peut-être même la tuer. Toutefois, des lignes rouge vif striaient le visage du troll à l'endroit où le sérum l'avait éclaboussé et brûlé ; Klea comprendrait que Laurel ou David avait tenté quelque chose. Et si Klea savait quoi que ce soit sur Laurel, cela ne ferait qu'empirer les choses. Laurel ne pouvait pas prévenir Klea de la présence du troll sans du même coup dévoiler sa potion de fée. En tremblant, Laurel se leva, poursuivit sa route sans se retourner, se demandant combien de temps durerait le sérum. Plus vite ils partaient, mieux cela vaudrait.

La voiture de David était exactement là où ils l'avaient abandonnée, le pneu avant enfoncé dans la boue, les phares brillant dans la nuit noire et les portières du côté passager complètement ouvertes.

— Elle est pas mal embourbée, déclara Klea, levant les yeux brièvement pour saluer le retour de Laurel, mais je pense que toi et moi pouvons la sortir en la poussant.

Elle tendit la main et lui donna un petit coup amical sur le bras.

— Tu m'as l'air d'un gars costaud.

David s'éclaircit la gorge comme s'il allait parler, mais aucun son ne sortit.

— Laurel, pourrais-tu tourner le volant ? s'enquit Klea en remontant les manches de son chandail.

Après s'être glissée sur le siège du conducteur, Laurel observa David suivre Klea vers le capot et prendre leur appui en posant leurs mains sur le pare-chocs. Elle ne savait toujours pas quoi en penser. Il y a cinq minutes, elle croyait sa vie finie — et, sans Klea, elle ne doutait pas que cela ait été le cas. Alors, en vérité, comment devaient-ils agir ? Abandonner la femme qui leur avait sauvé la vie sur le bord de la route simplement parce que — on ignorait comment — elle connaissait le nom de Laurel ? Il n'y avait pas d'autre choix que de la conduire où elle voulait. Une fois que la voiture serait sortie du fossé, en tout cas. Mais tout cela était trop étrange. Laurel aurait aimé disposer de plus de temps pour évaluer la situation.

Laurel tournait le volant, David et Klea poussaient. Après quelques tentatives, la Civic se déprit lentement et Laurel la recula sur la route. Une fois le frein à main en place, elle les rejoignit pendant qu'ils examinaient la voiture, cherchant les dommages. Ou plus précisément : Klea examinait la Civic alors que David fixait Klea.

— Elle pourrait assurément profiter d'un bon lavage, déclara Klea, mais on dirait que vous ne conservez aucun souvenir.

— Encore mieux, répliqua Laurel.

— Donc, reprit Klea en s'éloignant de l'éclat des phares, partons, voulez-vous ?

David et Laurel échangèrent un regard ; Laurel hocha la tête vers David. Elle ne pouvait pas lui faire savoir en silence qu'un troll inconscient gisait à moins de quinze mètres d'eux.

Ils montèrent dans le véhicule, David se hâtant d'ouvrir la portière aux dames comme s'il s'agissait d'une soirée ordinaire, et ils démarrèrent. Cela exigea une courte argumentation silencieuse, mais Laurel conserva le volant.

Klea lui donna des directions en chemin.

— Nous sommes installés à moins de deux kilomètres, annonça-t-elle. Nous déplaçons constamment notre campement. La seule raison pour laquelle je vous permets de le voir ce soir, c'est qu'il sera ailleurs demain.

— Quel genre de camp? demanda David.

— Vous verrez, répondit Klea. Tourne juste ici.

— Je ne distingue pas de route, dit Laurel.

— Tu n'es pas censée. Entreprends ton virage et tu l'apercevras.

D'un hochement stoïque de la tête, Laurel commença à diriger la Civic vers la droite. Directement derrière un large massif de buissons, elle repéra la trace d'une route. Elle s'y engagea doucement et poursuivit son chemin à travers un mince rideau de branches qui racla contre les portières et les vitres. Mais dès qu'elle le dépassa, elle découvrit que la Civic roulait sur deux pistes parallèles, de toute évidence récentes.

— Génial, lança David, se penchant en avant dans son siège.

Pendant environ une minute, ils progressèrent en silence sur la route sombre et étroite, Laurel se convainquant de plus en plus qu'ils avançaient vers un piège. Si seulement elle n'avait pas oublié son sac à dos! Puis, la route vira brusquement à droite, révélant trois caravanes dans un cercle bien éclairé. Devant deux d'entre elles, il y avait deux camions noirs qui auraient eu leur place dans une arène de camions-monstres. Leurs vitres fortement teintées reflétaient l'éclat de plusieurs projecteurs brillants, montés sur de longs mâts, et qui remplissaient le campement d'une lumière crue et blanche. De plus petites lampes pendaient au-dessus des portes d'entrée des caravanes. Juste à l'extérieur de la clarté, deux chevaux bruns étaient attachés à un poteau, et plusieurs épées et gros fusils étaient disposés sur une table de pique-nique en aluminium. Le sentiment d'angoisse au fond de l'estomac de Laurel lui indiquait qu'elle et David venaient de s'engager dans une situation qui les dépassait.

— Oh! lança David.

— Rien ne vaut la maison, dit Klea avec ironie. Bienvenue au camp!

Ils descendirent tous de la voiture et ils marchèrent vers le campement : Klea d'un pas décidé, Laurel et David avec plus d'hésitation. Une poignée de gens s'activaient autour, accomplissant diverses tâches en gratifiant à peine Laurel et David d'un regard. Comme Klea, ils portaient surtout du noir.

— Laurel, David, voici mon équipe, déclara Klea, désignant de la main les personnes errant dans les alentours. Nous sommes un groupe restreint, mais nous travaillons dur.

David esquissa un pas vers une tente basse blanche qui luisait de l'intérieur, comme s'il y brûlait une douzaine de lanternes.

— Qu'y a-t-il là-dedans? demanda-t-il, s'étirant le cou quand un homme se glissa à l'intérieur, libérant un vif rayon de lumière qui éclaira tout l'endroit un petit moment avant de rabattre le pan.

— Comme on dit, je pourrais te le dire, mais je devrais ensuite te tuer, rétorqua Klea avec juste assez de sérieux pour provoquer un malaise chez Laurel.

Klea s'arrêta devant l'un des camions noirs et tendit le bras dans le plateau pour prendre un sac à bandoulière kaki.

— Venez par ici, ordonna-t-elle en désignant une table à pique-nique installée près du centre du camp.

Laurel agrippa la main de David pendant qu'ils suivaient Klea à la table. À présent qu'ils se trouvaient ici, ils feraient aussi bien d'obtenir toutes les réponses possibles. Ils n'avaient aucune chance de s'enfuir. Laurel ignorait si elle était plus en danger maintenant que lorsque les trolls la pourchassaient.

Ils s'assirent alors que Klea sortait une enveloppe en papier kraft de son sac et fit descendre ses lunettes de soleil réfléchissantes sur ses yeux. Le camp *était* vivement éclairé, mais Laurel trouva le geste étrangement mélodramatique. Klea feuilleta rapidement le contenu de l'enveloppe, retirant une photographie sur papier glacé qu'elle glissa vers Laurel.

— Que sais-tu de cet homme? demanda-t-elle.

Laurel baissa les yeux sur le visage féroce de Jeremiah Barnes.

SEIZE

Réprimant un frisson, Laurel fixa, sous le choc, le visage qui hantait ses cauchemars depuis presque un an. Sa main, enroulée autour de celle de David, se referma convulsivement pour resserrer son emprise.

— J'ai passé de nombreuses années à le chercher... déclara Klea. Enfin, lui et ses semblables. Mais la dernière fois que je l'ai aperçu — il y a environ deux mois —, il transportait une carte professionnelle dans sa poche avec quelques noms dessus.

Elle regarda Laurel.

— L'un d'eux était le tien.

Les mains de la jeune fille se mirent à trembler à la pensée que Barnes portait son nom sur lui.

— Et vous vous êtes contentée de relever mon nom et de le renvoyer à son petit bonheur de chemin ?

Laurel gardait un ton bas, mais sa voix contenait une grande dose de sifflement.

— Pas... tout à fait.

Le regard de Klea alla de droite à gauche avant qu'elle ne se penche en avant, remettant la photo à sa place dans l'enveloppe.

— Il... était plus fort que nous le supposions. Il s'est enfui.

Laurel hocha lentement la tête, s'efforçant de maintenir ses tremblements au minimum. Malgré ce que Jamison avait dit, Laurel s'était accrochée au minuscule espoir que Barnes était réellement mort après avoir été atteint de coups de feu l'an dernier. Mais ceci constituait la preuve — indéniable — qu'il traînait toujours dans les parages. Et qu'il la pourchassait.

— Tu ne sembles pas étonnée. Tu le connais donc ?

Mens, mens, mens ! lui criait son cerveau. Mais quel bien cela ferait-il ? Elle avait dévoilé son jeu la minute où elle avait reconnu Barnes. Il était trop tard pour nier.

— En quelque sorte. J'ai eu une prise de bec avec lui l'an dernier.

— Peu de gens sortent indemnes de prise de bec avec ce type.

La voix de Klea était monotone, mais la question sous-entendue douloureusement évidente : *pourquoi respires-tu encore ?*

Les pensées de Laurel se centrèrent immédiatement sur Tamani et elle sourit presque. Elle s'obligea à baisser les yeux sur une tache sur la table.

— J'ai juste eu de la chance, dit-elle. Il a posé son fusil au mauvais moment.

— Je vois.

Klea hochait la tête à présent, pratiquement avec sagesse.

— L'acier froid est à peu près l'unique chose que cet homme craint. Que te voulait-il?

Laurel fixa les verres réfléchissants de Klea ; elle aurait aimé voir les yeux de la femme. Elle devait inventer quelque chose — n'importe quoi — pour dissimuler la vérité.

— Tu peux lui dire, déclara David après un long moment.

Laurel le fustigea du regard.

— Je veux dire, ils l'ont déjà vendu ; personne ne peut te l'enlever.

De quoi parlait-il? Il serra la cuisse de Laurel d'une manière significative, mais les alibis étaient le domaine de David : Laurel mentait très mal. La meilleure chose à faire était de jouer le jeu. Elle se couvrit le visage de ses mains et s'appuya contre le torse de David, faisant semblant d'être trop éperdue pour parler.

— Ses parents ont trouvé ce diamant alors qu'ils... rénovaient leur maison, expliqua David.

Laurel espéra que Klea n'avait pas remarqué la légère pause.

— Il était énorme. Ce type a essayé de la kidnapper, pour une rançon ou on ne sait quoi.

David lui caressa l'épaule et lui tapota le dos.

— Ç'a été une expérience traumatisante, assura-t-il à Klea.

David, tu es brillant.

Klea hocha lentement la tête.

— C'est logique. Les trolls ont toujours été des chasseurs de trésors. Par nature, et parce qu'ils ont besoin d'argent pour se fondre dans notre monde.

— Des trolls ? s'enquit David, soutenant leur mascarade. Du genre qui vivent sous les ponts et se transforment en pierre à la lumière du jour, ce genre de trolls ? C'est ce qu'étaient ces créatures ?

— Ai-je parlé de trolls ? s'enquit Klea, ses sourcils arqués d'une manière comique au-dessus de ses lunettes de soleil. Oups. Bien — elle soupira en secouant la tête —, maintenant que vous les avez vus, aussi bien que vous sachiez ce qu'ils sont réellement.

Elle regarda Laurel, qui s'était redressée, essuyant des larmes de crocodile.

— C'est une bonne chose que tes parents aient vendu le diamant. Au moins, Barnes ne se lancera sûrement pas à leur poursuite. Cependant, ajouta-t-elle, tu sembles occuper une place permanente sur son radar. Il n'y a aucune chance pour que ces trolls se soient retrouvés par hasard à ta fête ce soir.

Elle marqua une pause.

— Je ne crois pas à des coïncidences aussi grandes.

— Que voudrait-il de moi maintenant ? s'enquit Laurel, échangeant un regard rapide avec David. Le diamant n'est plus là.

— Se venger, répondit simplement Klea.

Elle se tourna pour regarder Laurel en face, et cette dernière sentit l'intensité du regard de Klea à travers ses lunettes de soleil.

— C'est pas mal l'unique chose que les trolls aiment davantage que les trésors.

Laurel se souvint avoir entendu presque les mêmes paroles de Jamison lors de sa dernière journée à Avalon. Cela lui paraissait plutôt absurde d'entendre une vérité dans ce repère caché aux yeux du monde.

Klea replongea la main dans son sac, sortit une petite carte grise et la tendit à Laurel, qui la prit en hésitant.

— J'appartiens à une organisation qui... traque... les êtres surnaturels. Des trolls, surtout, parce que ce sont les seuls à s'efforcer d'infiltrer la société humaine. La plupart des autres l'évitent à tout prix. C'est mon équipe ici, mais notre organisation est internationale.

Elle se pencha en avant.

— Je pense que tu cours un grand danger, Laurel. Nous aimerions t'offrir notre aide.

— En échange de quoi? demanda Laurel, toujours méfiante.

Une esquisse de sourire joua sur les lèvres de Klea.

— Barnes m'a échappé une fois, Laurel. Il n'est pas le seul avec un compte à régler.

— Vous voulez que nous vous aidions à l'attraper?

— Certainement pas, répondit Klea en secouant la tête. Des enfants comme vous, sans formation? Vous ne réussiriez qu'à vous faire tuer. Et, sans vouloir t'offenser, tu es plutôt... menue.

Laurel ouvrit la bouche pour répliquer, mais David lui serra brusquement la jambe et elle se mordit la langue.

Klea sortit un autre bout de papier de son sac ; cette fois, il s'agissait d'une carte géographique de Crescent City.

— J'aimerais placer quelques gardes autour de ta maison — la tienne aussi, David —, juste au cas.

— Je n'ai pas besoin de gardes, lança Laurel, songeant aux sentinelles postées près de son domicile.

Klea sursauta.

— Pardon ?

— Je n'ai pas besoin de gardes, répéta Laurel. Je n'en veux pas.

— Enfin, Laurel, vraiment. C'est pour ta protection. Je suis certaine que tes parents seraient d'accord. Je pourrais discuter avec eux, si tu le souhaites…

— Non !

Laurel se mordit la lèvre quand deux des hommes travaillant à quelques mètres d'eux s'arrêtèrent pour la regarder. Elle allait devoir dire la vérité à présent.

— Ils ignorent tout à son sujet, admit-elle. Je ne leur ai jamais parlé de Barnes. Je suis revenue avant qu'ils ne se soient aperçus de mon absence.

Klea sourit franchement.

— Vraiment ? Tu es une petite chose pleine de ressources, n'est-ce pas ?

Laurel réussit tout juste à ne pas lui lancer un regard mauvais.

— Mais sérieusement, Laurel. Il y a beaucoup de trolls en mouvement autour de Crescent City depuis un moment. Bien au-delà du niveau tolérable pour moi. Heureusement, poursuivit-elle avec une trace d'amusement dans la voix, nous affrontons des êtres que l'on peut facilement… arrêter.

Elle se frotta brièvement les tempes.

— Pas comme certaines autres créatures que j'ai eu l'honneur singulier de traquer à mort.

— D'autres créatures ? demanda David.

Klea cessa de se masser la tête et regarda David avec une expression lourde de sous-entendus.

— Oh, David ; les choses que j'ai vues. Il y a plus en ce monde que quiconque ose croire.

Les yeux de David s'arrondirent et il ouvrit la bouche pour parler.

— Cependant, j'ai bien peur que le temps nous manque pour en discuter ce soir, reprit-elle, fermant la porte à ses questions.

Elle regarda Laurel.

— J'aimerais que tu reviennes sur ta décision, dit-elle sérieusement. Comme tu as réussi à sortir indemne de ta dernière rencontre, je pense que tu sous-estimes ces créatures. Toutefois, elles sont rapides, rusées et incroyablement fortes. Nous-mêmes avons assez de difficulté à les faire tenir tranquille et nous sommes des professionnels entraînés.

— Pourquoi le faites-vous, alors ? s'enquit Laurel.

— Que veux-tu dire : pourquoi ? Parce que ce sont des *trolls* ! Je les chasse pour protéger les gens, comme je vous ai protégés ce soir.

Elle hésita, puis continua.

— Il y a un certain temps, j'ai tout perdu... *tout*... à cause de monstres inhumains comme eux. J'ai choisi de consacrer ma vie à mettre fin à la souffrance qu'ils engendrent.

Elle cessa de parler une seconde, puis elle reporta son attention sur Laurel.

— Un grand rêve, je le sais, mais si personne n'essaie, il ne se réalisera jamais. Je t'en prie, aide-nous en nous *permettant* de t'aider.

— Je n'ai pas besoin de gardes du corps ou peu importe ce que vous offrez, insista Laurel.

Elle savait qu'elle avait l'air de mauvaise humeur, mais elle ne pouvait rien dire d'autre. Des fées sentinelles, c'était une chose, mais ceci ? Cette étrangère avec son campement militaire et ses gros fusils : Laurel ne désirait pas qu'ils tombent par hasard sur ses véritables gardiens. Plus vite elle et David partiraient d'ici, mieux ce serait.

Klea pinça les lèvres.

— D'accord, acquiesça-t-elle doucement, si c'est ainsi que tu vois les choses. Mais si tu changes d'avis, tu as ma carte.

Elle fit passer son regard de David à Laurel.

— Je me dois de vous dire que je vais quand même garder un œil sur vous deux. Je ne veux pas qu'il vous arrive quelque chose. Vous me semblez de bons enfants.

Elle marqua une pause, un doigt près de son menton, réfléchissant quelques secondes.

— Avant que vous partiez, reprit-elle lentement, j'ai quelque chose pour vous. Et j'espère que vous comprendrez mes raisons de vous l'offrir, ainsi que ma demande que vous n'en parliez pas. Particulièrement à vos parents.

Laurel n'aimait pas ce que cela sous-entendait.

Klea fit signe à l'un des hommes qui passaient et il lui apporta une grande boîte. Elle en parcourut rapidement le contenu pendant quelques secondes avant d'en sortir deux pistolets dans des étuis de toile noire.

— Je ne prévois pas que vous en ayez besoin, dit-elle en leur tendant chacun une arme. Toutefois, si tu ne veux pas accepter les gardes, c'est le mieux que je peux faire. Je préfère me montrer trop prudente plutôt que de vous voir… bien, morts.

Laurel baissa les yeux sur le pistolet que Klea lui offrait, le manche en premier. De sa vision périphérique, elle vit David prendre le sien sans hésiter et murmurer «c'est génial!», mais son regard resta fixé sur l'arme. Très lentement, elle tendit la main et toucha au métal frais. Il ne ressemblait pas tout à fait à celui qu'elle avait pointé sur Barnes l'an dernier, mais lorsqu'elle referma les doigts sur la crosse, il lui fit le même *effet*. Des images de Barnes surgirent dans sa tête, des visions teintées de rouge sang : le sang de David sur le bras de Laurel ; celui qui avait mouillé l'épaule de Barnes quand elle avait tiré sur lui; et le pire : l'expression sur le visage de Tamani quand il avait reçu des balles, deux, venant d'une arme semblable à celle-ci.

Elle retira brusquement sa main comme si elle s'était brûlée.

— Je n'en veux pas, affirma-t-elle à voix basse.

— Et c'est tout à ton honneur, déclara calmement Klea. Mais je pense tout de même...

— J'ai dit que je n'en voulais pas, répéta Laurel.

Klea pinça les lèvres.

— Vraiment, Laurel...

— Je vais le prendre pour l'instant, intervint David, tendant la main pour saisir la deuxième arme. Nous en rediscuterons plus tard.

Klea regarda David, son expression indéchiffrable derrière ses stupides lunettes réfléchissantes.

— J'imagine que ça ira.

— Mais... commença Laurel.

— Allons, dit David d'une voix douce et gentille. Il est presque minuit; tes parents vont s'inquiéter.

Il posa un bras autour de Laurel et commença à la guider vers la voiture.

— Oh, reprit-il, s'arrêtant pour se tourner vers Klea, et merci. Merci pour tout.

— Ouais, grommela Laurel sans se retourner. Merci.

Elle se hâta vers la Civic et monta avant que David n'ait le temps de lui ouvrir la portière. Son dos la faisait souffrir à présent ; tout ce qu'elle désirait, c'était de s'éloigner de Klea et de son campement et de rentrer à la maison. Elle démarra la voiture avant même que David soit monté, et dès qu'il boucla sa ceinture de sécurité, elle passa en marche arrière et tourna le véhicule dans la direction opposée. Elle retourna sur la route de fortune aussi vite qu'elle osait et elle observa Klea dans son rétroviseur jusqu'à ce que la route s'incurve et qu'elle disparaisse en un battement de paupière.

— Wow, dit David alors qu'ils s'engageaient sur l'autoroute.

— Je sais, acquiesça Laurel.

— N'était-elle pas géniale ?

— Quoi ?

Ce n'était *pas* ce que Laurel avait en tête.

Mais David avait déjà l'esprit ailleurs. Il sortit le pistolet offert par Klea et défit le bouton à pression de l'étui.

— David ! Ne sors pas ça, l'avertit Laurel en essayant de regarder David et l'arme et la route en même temps.

— Ne t'inquiète pas. Je sais ce que je fais.

Il sortit le pistolet et le fit tourner dans ses mains.

— SIG SAUER, dit-il.

— Sig quoi ?

— SAUER. C'est la marque. C'est un vrai bon pistolet. Coûteux, ajouta-t-il. Quoique loin d'être aussi formidable que celui de Klea. As-tu vu la chose ? Un automatique. Je parie qu'il s'agissait du Glock 18.

— Allô! David de l'Association de tir, lança Laurel avec mauvaise humeur. D'*où* sors-tu? J'ignorais que tu aimais les armes à ce point.

— Mon père en possède des tas, dit-il distraitement, caressant toujours l'arme à feu dans sa main. Nous avions l'habitude d'aller à la chasse parfois, quand j'étais plus jeune, avant qu'ils ne se séparent. Il m'amène encore tirer au stand, à l'occasion, lorsque je lui rends visite. Je suis plutôt bon tireur, en fait. Ma mère n'est pas une adepte; elle préfère le microscope. Une raison de plus pourquoi ils n'étaient pas faits pour vivre ensemble, j'imagine.

Il fit basculer le barillet et Laurel entendit un clic.

— Sois prudent! hurla-t-elle.

— Il est verrouillé; aucune inquiétude.

Il fit cliquer autre chose et le chargeur glissa hors de l'arme.

— Chargeur extra long, déclara-t-il, débitant les faits à toute allure, sur le même ton que le père de Laurel pourrait utiliser pour vérifier ses stocks. Dix coups au lieu de huit.

Il éjecta une balle et la leva devant la vitre.

— Calibre .45.

Il siffla doucement.

— Ces balles pourraient causer de sérieuses blessures.

Les phrases passaient par la tête de Laurel comme un grotesque disque brisé. *Calibre .45; chargeur extra long; dix coups; sérieuses blessures. Calibre .45; chargeur extra long; dix coups; sérieuses blessures.*

— Ça suffit, déclara Laurel à travers ses dents serrées.

Elle freina brusquement et la voiture s'arrêta sur le bord de la route en faisant une embardée.

David leva sur elle un regard perplexe mêlé de ce qui ressemblait presque à de la peur.

— Quoi ?

— Que veux-tu dire : quoi ?

— Qu'est-ce qui cloche ?

Son ton sincère et innocent lui indiqua qu'il ne soupçonnait pas du tout le motif de sa colère.

Laurel replia ses bras sur le volant et posa son front dessus. Elle prit plusieurs profondes respirations et s'obligea à rester calme. David ne dit rien, attendant seulement qu'elle maîtrise sa colère et rassemble ses pensées.

Enfin, elle brisa le silence.

— Je ne pense pas que tu comprennes ce que tout cela signifie pour moi.

Quand elle n'obtint pas de réaction de David, elle poursuivit.

— Ils nous surveillent à présent. Peut-être nous ont-ils toujours surveillés, je l'ignore. Et pour te dire franchement, je crois sincèrement que *tu* seras plus en sécurité. Mais comment savons-nous qu'elle ne chasse pas aussi les fées ?

David s'étrangla de rire tant il n'y croyait pas.

— Oh, allons, elle ne ferait pas ça.

— Ah non ? demanda-t-elle, se tournant pour regarder David en face, le ton mortellement sérieux.

— Bien sûr que non.

Cependant, sa voix avait perdu un peu de son assurance.

— A-t-elle dit à un moment ou à un autre pourquoi elle voulait capturer les trolls ? Ou les tuer, ce que nous pouvons supposer sans trop de problèmes, je pense.

— Parce qu'ils essaient de *nous* tuer.

— Elle n'a jamais dit cela. Elle a seulement déclaré que c'était parce qu'ils étaient des trolls.

— N'est-ce pas une raison suffisante ?

— Non. On ne peut pas chasser des choses simplement à cause de ce qu'ils sont ou bien parce que leurs semblables vous ont fait quelque chose. Je ne peux pas supposer qu'il n'existe aucun bon troll, comme je ne peux pas présumer qu'il n'y a pas de mauvaises fées. Le fait qu'elle chasse la bonne chose ne signifie pas qu'elle le fait pour le bon motif.

— Laurel, dit calmement David, une main sur son épaule ; tu en fais un débat de sémantique. Je pense vraiment que tu fais une tempête dans un verre d'eau.

— C'est parce que tu es un humain. Ce pistolet qui t'impressionne tant ? Je ne peux pas ressentir la même chose, car j'ai peur qu'un jour il soit pointé sur *moi* si elle découvre ce que je suis.

David s'immobilisa, le choc nettement inscrit sur son visage.

— Je ne laisserais pas cela se produire.

Laurel rit sèchement.

— Autant j'apprécie ton intention, penses-tu vraiment que tu pourrais l'arrêter? Elle et tous ces — je ne sais pas — ninjas qui travaillent pour elle?

Laurel entrelaça ses doigts à ceux de David.

— J'ai une grande foi en toi, David, mais je doute que tu sois très doué pour stopper des balles de pistolet.

David soupira.

— Je déteste me sentir impuissant. C'est une chose de prendre ma propre vie en main — il eut un petit rire ironique —, je suis un adolescent fou; nous faisons ce genre de truc tous les jours.

Il reprit son sérieux et garda le silence quelques instants.

— Toutefois, c'est une chose totalement différente quand toi, et Chelsea, et Ryan et tous les autres jeunes à la fête courent un danger. Tout est devenu très réel ce soir, Laurel. J'ai eu peur.

Il rit.

— Non, j'étais terrifié.

Laurel baissa les yeux sur ses genoux et tordit le bord de sa blouse entre ses doigts.

— Je suis désolée de t'avoir mêlé à tout cela, marmonna-t-elle.

— Ce n'est pas cela. J'aime que tu m'aies mêlé à tout cela.

Il prit ses deux mains et les retint jusqu'à ce qu'elle le regarde.

— J'adore faire partie de ton monde. Et malgré le fait que je suis presque mort l'an dernier, c'est la chose la plus excitante qui ne m'est jamais arrivée.

Il rit.

— Avec l'exception possible de ce soir.

Il leva ses mains à ses lèvres et les embrassa à tour de rôle.

— J'aime ce que tu es et je t'aime *toi*.

Laurel sourit faiblement.

— Il me semble seulement que nous avons besoin d'aide.

— Nous ne sommes pas seuls, insista Laurel. Il y a des fées sentinelles qui surveillent ma maison depuis six mois.

— Mais où se trouvaient-elles ce soir ? demanda David, élevant le ton. Elles n'étaient pas là. *Klea* était là. Que tu aimes cela ou non, elle nous a sauvé la vie et je pense que cela lui vaut un peu de notre confiance.

— Donc, tu veux y retourner et tout lui raconter ? Lui dire que je suis une fée et lui apprendre le véritable motif qui pousse Barnes à me pourchasser ? s'enquit fiévreusement Laurel.

David lui prit les mains et les pressa entre les siennes. C'était un geste qu'il faisait toujours pour la calmer.

Elle concentra son attention sur leurs mains jointes et inspira longuement plusieurs fois.

— Bien sûr que non, répondit doucement David. Il n'y a aucune raison qu'elle en sache davantage que maintenant. Je pense simplement que tu devrais lui faire suffisamment confiance pour accepter un peu de son aide. Pas des gardes, dit-il avant que Laurel ne puisse protester, mais si elle veut garder un œil sur nous quand nous ne sommes pas chez toi, est-ce une mauvaise chose ?

— J'imagine que non, marmotta Laurel.

— Nous avons mis de nombreuses personnes en danger ce soir, Laurel. Maintenant, je sais que nous agirons plus prudemment à l'avenir, mais au cas où une telle situation se reproduisait, ne désirerais-tu pas — il souleva le pistolet, qui paraissait trop anodin rangé dans son étui — avoir une autre tactique de défense ?

— Mais est-ce vraiment la meilleure façon ? Elle vient juste d'armer deux mineurs, David. As-tu la moindre idée de l'illégalité de la chose ?

— Mais c'est pour notre propre bien ! La loi ne comprendrait rien à tout ceci. Nous devons prendre les choses en mains.

Il marqua une pause.

— Tu ne t'inquiétais pas de la loi l'an dernier quand Tamani a tué ces deux trolls.

Laurel resta silencieuse un long moment. Puis, elle se redressa et le regarda droit dans les yeux.

— As-tu déjà tiré sur quelqu'un, David?

— Bien sûr que non.

— Déjà pointé une arme sur une autre personne?

Il secoua la tête.

— Vu quelqu'un se faire tirer dessus?

Il secoua la tête avec pondération cette fois, et très lentement.

— J'ai vécu les trois situations, reprit Laurel, faisant durement cogner ses doigts contre le torse de David. Après que nous avons échappé à Barnes, j'ai fait des cauchemars presque toutes les nuits. J'en fais encore, parfois.

— Moi aussi, Laurel. J'ai eu une peur bleue.

— *Barnes* t'a donné la frousse, David. Tu sais ce qui m'effraie dans mes cauchemars? Moi. J'ai une peur bleue de *moi-même*. Parce que *j'ai* ramassé ce pistolet et *j'ai* tiré sur quelqu'un.

— Tu étais obligée.

— Penses-tu que cela soit important? Je me fous de la raison pour laquelle je l'ai fait. Le fait est que je l'ai fait. Et l'on n'oublie jamais ce que l'on a ressenti. À ce moment où le pistolet recule dans sa main et que l'on voit le sang apparaître sur la personne devant soi. On ne l'oublie jamais, David. Alors, pardonne-moi si je ne partage pas ton enthousiasme de me voir forcée d'accepter une autre arme.

David ne dit pas un mot pendant longtemps.

— Je suis désolé, murmura-t-il encore. Je n'ai pas pensé.

Il marqua une pause, puis laissa échapper un soupir de frustration.

— Sauf que tu ne comprends pas vraiment non plus. Tu as des fées sentinelles et des potions. Je n'ai rien. Ne peux-tu pas au moins voir pourquoi je me sens plus à l'aise d'avoir un certain moyen de me défendre ?

— Un pistolet te donne l'impression d'être grand et puissant, n'est-ce pas ? s'enquit brusquement Laurel.

— Non ! Cela ne me donne pas l'impression d'être puissant ou plus homme ou toute autre stupidité que les gens disent dans les films. Mais cela me donne le sentiment d'agir, en quelque sorte. Comme si j'aidais, d'une certaine façon. Est-ce si difficile à comprendre ?

Laurel s'apprêta à répliquer, puis referma la bouche. Il avait raison.

— J'imagine que non, marmonna-t-elle.

— D'ailleurs, reprit David avec un sourire hésitant, tu sais jusqu'où j'irais pour la technologie. Les microscopes, les ordinateurs, les pistolets ; je les adore tous.

Cela prit quelques secondes, mais elle lui rendit mollement son sourire.

— Ça, c'est tout à fait vrai. Je me souviens comme tu t'es transformé en Lawson de CSI quand j'ai fleuri l'an dernier.

Ils rirent — de ce genre de rire qui ne vous donne pas un sentiment de bonheur, mais au moins vous fait vous sentir mieux.

DIX-SEPT

Ils se garèrent dans l'allée de la maison de Laurel et, après un instant d'hésitation, ils ouvrirent leurs portières à la volée et coururent vers la porte d'entrée. Dès qu'ils se trouvèrent à l'intérieur, Laurel pivota et repoussa la porte — un peu trop brusquement — et le bruit résonna dans la demeure sombre.

— Laurel?

David et Laurel sursautèrent, le regard tourné vers la rampe d'escalier d'où la mère de la jeune fille les regardait en bas avec des yeux ensommeillés.

— Est-ce que tout va bien? Tu as claqué la porte.

— Désolée, maman. C'était un accident. Nous ne voulions pas te réveiller.

Elle chassa leur inquiétude de la main.

— J'étais debout. Il y a des animaux qui se battent derrière la maison; des chiens ou autre. Chaque fois que je glisse dans le sommeil, ça recommence. Je suis descendue me préparer une tasse de thé et maintenant la tranquillité est revenue. Pour de bon, j'espère.

David et Laurel échangèrent un regard. Cette dernière doutait fortement qu'un combat de *chiens* se déroulât dans sa cour.

— Vous êtes-vous amusés ?

— Quoi ? demanda Laurel, les idées embrouillées.

— La fête. Était-elle amusante ?

Laurel l'avait presque oubliée.

— Ouais, répondit-elle avec une gaieté forcée. C'était génial. La maison de Ryan est totalement splendide. Et énorme, ajouta-t-elle, espérant qu'elle ne paraissait pas trop perdue. Tu peux retourner dormir, dit-elle rapidement. David et moi allons maintenant regarder un film. Est-ce que c'est correct ?

— J'imagine, rétorqua sa mère en bâillant. Ne montez pas trop le volume, par contre, d'accord ?

— Ouais, évidemment, dit Laurel en attirant David vers la salle de divertissement.

— Une bagarre de chiens ? s'enquit David d'un ton sceptique après qu'ils eurent entendu le clic de la porte de la chambre à coucher de la mère de Laurel quand elle se referma.

— Je sais, rétorqua Laurel d'une voix inquiète. Les trolls ont été occupés ce soir.

Elle jeta un œil discret à travers les stores, scrutant l'obscurité. Elle savait qu'elle ne verrait rien, mais elle essaya quand même. La culpabilité l'envahit d'un coup. Elle ne voulait même pas penser au nombre d'humains et de fées qu'elle avait mis en danger ce soir.

David s'approcha derrière elle et enroula ses bras autour de sa taille, l'attirant contre lui.

— Je t'en prie, non, chuchota-t-elle.

Il regarda ses mains sur les flancs de Laurel, puis les retira pour les croiser sur son propre torse, la confusion marquant son visage.

— Non, non, dit-elle d'un ton apaisant, il ne s'agit pas de toi, mais de ma fleur.

Elle gémit.

— Elle me fait tellement mal.

À présent que le stress de la soirée était vraiment histoire du passé, la douleur aiguë dans son dos occupait tout son esprit. Elle tripota le nœud de sa ceinture, essayant de le défaire, mais ses mains n'arrêtaient pas de trembler. Des larmes s'accumulèrent dans ses yeux quand elle tira brusquement sur la bande de tissu, ne voulant rien d'autre que libérer ses pétales blessés.

— Laisse-moi faire, dit doucement David.

Elle abandonna et resta immobile pendant que les doux doigts de David s'activaient sur ses nœuds formés rapidement. Il déroula la large ceinture, remonta sa blouse un peu dans le dos et l'aida à lisser ses pétales vers le haut. Laurel serra les dents et aspira une petite bouffée d'air. C'était presque aussi pire de les libérer que de les replier vers le bas. Laurel pressa les paumes de ses mains sur ses yeux tout en s'obligeant à ne pas geindre.

— Vois-tu des dommages ? s'enquit-elle.

David ne répondit pas. Elle pivota pour le regarder. Son visage arborait une expression d'horreur affligée.

— Quoi ? demanda Laurel dans un murmure.

— On dirait qu'il a pris une poignée de pétales. Il les a arrachés. Il n'y a plus que les bords déchiquetés.

Les yeux de Laurel s'arrondirent et elle regarda par-dessus son épaule gauche, là où auraient dû flotter les pétales bleu pâle familiers. Au-dessus de son épaule droite, sa fleur était intacte, mais du côté gauche, il ne restait rien. Les énormes pétales étaient… tout simplement partis. Un étrange mais envahissant sentiment de perte submergea Laurel. Ses joues furent sillonnées de larmes avant même qu'elle s'aperçoive qu'elle sanglotait. Elle se tourna et enfouit son visage dans le chandail de David et permit enfin au désespoir, à la terreur et à la douleur de la soirée de remonter à la surface.

Il passa doucement ses bras autour de son dos, soigneusement écartés pour ne pas toucher à sa fleur. Son torse chaud chassait le frisson de peur et de froid et sa joue frôla son front, cette dernière rude après quelques jours sans rasage. Il n'y avait pas d'autre endroit au monde où elle aurait préféré être en cet instant.

— Viens ici, chuchota-t-il en l'attirant vers le sofa.

Il se coucha sur le côté et elle se colla contre son torse et laissa sa tête reposée sur son épaule. Il ne reprit la parole qu'une fois que la respiration de Laurel revint à la normale.

— Toute une soirée, hein ?

Elle gémit.

— On peut le dire.

— Donc ; que faisons-nous ?

Laurel s'empara de sa main.

— Ne pars pas.

— Bien sûr que non, répondit David en l'attirant plus près.

— Tout rentrera dans l'ordre lorsque le soleil se lèvera, déclara Laurel, essayant à moitié de se convaincre.

— Alors, je resterai toute la nuit, rétorqua David. Ma mère comprendra. Je vais simplement lui dire que nous nous sommes endormis en regardant un film.

Laurel bâilla.

— Ce ne sera pas trop loin de la vérité. Je suis épuisée.

— Du reste, je n'ai pas honte d'admettre que je ne veux pas retourner dehors cette nuit.

— Mauviette, dit Laurel, avant qu'un énorme bâillement ne l'envahisse.

David ne pourrait jamais totalement comprendre la difficulté pour elle de demeurer éveillée et active si tard. Elle se sentait comme une passoire, constamment drainée de son énergie sans rien pour la remplir de nouveau. À ce stade-ci, elle ne fonctionnait que grâce à sa seule volonté.

— Endors-toi, lui suggéra David d'une voix apaisante, ses mains chaudes sur les épaules de la jeune fille. Je serai juste ici, promit-il.

Laurel se blottit contre son torse et se détendit. Malgré la douleur et sa peur persistante, le sommeil la gagna facilement. Mais avec lui vint des rêves de trolls avec des couteaux, et d'humains avec des pistolets, et dé Jeremiah Barnes.

Laurel s'éveilla avec le soleil et tâcha de ne pas déranger David, mais il dormait toujours très légèrement. Il ouvrit les yeux, regarda Laurel et les referma. Quelques secondes plus tard, ils se rouvrirent brusquement.

— Je ne rêve pas, dit-il, la voix râpeuse.

— T'aimerais bien, rétorqua Laurel, essayant de redresser sa blouse. Je suis incapable d'imaginer de quoi j'ai l'air.

Sa fleur la faisait encore souffrir, mais au moins la douleur n'était plus lancinante. Elle abandonna ses efforts de rabaisser son haut; cela augmentait sa souffrance.

David sourit largement à la vue de son nombril dénudé et ses mains frôlèrent les hanches de la jeune fille, puis remontèrent le long de son dos où il caressa délicatement les pétales intacts à droite. Laurel se demanda s'il réalisait à quel point elle les sentait; comme s'ils étaient un prolongement de sa peau. Parfois, il les effleurait négligemment, presque inconsciemment. D'autres fois, elle avait conscience des doigts de David s'attardant là où les pétales étaient enveloppés serrés sous ses vêtements. C'était un peu étrange qu'il la touche ainsi. Intime. Plus que de se tenir par la main. Plus que s'embrasser, même.

— Elle se fanera bientôt, n'est-ce pas? demanda-t-il avec plus qu'un soupçon de regret dans la voix alors qu'il examinait la grande fleur.

Elle acquiesça d'un signe de tête, s'étirant le cou pour regarder la fleur bleue.

— Elle devrait disparaître dans une semaine ou deux, dit-elle.

Le regret était nettement *absent* de sa voix à elle.

— Peut-être moins, après hier soir.

— Est-ce réellement une telle nuisance?

— Parfois.

Les mains de David caressèrent l'un des plus longs pétales de la fleur depuis sa base jusqu'à sa pointe, puis il le tira brièvement sous son nez et inhala.

— C'est tellement... je ne sais pas... désirable.

— Vraiment? Mais c'est tellement... floresque.

— Floresque? répéta David en riant. Est-ce un terme technique?

Laurel leva les yeux au ciel.

— Tu sais ce que je veux dire.

— Non, je l'ignore. Tu as cette chose dans le dos qui est plus belle que toutes les fleurs que j'ai vues. Son parfum est extraordinaire et elle est douce et fraîche au toucher. Et, ajouta-t-il, elle est magique. Qu'est-ce qui pourrait ne pas être désirable là-dedans?

Elle lui fit un grand sourire.

— Peut-être, si tu le vois ainsi.

— Merci, dit David, léchant son doigt et marquant un point sur un tableau imaginaire.

— Mais c'est seulement parce qu'il ne s'agit pas de la tienne, riposta-t-elle.

— C'est un peu la mienne, déclara-t-il d'une voix suggestive en l'attirant contre lui.

— Seulement parce que je partage, dit Laurel.

Il l'embrassa doucement et fixa son visage juste assez longtemps pour que Laurel se tortille un peu.

— Est-ce que ta mère a téléphoné ? s'enquit-elle, changeant de sujet afin de détourner son attention d'elle.

David secoua la tête.

— Pas encore ; mais je ferais mieux de partir. En fait, dit-il, jetant un coup d'œil à l'écran d'affichage de son téléphone, je n'ai pas de message, alors elle n'a sûrement pas eu le temps de s'ennuyer de moi. Si je me hâte, elle ne réalisera peut-être même pas que je ne suis pas rentré cette nuit.

Il s'étira.

— Et je ne suis pas un grand adepte de tes levées à l'aube. Quelques heures supplémentaires de sommeil ne me nuiraient pas avant mon travail.

— Tu es censé travailler jusqu'à quelle heure ?

— Seulement de midi à dix-sept heures. Ne t'inquiète pas.

David faisait partie de l'équipe de remplissage des étalages à la pharmacie où sa mère était pharmacienne. Être le fils de la patronne comportait certainement quelques avantages. Il avait un horaire très souple et il bossait uniquement deux samedis par mois environ, avec un dimanche de temps à autre. Bien sûr, Laurel bénéficiait de privilèges semblables et elle travaillait dans les boutiques de ses parents strictement lorsqu'elle avait besoin d'un vingt dollars. Ou de plus.

— J'imagine qu'il n'y a aucun moyen d'empêcher ta mère de sortir le soir ? demanda Laurel.

David roula les yeux dans sa direction. Sa mère était plutôt reconnue comme la reine de la fête.

— C'était une simple question.

— As-tu encore la carte de Klea ? s'enquit David.

Laurel trouva quelque chose d'intéressant à examiner sur le sol.

— Ouais.

— Puis-je la voir ?

Laurel hésita, puis la repêcha dans sa poche. Elle l'avait déjà mémorisée. *Klea Wilson*, proclamait-elle en caractère gras et noir. Il y avait aussi un numéro en dessous. Pas de titre d'emploi, d'adresse, de photo ou de logo. Juste son nom et son numéro.

David avait sorti son téléphone cellulaire et ajoutait le numéro à ses contacts.

— Juste par précaution, déclara-t-il. Au cas où tu la perdrais ou autre chose.

— Je ne la perdrai pas.

Quoique je pourrais la jeter délibérément. Quelque chose à propos de Klea la rendait mal à l'aise, mais elle n'arrivait pas à mettre le doigt dessus. C'était peut-être seulement ces stupides lunettes de soleil.

— En passant, commença Laurel avec hésitation. Je pense que je devrais aller à la terre aujourd'hui. Demain, au plus tard.

David se raidit.

— Comment cela ?

— Ils doivent être informés des événements, reprit Laurel sans croiser son regard.

— Tu veux dire que Tamani doit savoir ce qui s'est passé ?

— Et Shar, ajouta Laurel, sur la défensive.

David enfonça ses mains dans ses poches et garda le silence.

— Puis-je t'accompagner ? demanda-t-il enfin.

— Je préférerais que tu ne viennes pas.

Il releva brusquement la tête.

— Pourquoi pas ?

Laurel soupira et passa ses doigts dans ses cheveux.

— Tamani est toujours bizarre lorsque tu es là et, tout à fait franchement, je pense que tu deviens bizarre toi aussi. Je dois m'asseoir et avoir une discussion sérieuse avec eux au sujet de cette femme, Klea, et je n'ai pas besoin de vous voir en train d'essayer de vous prendre à la gorge pendant ce temps-là. Du reste, ajouta-t-elle, tu dois travailler.

— Je pourrais m'en sortir, proposa-t-il avec raideur.

C'est Laurel qui le regarda cette fois.

— Ce n'est pas nécessaire. Je peux faire cela seule. Et ce n'est pas comme si tu devais t'inquiéter. Je suis avec toi. Je *t'aime*. Je ne sais pas quoi dire d'autre pour te convaincre.

— Tu as raison, je suis désolé.

Il soupira et passa ses bras autour d'elle, puis il s'écarta et la regarda.

— Je vais être honnête avec toi : je n'aime pas cela quand tu vas le voir. Particulièrement seule ; j'aimerais mieux t'accompagner.

Il hésita.

— Mais je te fais confiance. Promis.

Il haussa les épaules.

— Je suis juste le typique petit copain jaloux, j'imagine.

— Bien, je suis flattée, affirma Laurel en se levant sur le bout des orteils pour l'embrasser. Mais je m'y rends seulement pour parler.

Elle plissa le nez.

— Et nettoyer. Je devrais au moins aérer la maison ; personne n'y a mis les pieds depuis des mois.

— Vas-tu y aller en voiture ?

— Bien, j'avais pensé voler, lança-t-elle en plaisantant tout en pointant son dos, mais apparemment cela ne fonctionne pas vraiment de cette façon.

— Je suis sérieux.

— D'accord, reprit Laurel, ne sachant pas où il voulait en venir. Oui, je vais conduire.

Le visage de David était tendu.

— Et s'ils te filaient ?

Laurel secoua la tête.

— Je ne peux pas l'imaginer. Je veux dire, pour commencer, il fait jour. Et je roulerai presque toujours sur l'autoroute. Et vraiment, s'ils me suivaient jusqu'à la terre, c'est une rude surprise qui les attendrait.

— C'est vrai, admit David, le front plissé.

— Je serai prudente, promit-elle. Je suis protégée ici et je ne m'arrêterai pas avant d'arriver là-bas.

David l'attira près de lui.

— Je suis désolé de trop m'inquiéter, commença-t-il. Je ne veux tout simplement pas qu'il t'arrive quelque chose.

Il marqua une pause.

— Je suppose que tu ne songerais pas à emporter la… euh… chose que Klea nous a donnée ?

— Non, rétorqua sèchement Laurel. Ça suffit. Sors ! dit-elle en le chassant vers la porte. Sors !

— D'accord, d'accord, abandonna David en riant. Je pars.

Laurel sourit largement et l'attira pour un baiser.

— Salut, murmura-t-elle.

Il se glissa par la porte et elle la verrouilla derrière lui.

— Je ne pensais pas avoir à te *dire* que David n'avait pas la permission de passer la nuit ici. Je croyais que la règle était plutôt évidente.

Laurel sursauta, puis se tourna pour voir sa mère penchée par-dessus la main courante.

— Désolée. Nous nous sommes endormis en regardant le film. Il ne s'est rien passé.

Sa mère rit.

— Tes cheveux ont cet aspect juste parce que tu as dormi ?

La fatigue et le stress de Laurel se combinèrent à l'image mentale de l'allure qu'elle devait avoir et tout à coup, tout sembla drôle. Elle rit, puis elle s'étrangla de rire, puis elle se bidonna encore plus fort. Elle tenta en vain d'étouffer ses gloussements.

Sa mère descendit l'escalier jusqu'en bas, son expression à mi-chemin entre l'exaspération et l'amusement.

— Je dois avoir l'air tellement débraillée, déclara Laurel, faisant courir ses doigts dans ses cheveux.

Ils collaient encore un peu en raison de la laque qu'elle avait décidé d'utiliser hier soir.

— Disons simplement que ce n'est pas un de tes meilleurs jours.

Laurel soupira et ouvrit la porte du réfrigérateur pour prendre une boisson gazeuse.

— Nous nous sommes réellement endormis.

— Je sais, acquiesça sa mère avec un sourire.

Elle s'occupa à écraser des comprimés vitaminiques croquables avec un petit mortier et un pilon.

— Je suis venue jeter un coup d'œil sur vous deux.

Elle parsema la poudre de vitamine sur la terre autour des violettes africaines — un truc qu'elle avait appris des années auparavant d'un homme qui, ironiquement, faisait pousser de la marijuana à l'intérieur.

Laurel observa sa mère et réalisa que ni l'une ni l'autre n'avait prononcé des paroles gênées ou méchantes. Du moins pas encore. Pendant quelques minutes, tout sembla normal. Laurel ne savait pas si elle devait profiter du moment pendant qu'il durait ou se plaindre que cela se produisait trop rarement.

— Désolée, redit Laurel. Je m'assurerai de le mettre dehors la prochaine fois.

— S'il te plaît, répondit sa mère d'un ton moqueur.

Elles se tournèrent toutes les deux en entendant son père siffler en descendant l'escalier. Il les salua et déposa un baiser sur la joue de sa femme en échange d'une tasse de café.

— Travaillez-vous tous les deux aujourd'hui ? demanda Laurel.

— Sommes-nous samedi ? s'enquit sa mère avec ironie.

— Pas de repos pour les vilains, déclara son père avec un large sourire.

Il regarda sa femme.

— Et nous sommes très, très vilains.

Ils rirent et, pendant un instant, Laurel eut l'impression qu'ils avaient remonté le temps, juste avant que sa fleur ne s'épanouisse l'an dernier. Avant que les choses soient bizarres ; à l'époque où ils étaient normaux.

Son sourire s'effaça quand elle réalisa que son père l'examinait avec un regard étrange.

— Quoi ? demanda-t-elle alors qu'il s'approchait.

— Qu'est-il arrivé à ta fleur ? s'enquit-il, inquiet. Il te manque des pétales !

La *dernière* chose que souhaitait Laurel ce matin était une discussion familiale à propos de sa fleur.

— Ils sont simplement tombés hier, répondit-elle. Les replier et les attacher tous les jours n'est pas très bon pour eux. Je me demandais...

— Dois-tu t'absenter de l'école et rester à la maison lorsque tu fleuris afin que cela ne se produise pas ? demanda son père en l'interrompant.

Laurel vit s'arrondir les yeux de sa mère.

— Non, bien sûr que non, protesta Laurel. Je maîtrise parfaitement la situation. Je vais bien.

— J'imagine que tu le saurais, reprit-il avec réticence.

Il recommença à boire son café, mais il l'observa par-dessus le bord de sa tasse.

— Puisque vous serez au travail, dit Laurel, ramenant la conversation sur la bonne voie, est-ce que cela vous ennuie si je vais à la terre ?

— Pourquoi ? s'enquit sa mère.

— Je dois nettoyer un peu, répondit Laurel en tentant de garder une expression neutre. Quand je suis revenue de... quand j'y étais en août, l'endroit n'avait pas fière allure. Je devrais vraiment aller l'arranger afin qu'un clochard ne décide pas de s'y installer, termina-t-elle avec un rire gêné.

— Je pensais *qu'ils* empêchaient une telle chose de se produire, répliqua sa mère.

— Bien, ouais, probablement ; mais je ne vais pas demander à un tas de sentinelles d'être mes servantes.

— Cela me semble compréhensible, intervint son père. Et l'endroit pourrait certainement bénéficier d'un bon nettoyage.

Il regarda sa femme.

— Est-ce que cela te paraît acceptable ?

Sa mère réussit à esquisser un sourire tendu.

— Évidemment. Bien sûr.

— Merci, marmonna Laurel en détournant le regard.

Une partie d'elle souhaita ne pas avoir posé la question.

DIX-HUIT

LAUREL RESTA DANS SA VOITURE PLUSIEURS MINUTES, SE contentant de fixer la maisonnette de bois. *Sa* maison ; ou enfin presque. Elle était venue ici assez souvent l'an dernier : en se rendant à Avalon ou en revenant de là, ainsi que les fois où elle était passée voir Tamani l'automne précédent. Cependant, elle n'était pas entrée depuis qu'elle avait déménagé à Crescent City un an et demi auparavant. Là où la pelouse n'était pas recouverte de feuilles tombées pendant deux saisons, l'herbe était longue et broussailleuse, et les buissons avaient assez poussé pour couvrir la moitié des fenêtres avant. Laurel soupira. Elle n'avait pas pensé au jardin quand elle avait emballé son matériel. La solution la plus évidente serait d'amener David la prochaine fois, ainsi qu'une tondeuse à gazon et un taille-haie, mais cela serait affreusement gênant au mieux.

Un autre jour ; elle avait certainement assez de travail pour l'instant. Elle ouvrit le coffre, s'empara d'un seau plein d'éponges, de chiffons et d'autres fournitures qu'elle avait préparé ce matin, et elle transporta le tout vers la porte d'entrée.

La porte grinça sur ses gonds quand elle pénétra dans la maisonnette. C'était étrange d'entrer dans une maison totalement vide ; les maisons étaient conçues pour être remplies d'objets et de gens et de musique et d'odeurs. La grande pièce avant, qui prenait presque le premier étage en entier, semblait béante à présent. Une pièce pleine de vide.

Laurel déposa le seau sur le plan de travail de la cuisine et se rendit à l'évier pour ouvrir les robinets. Après un léger murmure, un jet d'eau teintée de cuivre s'échappa du bec. Laurel le laissa couler un moment et sous peu l'eau qui s'écoulait par le drain était claire. Elle sourit, étrangement réconfortée par le son de l'eau courante emplissant la pièce et résonnant sur les murs dénudés.

Elle contourna l'escalier, déverrouillant et ouvrant toutes les fenêtres, permettant à la piquante brise d'automne de s'infiltrer dans la maison, la purgeant de son air confiné et étouffant piégé à l'intérieur depuis des mois. La fenêtre à droite de la porte refusa de céder et Laurel se débattit avec pendant quelques secondes.

— Laisse-moi t'aider, dit une voix douce juste derrière elle.

Même si elle s'était attendue à le voir, Laurel sursauta. Elle s'écarta et regarda Tamani asperger de chaque côté de la fenêtre un liquide venant d'une petite bouteille avant de soulever aisément le châssis. Il se tourna vers elle avec un grand sourire.

— Et voilà.

— Merci, lança-t-elle en lui rendant son sourire.

Il ne dit rien, se contentant de se déplacer légèrement pour s'appuyer contre le mur.

— Je suis ici pour nettoyer un peu la maison, déclara Laurel en faisant un geste vers le seau rempli de produits.

— Je vois cela.

Il parcourut la pièce vide des yeux.

— Cela fait un bon moment que personne n'est venu. Des lustres depuis que moi, j'y suis entré.

Ils restèrent debout pendant de longues secondes sous une chape de silence gêné, de l'avis de Laurel, mais qui ne paraissait pas ennuyer Tamani le moins du monde.

Enfin, Laurel avança et l'étreignit. Les bras de Tamani s'enroulèrent autour du dos de la jeune fille, découvrant instantanément la bosse de sa fleur attachée, et il recula d'un bond comme s'il était choqué.

— Désolé, lâcha-t-il précipitamment en croisant les bras sur son torse. Je l'ignorais.

— Ça va, dit Laurel, ses mains volant vivement au nœud à sa taille. Je voulais le défaire aussitôt que les fenêtres seraient ouvertes.

Ses pétales se levèrent brusquement dès qu'ils furent libérés et Laurel ne se donna pas la peine de dissimuler son soupir de soulagement.

— C'est l'un des plus beaux côtés d'être ici, déclara-t-elle d'un ton léger.

Tamani esquissa un sourire, mais ses yeux étaient fixés sur les pétales bleu et blanc.

— Que diable s'est-il passé? demanda-t-il, s'avançant derrière elle.

— Euh... c'est l'autre raison de ma présence ici, admit Laurel. Le nettoyage m'a servi de prétexte auprès de mes parents afin qu'ils me permettent de venir.

Mais Tamani l'écoutait à peine. Il fixait son dos d'un regard atterré, ses mains formant des poings.

— Comment? murmura-t-il.

— Des trolls, répondit-elle à voix basse.

Il releva brusquement la tête.

— Des trolls? Où? Chez toi?

Laurel secoua la tête.

— J'ai été stupide, déclara-t-elle, essayant de minimiser la gravité des événements. J'ai assisté à cette fête, hier soir. Ils nous ont trouvés et ont forcé notre voiture à quitter la route. Je vais bien, par contre.

— Où étaient tes sentinelles? s'enquit Tamani. Elles ne sont pas postées là uniquement pour garder ta demeure, tu sais.

— Je pense qu'elles étaient peut-être occupées... à d'autres problèmes, répondit Laurel. Quand nous sommes rentrés à la maison, maman a dit que des chiens se battaient dans notre cour arrière.

— Tu aurais pu être tuée! s'exclama Tamani.

Il jeta un autre coup d'œil à son dos.

— On dirait que cela a presque été le cas.

— Une… femme nous a trouvés, juste à temps. Elle a fait fuir les trolls.

— Une femme? Qui?

Laurel remit la carte de Klea à Tamani.

— Klea Wilson. Qui est-elle?

Laurel relata l'histoire de la nuit précédente, avec plusieurs interruptions de Tamani exigeant une clarification ici, des détails supplémentaires là. Son récit terminé, elle eut l'impression d'avoir revécu toute la pénible épreuve.

— Et ensuite, elle nous a obligés à prendre les pistolets et nous sommes partis, conclut-elle. C'était tellement étrange. J'ignore complètement qui elle est.

— Qui…

Tamana s'interrompit, puis fit quelques pas.

— C'est impossible…

Quelques pas de plus. Enfin, il demeura immobile, les bras croisés sur sa poitrine.

— Je dois en parler à Shar. C'est… problématique.

— Que suis-je censée faire? demanda Laurel.

— Arrêter de sortir le soir? suggéra Tamani.

Laurel roula les yeux.

— À part cela. Devrais-je lui faire confiance? Si j'ai des ennuis et que les sentinelles ne sont pas là…

— Elles devraient *toujours* être là, déclara Tamani d'un ton sinistre.

— Mais si ce n'est pas le cas, si je revois cette femme… est-ce que je lui fais confiance?

— Elle est humaine, n'est-ce pas ?

Laurel hocha la tête.

— Alors non, nous ne lui faisons pas confiance.

Laurel le regarda, bouche bée.

— Parce qu'elle est humaine ? Qu'est-ce que c'est censé vouloir dire sur David ? Ou mes parents ?

— Donc, tu veux lui faire confiance ?

— Non. Je ne veux pas. Peut-être. Je l'ignore. Dis-moi de ne pas lui faire confiance parce qu'elle traque les non-humains ou parce qu'elle a des armes à feu. Mais tu ne peux pas décider qu'elle n'est pas digne de confiance parce qu'elle est humaine. C'est injuste.

Tamani leva ses mains en signe de frustration.

— C'est tout ce que j'ai, Laurel. Je n'ai rien d'autre sur quoi la juger.

— Elle m'a tout de même sauvé la vie.

— Bien, je vais lui retirer un de ses mauvais points.

Il marcha vers elle, puis s'appuya contre le mur adjacent.

Laurel soupira.

— Pourquoi cela se produit-il maintenant ? demanda-t-elle, la frustration s'infiltrant dans sa voix. Enfin ; presque un an s'est écoulé depuis Barnes, et rien. Et puis en une seule nuit, boum ! Des trolls, Klea, d'autres trolls chez moi. Tout cela en même temps. Pourquoi ? s'enquit Laurel, tournant la tête vers Tamani.

— Bien, répondit Tamani avec hésitation, ce n'est pas tout à fait exact qu'il n'y a rien eu pendant un an.

Il paraissait contrit.

— Nous ne pensions pas que tu devais être informée de chaque troll qui passait par Crescent City et jetait un œil de ton côté.

— Il y en a eu d'autres ? demanda Laurel.

— Quelques-uns. Mais tu as raison : il s'agit de l'attaque la mieux organisée et la plus soigneusement ciblée dont j'ai entendu parler.

— Je n'arrive pas à croire qu'il y en a eu d'autres, déclara Laurel avec incrédulité. Je n'ai vraiment aucun contrôle sur ma vie.

— Oh, allons. Ce n'est pas comme cela. La plupart ne se sont pas rendus à moins d'un kilomètre de ta maison. Les sentinelles s'en sont occupées. Il n'y a pas de quoi s'en faire.

Laurel se moqua.

— « Pas de quoi s'en faire. » Facile à dire pour toi.

— Nous maîtrisions la situation, insista Tamani.

— Et la nuit dernière ? La nuit dernière était-elle sous votre contrôle ?

— Non, admit Tamani. Elle ne l'était pas. Mais rien de similaire n'est arrivé auparavant.

— Alors : pourquoi maintenant ?

Tamani sourit avec lassitude.

— C'est une bonne question. Si je le savais, je répondrais peut-être à certaines de mes propres questions aussi. Par exemple : pourquoi les trolls ont-ils cessé de venir fouiner autour d'ici dernièrement ; comment Jeremiah Barnes a-t-il découvert que le portail était situé sur cette terre ; et qui donne réellement les ordres à qui dans ce fiasco ? Voilà l'une des nombreuses choses que nous tentons encore de comprendre.

Laurel garda le silence un moment.

— Alors, que faisons-nous ? s'enquit-elle.

— Je ne sais pas, répondit-il. Prends des précautions, je suppose. Agis avec prudence et tente d'éviter de te retrouver dans une situation où cette Klea pourrait surgir encore une fois.

— Oh, fais-moi confiance, c'est ce que je ferai.

— Pour l'instant, par contre, je crois que c'est la seule chose que tu peux faire. Je vais parler à Shar. Nous verrons si nous pensons à autre chose. D'accord ?

— OK.

— Merci d'être venue m'en informer, reprit-il. Je t'en suis vraiment reconnaissant. Et pas uniquement parce que cela me donne l'occasion de te voir. Quoique c'est un avantage agréable. Oh, ajouta-t-il en tendant la main dans son sac. J'ai un truc pour toi. Jamison me l'a confié.

Il lui remit un gros sac de toile. Laurel le prit et regarda dedans une seconde avant d'éclater de rire.

— Qu'est-ce que c'est ? demanda Tamani, perplexe.

— De la canne à sucre en poudre. Je fabrique des fioles avec et mon stock tire à sa fin.

Elle secoua la tête.

— À présent, je pourrai en briser une centaine de plus, déclara-t-elle avec regret.

— Les choses ne vont toujours pas ? s'enquit Tamani, essayant de dissimuler son inquiétude.

— Non, admit Laurel d'un ton léger, mais cela viendra. Particulièrement maintenant que j'ai sous la main une tonne de plus de ceci, ajouta-t-elle avec un grand sourire.

Tamani sourit avant que ses yeux glissent de côté, se centrant sur quelque chose juste au-dessus de l'épaule de Laurel.

— Quoi? demanda-t-elle, s'étirant le cou pour jeter un œil embarrassé sur ses pétales.

— Désolé, dit-il, offrant de nouveau ses excuses. Elle est si belle et je l'ai à peine vue l'an dernier.

Laurel rit et tournoya, montrant sa fleur. Quand elle se retourna, Tamani examinait consciencieusement le seau de produits nettoyants de Laurel. Celle-ci repensa à la conversation qu'elle avait eue avec David sur le fait qu'il trouvait sa fleur très désirable. Si elle était désirable pour David...

Fini les tourniquets.

— Donc, qu'est-ce que tout cela? demanda Tamani pour cacher ce moment d'embarras.

— Simplement des trucs pour nettoyer. Du nettoyant à vitre, à plancher et tout usage.

Elle sortit une paire de gants de caoutchouc.

— Et ceci, afin qu'aucun ne m'éclabousse.

— Alors... puis-je t'aider?

— J'ai emporté seulement une paire de gants, mais...

Elle prit plumeau.

— Tu peux épousseter.

— Que dirais-tu si je nettoyais et tu époussetais ?

— Ce n'est que de l'époussetage, dit Laurel en riant. Tu n'as pas besoin de porter un tablier à volants ni rien.

Tamani haussa les épaules.

— Bien. C'est juste bizarre.

— Pourquoi est-ce bizarre ? demanda Laurel en remplissant son seau d'eau chaude savonneuse avant de mettre ses gants.

— C'est du travail de Voûte. C'est étrange de te voir l'accomplir. C'est tout.

Laurel rit en essuyant les plans de travail poussiéreux avec son éponge.

— Je pensais que tu étais mal à l'aise parce qu'il s'agissait d'un « boulot de femme ».

— Les humains, marmotta Tamani d'un ton moqueur en secouant la tête.

Puis, joyeusement :

— J'ai récuré plus d'une pièce dans mon temps.

Ils travaillèrent en silence un moment, Tamani nettoyant les toiles d'araignée dans plusieurs coins, Laurel frottant les surfaces de travail et les armoires de la cuisine.

— Tu devrais vraiment me laisser t'apporter des produits nettoyants d'Avalon si tu as l'intention de faire cela très souvent, déclara Tamani. Ma mère connaît une M… euh, une fée d'automne qui fabrique les meilleurs trucs. Tu n'aurais pas besoin de gants.

— Tu allais dire *Mélangeuse*, le taquina Laurel.

— Je suis un soldat, rétorqua Tamani, d'une voix exagérément formelle. Je suis entouré de sentinelles grossières de l'aube jusqu'à l'aurore. Mes excuses pour mon comportement vulgaire.

Laurel le regarda l'observer avec un sourire espiègle, presque railleur. Elle tira la langue, ce qui le fit rire.

— Alors, si ce n'est pas un tracas, des produits de nettoyage de fée seraient bien, dit-elle. Comment se porte ta mère?

— Bien. Elle aimerait te revoir.

— Et Rowen? s'enquit Laurel, évitant la question sous-entendue dans sa déclaration.

Tamani sourit largement à présent.

— Elle s'est produite pour la première fois en spectacle au festival de l'équinoxe; elle était adorable. Elle tenait la traîne de la fée incarnant Guenièvre dans la recréation de *Camelot*.

— Je parie qu'elle était belle.

— Oui. Tu devrais venir assister à un festival un de ces jours.

Les nombreuses possibilités défilèrent dans l'esprit de Laurel.

— Peut-être un jour, répondit-elle avec un sourire. Quand les choses ne seront pas aussi... tu sais.

— Il n'y a aucun endroit plus sécuritaire pour toi qu'Avalon, déclara Tamani.

— Je sais, répliqua Laurel en jetant un rapide coup d'œil par la fenêtre.

— Que cherches-tu ? s'enquit Tamani.

— Les autres sentinelles.

— Pourquoi ?

— Ne te lasses-tu jamais de savoir qu'il y a toujours quelqu'un qui t'écoute ?

— Nan. Ils sont polis. Ils nous laisseront un peu d'intimité.

Laurel s'étrangla de rire, sceptique.

— Admets-le, si c'était Shar et une fille étrange, *toi*, tu les espionnerais.

Le visage de Tamani se figea une seconde avant que ses yeux filent aussi à la fenêtre.

— Bien, reconnut-il. Tu gagnes.

— C'est une des raisons pour lesquelles je ne sais pas si je pourrais revivre dans cette maisonnette. N'être jamais vraiment seule.

— Il y a d'autres avantages, déclara Tamani d'un ton pas si moqueur.

— Oh, j'en suis certaine, rétorqua Laurel, ne mordant pas à l'hameçon. Mais l'intimité n'en fait pas partie.

Ils nettoyèrent encore un peu sans parler. Au début, Laurel souhaita avoir pensé à apporter une radio ou autre chose. Cependant, Tamani ne semblait pas gêné par le silence, et sous peu, Laurel réalisa que ce n'était pas vraiment silencieux du tout. La brise soufflant entre les arbres et glissant par les fenêtres constituait une bande sonore à elle seule.

— Est-ce difficile ? demanda tout à coup Tamani.

— Quoi ? dit Laurel, levant les yeux de la fenêtre qu'elle polissait.

— Vivre une vie d'humain ? À présent que tu sais ce que tu es ?

Laurel resta longtemps immobile avant d'acquiescer d'un signe de tête.

— Parfois. Et toi ? N'est-ce pas difficile de vivre dans la forêt si près d'Avalon, mais du mauvais côté du portail ?

— Quand j'ai commencé, mais à présent j'y suis habitué. Et je suis vraiment près. J'y retourne souvent. De plus, j'ai des amis — des amis fées — avec moi tout le temps.

Il marqua une pause de quelques secondes.

— Es-tu heureuse ? murmura-t-il.

— Maintenant ? répondit-elle, la voix également basse alors que ses mains serraient les serviettes en papier.

Souriant tristement, Tamani secoua la tête.

— Je sais que tu es heureuse maintenant. Je le vois dans tes yeux. Mais es-tu heureuse lorsque nous... lorsque tu n'es pas ici ?

— Évidemment, répondit-elle rapidement. Je suis très heureuse.

Elle se tourna et frotta les fenêtres avec vigueur.

L'expression de Tamani ne changea pas.

— J'ai toutes les raisons d'être heureuse, poursuivit Laurel, forçant sa voix à demeurer calme. J'ai une vie merveilleuse.

— Je n'ai jamais dit le contraire.

— Tu n'es pas la seule personne qui m'apporte du bonheur.

Il eut un très léger hochement de tête et fit une grimace.

— Je suis très conscient de cela.

— Le monde des humains n'est pas aussi monotone et triste que tu aimes à le croire. Il est amusant et excitant et — elle chercha un autre mot — et...

— Je suis content, l'interrompit Tamani.

Il était près de son épaule à présent.

— Je ne posais pas la question pour prouver quelque chose, dit-il avec sérieux. Je voulais vraiment savoir. Et j'espérais que tu l'étais. Je... je m'inquiète pour toi. Inutilement, j'en suis certain, mais je le fais quand même.

L'embarras envahit Laurel et elle tenta de détendre sa colonne vertébrale raidie.

— Désolée.

— Bien, tu le devrais.

Tamani sourit largement.

Laurel secoua la tête en riant.

Du coin de l'œil, elle le vit lever la main vers elle, puis la laisser retomber et essayer d'enfoncer subtilement ses mains dans ses poches.

— Quoi ? lança-t-elle.

— Rien, répondit-il, pivotant et repartant vers le côté opposé de la pièce.

— La « poussière de fée » ? demanda Laurel, se souvenant de l'an dernier et d'un autre moment un peu plus tôt cet été à Avalon.

Tamani hocha la tête.

— Laisse-moi voir.

Elle avait réagi trop tard à Avalon, mais elle tenait maintenant l'occasion parfaite.

— Tu t'es mise en colère contre moi l'an passé.

— Oh, je t'en prie. Ne me rends pas responsable de toutes les stupidités que j'ai faites l'an dernier.

Elle attrapa son poignet et tira sa main vers elle.

Il ne résista pas.

Sa main était légèrement saupoudrée d'une fine poudre étincelante. Elle tint son bras en angle de sorte que le pollen attire le soleil et miroite.

— C'est tellement joli.

C'est seulement à ce moment que la main de Tamani se détendit. Un sourire badin traversa son visage et il leva la main et frotta un doigt sur sa joue, y laissant une légère traînée argentée.

— Hé !

Ses mains agiles s'élevèrent brusquement et il traça une ligne sur son autre joue.

— À présent, tu es pareille des deux côtés.

Il tendit de nouveau sa main — visant son nez —, mais elle était prête cette fois. Elle referma ses doigts sur son poignet, le bloquant. Tamani baissa les yeux sur sa main, à un bon cinq centimètres du visage de Laurel.

— Je suis impressionné.

Il leva son autre main tellement vite, Laurel ne la vit même pas avant qu'elle touche son nez. Elle tapait sa main alors qu'il riait en continuant d'essayer de dessiner des rayures et qu'elle tentait, habituellement sans succès, de l'en empêcher. Il réussit enfin à lui attraper les deux mains et il les maintint sur les flancs de la jeune fée, puis l'attira contre son torse. Le sourire de Laurel s'évanouit quand elle le regarda, leurs visages à quelques centimètres l'un de l'autre.

— Je gagne, chuchota-t-il.

Leurs regards restèrent rivés et Tamani s'avança lentement. Mais avant que son visage ne puisse rejoindre le sien, Laurel baissa la tête, brisant le lien.

— Désolée, murmura-t-elle.

Tamani se contenta de hocher la tête et de la libérer.

— Voulais-tu aussi essayer de nettoyer le haut aujourd'hui ? s'enquit-il.

Laurel examina le rez-de-chaussée à moitié propre.

— Peut-être ?

— Je vais rester et t'aider, si tu veux, offrit-il.

— J'aimerais que tu restes, dit Laurel, ses mots répondant à autre chose qu'à la simple question. Mais seulement si tu le souhaites.

— Oui, dit-il, le regard fixe. Du reste, ajouta-t-il avec un grand sourire, tu n'as pas apporté d'échelle. Comment te rendras-tu jusqu'au plafond sans mon aide ? Tu es pratiquement un jeune plant.

Ils travaillèrent pendant les trois heures suivantes, jusqu'à ce qu'ils soient gagnés par la fatigue et poussiéreux, mais la maison était à peu près propre. À tout le moins, le travail serait plus facile la prochaine fois que Laurel s'y attaquerait.

Tamani insista pour transporter le seau quand il la raccompagna à sa voiture.

— Je te demanderais de rester, mais je me sentirais vraiment plus à l'aise si tu rentrais chez toi avant le coucher du soleil, dit-il. Particulièrement après la nuit dernière. C'est juste mieux ainsi.

Laurel hocha la tête.

— Et sois prudente, reprit-il sévèrement. Nous te protégeons autant que possible, mais nous ne sommes pas des faiseurs de miracles.

— Je serai prudente, promit Laurel. *J'ai* été prudente.

Elle resta là quelques instants et cette fois ce fut Tam qui s'avança en premier, ses bras s'enroulant autour d'elle, la tenant serrée contre lui, son visage dans son cou.

— Reviens bientôt, murmura-t-il. Tu me manques.

— Je sais, admit-elle. Je vais essayer.

Elle se glissa derrière le volant et ajusta son rétroviseur afin de voir Tamani debout, les mains dans les poches, l'observant. Un léger mouvement attira son œil et elle examina un gros arbre au bout de son jardin. Elle mit un moment à distinguer la grande fée mince debout, à moitié cachée par le tronc. Shar. Il ne dit rien pour faire connaître sa présence : il se contenta d'un regard furibond.

Laurel frissonna. Son regard n'était pas dirigé vers Tamani, mais vers *elle*.

DIX-NEUF

LAUREL TIRA SUR LES DOUBLES PORTES LOURDES DEVANT L'ÉCOLE le lundi matin, impatiente de voir David. Entre son voyage à la terre et la visite de dernière minute que David avait dû rendre à ses grands-parents, ils ne s'étaient pas vus de tout le week-end.

Son sourire disparut quand elle arriva à son casier et le trouva désert. Elle et David venaient ensemble en voiture la moitié du temps, mais sinon ils se rencontraient toujours avant les cours. Et après les cours.

Et entre les cours.

Mais aujourd'hui, il n'était nulle part. Elle aurait supposé qu'il était en retard, mais il ne lui avait pas téléphoné pour l'avertir, comme il l'avait déjà fait auparavant. Laurel tenta de chasser son inquiétude en raisonnant. Ce n'était pas exactement un événement normal pour David de manquer la première cloche, mais tout de même, cela se produisait parfois. Elle récupéra lentement son manuel d'espagnol, essayant d'avoir l'air occupée plutôt que d'une fille qui n'avait rien de mieux à faire que traîner à son casier, à attendre son petit ami.

Elle tergiversa jusqu'à trente secondes avant la dernière sonnerie, puis sprinta pour arriver au cours d'espagnol à l'heure.

Elle se précipita hors de la classe dès que le professeur les libéra, seulement pour constater que l'espace devant son casier était vide encore une fois. La peur résonnait en elle alors qu'elle se hâtait vers le bureau de la réception, souhaitant pour la énième fois posséder un téléphone cellulaire. Ses parents avaient certainement les moyens de lui en offrir un, mais sa mère restait inébranlable sur le fait que Laurel n'en avait pas besoin avant l'université.

Les parents.

— Puis-je utiliser le téléphone pour un appel très rapide ? demanda-t-elle à la secrétaire.

Cette dernière posa bruyamment un appareil sans fil sur le comptoir devant elle. Laurel composa le numéro du cellulaire de David et sa tension s'éleva quand il sonna une fois, deux fois. À la quatrième sonnerie, sa boîte vocale prit le relais. Elle lança un bip pour qu'on laisse un message, mais qu'était-elle censée dire ? *Je m'inquiète. Je t'en prie, viens à l'école ?*

Elle raccrocha sans rien dire. Elle songea à sécher les cours et parcourir la ville en voiture pour le chercher, mais à part la futilité d'une telle action, elle avait un cours de chimie. S'il finissait par arriver vraiment très en retard, au moins elle serait en classe et le saurait immédiatement.

Le cours de chimie n'avait jamais été aussi long. Pendant que son professeur discourait sans cesse sur les ions polyatomiques, l'esprit de Laurel passait en revue des scénarios de plus en plus graves. David tué par des trolls. David kidnappé et torturé par des trolls. David kidnappé par des trolls et utilisé pour la piéger afin de la torturer, *elle*. À la fin du cours, ils semblaient tous non seulement crédibles, mais probables.

Laurel courut vers le couloir des sciences sociales, où Chelsea sortait justement de sa classe d'histoire.

— As-tu vu David ? lui demanda-t-elle.

Chelsea secoua la tête.

— Je suppose toujours qu'il est avec toi.

— Je ne le trouve pas, déclara Laurel en essayant de maîtriser les tremblements de sa voix.

— Il est peut-être malade, suggéra Chelsea — Laurel dut admettre — rationnellement.

— Ouais ; mais il ne répond pas à son cellulaire. Il répond toujours à son cellulaire.

— Il dort peut-être.

— Possible, acquiesça Laurel.

Elle retourna à son casier et en sortit son manuel de littérature américaine. Elle regarda la jaquette et tout à coup, l'idée de lire quelque chose qu'une personne avait écrit cent ans auparavant semblait la chose la plus inutile du monde. Elle le rangea et attrapa plutôt son sac à main. Elle devait absolument voir s'il était chez lui. Ce serait vite fait : on ne se relèverait probablement pas son absence si elle se dépêchait. Elle tendait la main pour fermer la porte de son casier quand Chelsea lui tapa sur l'épaule, la faisant sursauter.

— Le voilà, annonça-t-elle en pointant l'extrémité du corridor.

David marchait vers elle, un sourire sur le visage et des lunettes de soleil dissimulant ses yeux. Laurel courut avant de pouvoir s'en empêcher. Elle se cogna contre David et enroula ses bras autour de lui, le serrant aussi fort qu'elle pouvait.

— Bien, salut, dit David, baissant un regard interrogateur vers elle.

Après une heure passée à imaginer sa mort, le ton nonchalant de David la fit bouillir de colère. Elle attrapa le devant de son chandail à deux mains et le secoua un peu.

— Tu m'as fait mourir d'inquiétude, David Adam Lawson ! Où diable étais-tu ?

David jeta un coup d'œil au fond du corridor, vers les portes d'entrée.

— Partons d'ici, déclara-t-il sans répondre à sa question.

— Qu'est-ce que tu veux dire ?

— Allons quelque part nous amuser.

Elle regarda autour d'elle avant de demander doucement :

— Sécher les cours ?

— Oh, allons. Tu as littérature dans l'heure qui vient. Tu obtiens, genre, quelle note ? Un A++ ? Allons-y !

Elle leva le regard vers lui, un sourcil arqué pour marquer son scepticisme.

— Tu veux partir et sécher les cours pour « aller t'amuser » ? Qui es-tu et qu'as-tu fait avec mon petit ami ?

David se contenta de sourire.

— Allez, dit-il sérieusement. Juste pour cette fois.

— D'accord, accepta-t-elle.

Elle était tellement soulagée de le voir, l'endroit où il désirait aller n'était pas vraiment important. Elle était partante.

— Faisons-le !

— Formidable, déclara David en s'emparant de sa main.

Sa démarche était presque sautillante, comme jamais Laurel l'avait vue avant.

— Suis-moi !

Elle devait admettre que son enthousiasme était contagieux. Elle se retrouva à rire avec lui pendant qu'ils filaient à toute allure vers la voiture de David.

— Où allons-nous ? demanda-t-elle en bouclant sa ceinture.

— C'est une surprise, répondit David, une lueur d'espièglerie dans le regard.

Il sortit une longue bande de tissue.

— Ferme les yeux, dit-il doucement.

— Tu plaisantes, n'est-ce pas ? s'enquit Laurel avec incrédulité.

— Allons, voyons, reprit David. Tu me fais confiance, non ?

Laurel le regarda, son visage reflété dans les verres réfléchissants de ses lunettes de soleil.

— C'est quoi, le truc avec les lunettes ? demanda Laurel. Je ne vois pas tes yeux avec elles.

— C'est l'idée, non ?

— Quoi ; empêcher ta petite amie de voir tes yeux ?

— Pas toi en particulier.

Il sourit largement.

— En tout cas, je pense qu'elles sont assez chics.

— Je pense que tu serais très chic si je pouvais voir tes yeux, David.

Sans hésitation, il retira ses lunettes de soleil et la regarda, ses doux yeux bleus francs et sérieux. Toutes les inquiétudes de Laurel se dissipèrent et elle pivota pour le laisser lui mettre le bandeau sur les yeux.

— Je te fais confiance, déclara-t-elle.

Une fois le tissu en place, Laurel se rassit sur le siège du passager et essaya d'être attentive à chaque virage qu'effectuait David, décidée à suivre le fil de leur trajet. Cependant, il lui apparut évident après cinq minutes qu'il tournait en rond, alors elle abandonna. Sous peu, la voiture heurta le bord d'un trottoir et stoppa. Après quelques secondes, sa portière s'ouvrit et David l'aida à sortir avec précaution, une main sur sa taille et l'autre sur son épaule pour assurer son équilibre.

— David, commença-t-elle avec hésitation, je déteste jouer les trouble-fête, mais j'espère que nous nous trouvons dans un lieu sécuritaire. Après l'autre soir... bien... tu sais.

— Ne t'inquiète pas, dit David, la bouche près de son oreille. Je t'ai amenée dans l'endroit le plus sûr du monde.

David retira le bandeau sur ses yeux et, pendant un moment, la lumière du soleil l'aveugla alors qu'elle s'infiltrait à travers les feuilles, couvrant tout d'un éclat éthéré. Ils étaient debout dans une petite clairière entourée par les toutes dernières fleurs d'automne — des marguerites orange Gloriosa, des touches de barbeau à fleurs mauves et un peu de sauge bleue russe. Au milieu, sur un bout d'herbes vertes épaisses, il y avait une couverture et deux coussins avec plusieurs bols de fruits tranchés. Des fraises, des nectarines, des pommes et une bouteille de cidre pétillant dont les perles d'eau condensée étincelaient dans la douce lumière du soleil. Laurel sourit et pivota afin de confirmer ses soupçons : tout juste après la lisière du bois, elle voyait sa propre cour arrière. L'endroit le plus sûr au monde, en effet.

— David! C'est splendide! s'exclama Laurel, le souffle coupé, avant de s'étirer sur le bout des orteils pour l'embrasser, heureuse qu'ils soient hors de vue de la maison, au cas où ses parents reviendraient pour le déjeuner — ce qui n'était pas dans leurs habitudes. Quand as-tu fait cela?

— Il y avait une raison pour laquelle tu ne me trouvais pas ce matin, dit-il d'un air penaud.

— David Lawson! souffla Laurel avec une fausse sévérité. Où s'en va le monde quand l'étudiant vedette de Del Norte sèche ses cours?

Il haussa les épaules, puis sourit largement.

— Certaines choses sont plus importantes que la moyenne générale de mes résultats scolaires.

Après une brève hésitation, Laurel demanda :

— Est-ce que j'ai... oublié une occasion spéciale?

David secoua la tête.

— Nan. J'ai seulement pensé que nous avons subi un tel stress dernièrement que nous n'avons pas vraiment eu de temps de qualité ensemble.

Laurel tendit les bras, les enroula autour du cou de David et l'embrassa.

— Je crois que ceci compensera assurément ce manque.

— C'est l'idée, répliquà-t-il. Assieds-toi.

Elle s'installa en tailleur sur la couverture et il se laissa tomber sur le sol derrière elle.

— Une dernière chose, dit-il, ses mains glissant sur de la taille de la jeune fille, juste sous son chandail.

Laurel sourit pendant qu'il s'activait à défaire le nœud de sa large ceinture, mais il finit par y arriver et elle repoussa son haut afin que sa fleur puisse s'évaser dans son dos.

— Beaucoup mieux, déclara David.

Il leur versa à tous deux un verre de cidre et ils s'appuyèrent sur l'un des coussins, Laurel blottie contre le torse de David.

— C'est génial, dit paresseusement Laurel.

David leva une tranche de nectarine ; elle rit quand il évita ses mains et tendit le fruit devant son visage. Elle pencha la tête en arrière et ouvrit la bouche. Elle s'inclina en avant à la dernière minute, ses dents mordant légèrement les doigts de David. Puis, elle libéra sa main et pressa sa bouche contre ses lèvres à la place. Les doigts du garçon tracèrent un chemin sur la peau nue de Laurel, maintenant visible entre le haut de son jean et le bord de son chandail, la caressant délicatement, précautionneusement, avec hésitation. Même après un an, il la touchait toujours de cette façon, comme s'il s'agissait d'un privilège qu'il n'était pas entièrement convaincu d'avoir mérité.

Il goûtait les pommes et les nectarines et l'odeur de l'herbe s'était infiltrée dans ses vêtements. Laurel remarquait souvent les différences biologiques entre eux deux, mais aujourd'hui, ils semblaient pareils. Avec le parfum et le goût de la nature tout autour de lui, David aurait presque pu être une fée.

— Comment se porte ta fleur ? s'enquit-il en la caressant très délicatement.

— Bien maintenant, répondit Laurel. Les deux premiers jours, elle était encore douloureuse, mais je pense qu'elle s'en sortira.

Elle s'étira le cou, essayant de voir le côté endommagé.

— Je déteste la façon dont elle guérit, par contre. Les bouts sont secs et bruns. Ce n'est vraiment pas très joli.

— Mais il s'agissait de dommages très sérieux, déclara David.

Il lui embrassa le front.

— Elle repoussera l'an prochain et elle sera aussi belle que toujours.

— Ouf, l'an prochain! reprit Laurel. Je peux à peine me l'imaginer. Parfois, j'ai l'impression que cette année-ci ne s'achèvera jamais.

— Et l'an dernier; ne semble-t-il pas passé depuis une éternité? Il y a eu tant d'événements.

David rit.

— Aurais-tu pu imaginer il y a un an que nous serions allongés ici aujourd'hui?

Laurel se contenta de sourire et de secouer la tête.

— Je pensais être à l'article de la mort l'an dernier.

— Que crois-tu que nous ferons l'an prochain?

— La même chose, j'espère, répondit Laurel en se blottissant contre lui.

— Bien, à part cela.

Il se coucha sur le dos, entrelaçant ses doigts pour soutenir sa tête. Laurel roula sur le côté, son ventre pressé contre les côtes de David.

— Je veux dire, nous serons en dernière année. Nous choisirons des universités et des trucs du genre.

Le cœur de Laurel se serra et elle détourna son regard de lui. Depuis que Chelsea avait parlé des tests SAT, elle avait eu un peu de difficulté à songer à son éducation et à son avenir.

— Je ne crois pas que l'université fasse partie de mon futur.

— Quoi? Pourquoi pas?

— J'imagine qu'ils voudront que je retourne à l'Académie à temps plein, répondit-elle, un peu découragée.

David se releva sur un coude et appuya sa tête sur sa main afin de pouvoir la regarder.

— Je me suis toujours dit que tu étudierais à l'Académie à temps partiel — peut-être à temps plein un jour —, mais cela ne signifie pas que tu ne peux pas fréquenter l'université.

— Quel serait le but?

Laurel haussa les épaules.

— Ce n'est pas comme si je devais un jour mener une carrière. Je suis une fée.

— Et alors?

— Ils voudront que je fasse… des trucs de fée.

Elle esquissa des gestes vagues avec ses mains.

David pinça les lèvres.

— Qu'est-ce que ça fait, ce *qu'ils* veulent? Que désires-*tu*?

— Je… ne sais pas vraiment, j'imagine. Que pourrais-je faire d'autre?

— Tu es beaucoup plus qu'une simple fée, Laurel. Tu as l'occasion de vivre quelque chose que la plupart des fées n'auront jamais. Une vie d'humaine. La possibilité de faire un choix.

— Mais ils ne considéreront jamais cela comme important. La seule chose qui importe à tous à Avalon est que j'apprenne à être une fée d'automne — et que j'hérite de la terre.

— Ce *qu'ils* croient important ne compte pas. C'est toi qui décides ce qui est important. C'est la même chose pour tout dans la vie. La valeur que tu accordes à une chose est sa valeur réelle.

Il marqua une pause.

— Ne les laisse pas te convaincre que les humains n'ont pas d'importance, dit-il sa voix à peine plus qu'un murmure. Si tu penses que nous sommes importants, alors nous le sommes.

— Mais qu'est-ce que je ferais?

— Que désirais-tu faire avant de découvrir que tu es une fée?

Laurel haussa les épaules.

— Je n'avais pas arrêté mon choix. J'ai songé à devenir professeur d'anglais ou d'université.

Elle sourit largement.

— J'ai pensé pendant un certain temps à embrasser la carrière d'infirmière. Je ne crois pas avoir dit cela à qui que ce soit.

— Pourquoi?

Elle roula les yeux.

— Ma mère mourrait, purement et simplement, si je finissais par travailler dans un hôpital.

Elle leva les yeux vers David.

— J'ai toujours un peu voulu occuper un poste où je pourrais aider les gens, tu vois ?

— Et que penses-tu d'être médecin ?

Elle secoua la tête.

— C'est ça, le truc : je ne crois pas être véritablement intéressée par la médecine... ni par l'enseignement, d'ailleurs. Cependant, les professeurs et les infirmières soutiennent les gens, alors j'avais cru pouvoir pratiquer ces métiers. Mais je ne sais pas vraiment.

— Bien, quoi que tu décides, tu devrais t'y tenir. Toutefois, ce devrait être ce que *tu* veux.

— Parfois... parfois, je pense que je ne tiens plus les rênes de mon existence. Enfin, est-ce que j'ai le choix de ne pas fréquenter l'Académie ? C'est le rôle qui m'a toujours été destiné.

— Que feront-ils ? Te traîner à ton corps défendant jusqu'à Avalon ? J'en doute un peu.

Laurel hocha lentement la tête. Il avait raison. Elle pouvait possiblement rester.

Mais vais-je désirer rester ?

Pour l'instant, tout ce qu'elle voulait, c'était de profiter de la présence de David. Il paraissait sur le point d'ajouter autre chose, mais elle l'interrompit d'un baiser, enroulant ses bras autour de son cou.

— Merci pour ceci, murmura-t-elle contre sa bouche. C'est exactement ce dont j'avais besoin. Tu sembles toujours connaître précisément mes besoins.

— Tout le plaisir est pour moi, rétorqua David avec un sourire aimant.

L'air autour d'eux était rempli de l'odeur du pin, des fruits et de la terre humide, ainsi que du parfum suave de la fleur de Laurel. Tout était parfait alors qu'il l'embrassait de nouveau, ses lèvres si douces et si délicates. À présent, ses mains étaient dans les cheveux de Laurel, celle-ci levait un genou pour le poser sur sa cuisse, leurs corps ajustés comme les pièces parfaitement assorties d'un puzzle. Elle voulait que ce moment dure toujours.

David éloigna son visage et l'examina, la fixant jusqu'à ce Laurel glousse timidement.

— Quoi?

La bouche de David, habituellement si vite à sourire, demeura sérieuse.

— Tu es tellement belle, chuchota-t-il. Et pas seulement en raison de ton apparence. Tout en toi est beau. Parfois, j'ai peur que tout ceci soit le plus formidable des rêves et qu'un jour, je me réveille.

Il rit légèrement.

— Et tout à fait franchement, le fait que tu sois une fée ne m'aide pas.

Ils rirent, le son remplissant la clairière.

— Bien, dit-elle avec une fausse timidité, j'imagine que je vais devoir te prouver à quel point je suis réelle.

Elle se pressa plus près de son torse et leva la tête pour l'embrasser.

VINGT

LAUREL SE VAUTRA SUR SON LIT EN SOURIANT. LA JOURNÉE AVAIT été tellement formidable — en plus de lui offrir un repos dont elle avait grandement besoin. Avec un soupir de contentement, elle écarta largement les bras, et quelque chose de pointu lui frappa le coude. Elle jeta un coup d'œil à un parchemin carré orné d'un ruban à l'allure familière. Elle fut parcourue d'un frisson de nervosité et elle espéra qu'il ne s'agissait pas d'une convocation hâtive la priant de revenir à Avalon pendant la pause d'hiver d'un mois en décembre. Même si elle avait aimé son été à Avalon, elle ne désirait pas pour autant passer le reste de son temps au lycée à être rappelée à l'Académie chaque fois qu'elle était en congé scolaire. Elle avait une vie !

Avec hésitation, elle tira sur les bouts du ruban et ouvrit le carré de papier plié. Un sentiment d'excitation remplaça son appréhension.

Vous êtes cordialement invitée à assister au festival de Samhain afin de marquer le Nouvel An. Si vous choisissez d'accepter l'invitation, veuillez vous présenter au portail le matin du 1ᵉʳ novembre. Tenue de cérémonie obligatoire.

Puis, dans le coin droit du carton, il y avait cette note gribouillée d'une écriture enfantine :

Je t'accompagnerai. Tam.

Rien d'autre.

Elle toucha la signature au bas. Elle disait tant de choses et pourtant si peu. Il n'y avait pas de salutations ; pas de « Avec amour, Tam » ou « Ton Tam ». Ou même « Cordialement, Tam ». Mais il avait signé Tam et non Tamani. Peut-être était-ce au cas où une autre personne ouvrirait l'invitation. Ou bien il avait remarqué qu'elle le surnommait Tam uniquement lorsqu'ils vivaient un moment particulièrement intime.

Et peut-être que cela ne signifiait rien du tout.

D'ailleurs, c'était le moindre de ses soucis. Comment réussirait-elle à organiser cela ? Elle ne pouvait pas en parler à David. Pas après la façon dont il avait réagi la dernière fois qu'elle était allée voir Tamani. Tout à coup, elle se demanda dans quelle mesure aujourd'hui avait été inspiré par le long samedi qu'elle venait juste de passer à la terre. Informer David qu'elle désirait faire un autre saut d'une journée entière à Avalon — accompagnée par Tamani — ne serait probablement pas bien reçu de lui en ce moment.

Mais un festival à Avalon! C'était une chance qu'elle ne pouvait pas laisser filer. Elle souhaiterait y assister même sans Tamani.

Elle n'aimait pas mentir à David, mais dans ce cas-ci, c'était possiblement pour le mieux. Parfois, il était préférable qu'un petit ami ignore certaines choses. En plus, David était fasciné par Avalon. Cela lui semblait presque égoïste de l'informer de l'endroit où elle se rendait alors qu'il ne pouvait pas venir. Les fées ne permettraient jamais à un humain d'entrer dans Avalon. En fin de compte, il valait peut-être *réellement* mieux qu'il ne sache pas tout.

Plus Laurel y réfléchissait, plus toute l'affaire l'angoissait. Elle poussa l'invitation sous son oreiller et dans un effort pour se distraire, s'assit à son bureau et sortit les composants du verre en sucre. Quand la première fiole éclata — comme si elle répondait à un signal —, Laurel soupira. Elle recommença.

Le 1er novembre était un samedi; David travaillerait probablement. Cela aiderait, du moins un peu. Sauf que sa vie sociale était plutôt limitée. Si elle ne se trouvait pas à la maison, à l'école ou au boulot, elle traînait toujours avec David. Bien, parfois avec Chelsea aussi.

Chelsea! Elle pourrait prétendre être occupée avec Chelsea. Son idée brillante s'évanouit presque aussitôt qu'elle prit forme. Chelsea ne mentait même pas pour elle-même; elle ne mentirait certainement pas pour Laurel.

Tout de même, Laurel ne supportait pas la possibilité de rater le festival. Elle ne savait pas du tout à quoi il pouvait ressembler, mais elle savait exactement ce qu'elle porterait. C'était l'occasion parfaite d'arborer la robe de soirée bleu foncé qu'elle avait choisie vers la fin de son séjour à Avalon. Bien qu'elle se soit sentie un peu coupable de la prendre à ce moment-là, il lui semblait à présent que le destin l'avait guidée.

Souriant d'anticipation, Laurel posa son tube de diamant et examina son travail. Elle n'avait pas accordé une seule pensée consciente à sa bêtifiante tâche répétitive depuis que la première fiole avait éclaté dans sa main.

Là, soigneusement alignées sur le dessus de son bureau, trônaient quatre fioles en sucre parfaites.

Ce vendredi, Laurel était assise devant le plan de travail de la cuisine, à peiner sur son devoir d'espagnol. Il ne restait que six semaines avant les examens finaux et la conjugaison des verbes à l'imparfait demeurait pour elle un mystère complet. Ses pétales pendaient mollement dans son dos; deux étaient déjà tombés et le soulagement de Laurel réussit à surpasser sa déception. Elle se sentait en danger de fleurir pendant que des trolls la traquaient. Il n'y avait pas eu d'autres épisodes alarmants ces dernières semaines, mais alors, elle et David s'étaient montrés extrêmement prudents. Ils passaient rarement du temps à l'extérieur de la maison de Laurel et, même à l'école, Laurel emportait son nécessaire complet au fond de son sac à dos et le transportait partout avec elle.

Elle avait travaillé très dur à ses études pour Avalon également. Le succès de cette semaine avec les fioles en verre de sucre avait renouvelé son assurance ; malheureusement, elle s'amenuisait de nouveau devant ses tentatives ratées de préparer des potions. Elle n'avait même pas réussi à fabriquer une nouvelle fiole depuis lundi. Et, sous peu, elle serait à court d'ingrédients pour le sérum monastuolo, ce qui l'obligeait à mélanger des fertilisants ou des insecticides — pas tout à fait le genre de chose qui serait utile pour se défendre contre un troll. Toutefois, elle ne pouvait pas cesser de s'exercer alors que tant de gens comptaient sur elle pour y arriver.

Ce soir étant l'Halloween, le niveau de stress de Laurel s'était élevé d'un cran. Elle n'aimait pas l'idée d'une foule de gens masqués courant partout. Qu'est-ce qui empêchait les trolls de terroriser la ville ? Pour couronner le tout, ses parents avaient accepté de participer au programme d'Halloween grâce auquel les enfants passaient chercher des bonbons dans les commerces locaux. Laurel se serait sentie beaucoup plus à l'aise qu'ils restent avec elle à la maison, où elle — et plus important encore, ses sentinelles — pouvait les surveiller. Cependant, cela aurait exigé qu'elle leur parle des trolls, ce qui ne serait sûrement pas bien reçu. Particulièrement quand on voyait que la mère de Laurel était déjà en état de choc perpétuel devant l'existence des fées. Non, il valait mieux qu'ils demeurent dans une bienheureuse ignorance. D'ailleurs, les trolls n'en avaient pas après ses parents; c'est elle qu'ils voulaient.

Comme si elle sentait que Laurel songeait à elle, sa mère descendit et prit le pot à café, remplissant sa tasse de voyage du breuvage noir, vieux de plusieurs heures.

— Je dois retourner à la boutique, dit-elle, son regard évitant soigneusement la fleur de sa fille — ou ce qui en restait. Je reviendrai tard. Tu as invité des amis à venir t'aider à distribuer des bonbons, n'est-ce pas?

— Ils arriveront dans une demi-heure environ, répondit Laurel.

Cette idée était de son cru. Elle ne pouvait pas protéger tout le monde, mais elle pouvait au moins assurer la sécurité de Ryan et de Chelsea. Laurel ne pensait pas vraiment que les trolls représentaient un danger pour eux, mais quelque chose dans l'air ce soir la rendait paranoïaque à propos de tout.

— Amuse-toi, lança sa mère en cliquant en place le couvercle de sa tasse.

Elle prit une gorgée et grimaça.

— Beurk, quel goût atroce. Enfin, les bonbons sont rangés dans l'armoire du haut.

Elle esquissa un geste vague.

— Formidable! Merci d'être allée en chercher.

Laurel sourit, probablement avec un peu trop d'insistance, mais c'était mieux que de ne pas le faire du tout.

— Pas de problème. Et il devrait y en avoir plus qu'assez, alors tu peux en manger aussi.

Elle hésita, puis son regard croisa celui de Laurel.

— Je veux dire, pas toi précisément. Évidemment, tu n'en manges pas. Mais, tu sais : David et Chelsea et... je dois partir.

Elle passa en coup de vent devant Laurel, fuyant l'embarras. C'était toujours ainsi ; les choses se passaient bien un temps, puis quelque chose rappelait à sa mère à quel point la vie était devenue étrange. Laurel soupira. Les moments semblables la déprimaient toujours. La déception commençait à l'envahir quand sa mère s'éclaircit la gorge juste derrière son épaule droite.

— Euh, dit-elle avec hésitation, tu sembles tomber en pièces.

Elle baissait un regard plutôt bizarre sur trois nouveaux pétales qui s'étaient détachés pendant que Laurel faisait ses devoirs. Sa mère s'arrêta une seconde et donna l'impression qu'elle allait pivoter et se diriger vers la porte, mais ensuite, elle changea d'avis et se pencha pour ramasser un pétale. Laurel resta assise sans bouger et retint sa respiration, essayant de savoir s'il s'agissait d'une bonne ou d'une mauvaise chose. Sa mère tenait le long pétale — plus gros que tous ceux qu'elle avait vus sur des plantes normales, Laurel en était certaine — et puis le leva devant la fenêtre, observant le soleil briller à travers lui. Une autre pause, puis la mère de Laurel la regarda.

— Puis-je... Est-ce que tu permets que je l'emporte avec moi à la boutique ? demanda-t-elle, la voix basse, presque timide.

— Bien sûr ! répondit Laurel, grinçant des dents quand sa voix emplit la pièce — trop vive, trop gaie.

Cependant, sa mère ne sembla pas le remarquer. Elle hocha la tête et rangea le pétale avec précaution dans son grand sac fourre-tout. Elle jeta un rapide coup d'œil à sa montre et inspira bruyamment.

— Maintenant, je suis vraiment en retard, déclara-t-elle en se tournant brusquement vers la porte.

Elle avança de deux pas, puis s'arrêta et pivota. Comme si elle traversait une barrière invisible, elle se hâta de revenir et elle étreignit Laurel. Elle la serra réellement dans ses bras.

Cela dura trop peu de temps — seulement quelques brèves secondes —, mais c'était *sincère*. Sans un autre mot, sa mère sortit à grands pas, ses talons cliquetant sur le plancher de bois quand elle ouvrit la porte et la referma bruyamment derrière elle.

Laurel se rassit sur son tabouret en souriant. C'était un petit pas et il ne signifierait peut-être plus rien demain, mais elle était prête à l'accepter à sa juste valeur. Elle sentait encore la main de sa mère sur son dos, la chaleur de sa joue, la faible odeur de son parfum flottant dans l'air. Familier, comme un ami depuis long-temps perdu qui rentre à la maison.

La porte avant s'ouvrit soudainement, la tirant brus-quement de sa rêverie, et Laurel froissa une page de son livre, réussissant tout juste à retenir un cri. Elle se baissa vivement derrière l'îlot de la cuisine et entendit des pas légers se dirigeant vers elle. Un troll avait-il réussi à traverser la protection autour de sa demeure ? Jamison avait dit qu'elle bloquerait tout sauf le plus fort des trolls, mais elle n'était pas à toute épreuve.

Laurel songea à ses sentinelles à l'extérieur. Où se trouvaient-elles ? Les pas s'arrêtèrent au bas de l'escalier. Il était entre elle et la porte arrière. Laurel s'accorda un moment pour tendre rapidement la main pour s'emparer d'un couteau du bloc de rangement posé sur le plan de travail.

Le couteau de boucher. Génial.

Elle pouvait peut-être le surprendre, le toucher avec le couteau de boucher, d'une manière ou d'une autre, et atteindre la porte arrière avant qu'il ne puisse la rattraper. C'était un gros risque, mais elle n'avait pas d'autre choix. Si elle pouvait seulement sortir par la porte arrière, là où les sentinelles pourraient la voir, elle serait en sécurité. Elle s'approcha subrepticement de l'embrasure de la porte de la cuisine et leva le couteau devant sa poitrine. Les pas se rapprochaient.

La silhouette familière de David tourna le coin.

— Holà ! hurla-t-il en bondissant en arrière, les mains tendues devant lui.

Laurel se figea, les mains toujours serrées autour du couteau de boucher alors que le choc, la peur, le soulagement et la honte la submergeaient d'un coup. Avec un grognement de dégoût, elle fit claquer le couteau sur le plan de travail.

— Qu'est-ce qui *cloche* chez moi?

David s'avança d'un pas et l'attira à lui, frottant ses mains d'un mouvement de va-et-vient sur les bras de Laurel.

— C'est ma faute, déclara-t-il. Je suis arrivé tôt. J'ai vu ta mère reculer la voiture dans l'allée et elle m'a dit d'entrer. J'aurais dû réfléchir et frapper ou….

— Ce n'est pas ta faute, David. C'est la mienne.

— Ce n'est pas *ta* faute, c'est — c'est tout, tout simplement. Les trolls, l'Halloween, Klea…

Il fit courir ses mains dans ses cheveux.

— Nous sommes tous les deux remontés.

— Je sais, dit Laurel, se penchant en avant et enroulant ses bras autour de la taille de David.

Se forçant à changer de sujet, elle reprit :

— J'ai passé un bon moment avec ma mère juste avant ton arrivée.

— Ah ouais?

Laurel hocha la tête.

— J'attends que notre relation s'améliore depuis presque un an. Peut-être… peut-être qu'elle commence à prendre du mieux.

— Cela s'arrangera.

— Je l'espère.

— Je le sais, dit David, ses lèvres descendant lentement sur son visage, puis derrière son oreille. Tu es trop belle pour que quiconque reste en colère contre toi très longtemps.

— Je suis sérieuse! s'exclama-t-elle, sa respiration s'accélérant alors que ses lèvres caressaient le côté de son cou.

— Oh, je suis sérieux aussi, rétorqua-t-il, ses mains remontant doucement sur la peau de son dos. Très, très sérieux.

Elle rit.

— Tu n'es *jamais* sérieux.

— Je suis sérieux à ton sujet, déclara-t-il, ses mains s'arrêtant sur les hanches de Laurel.

Elle moula son corps contre le sien et il passa ses bras autour de son dos pendant quelques secondes avant de s'écarter.

— Quoi? demanda-t-elle.

Il pointa le sol. Il y avait deux autres pétales sur le tapis.

— Nous devrions probablement les ramasser avant que Chelsea et Ryan n'arrivent, dit-il d'un ton moqueur.

— Sans blague. Tout aura disparu demain. Merci, mon Dieu.

— Nous pourrions essayer de les faire tomber tout de suite par friction, suggéra David en inclinant la tête vers le sofa.

— Aussi agréable que cela semble, répondit Laurel en tapotant gentiment ses doigts sur son torse, Chelsea et Ryan seront ici d'une minute à l'autre.

— Ils ne seront pas choqués; ils s'embrassent constamment à pleine bouche à l'école, affirma-t-il avec un large sourire.

Laurel se contenta de le regarder avec un sourcil levé.

— Bien.

Il l'embrassa une dernière fois, puis entra dans la cuisine et ouvrit la porte du réfrigérateur.

— Ne peux-tu pas garder autre chose en réserve que du Sprite là-dedans ? Du Mountain Dew, peut-être ?

— Bien sûr, car ce serait une couleur *formidable* pour mes yeux et mes cheveux, rétorqua Laurel d'un ton sarcastique. En outre, la caféine me rendrait malade.

— Je n'ai pas dit que *tu* devais en boire, répliqua David en ouvrant une boîte de Sprite avant de la tendre à Laurel. Simplement en avoir au cas où quelqu'un d'autre en voudrait.

Il ouvrit son propre Sprite et se glissa sur un tabouret devant l'îlot.

— Chelsea ne s'attend pas à ce que nous nous déguisions pour remettre les bonbons, n'est-ce pas ? s'enquit-il en plissant le nez.

— Non, j'ai vérifié pour en être certaine, répondit Laurel. Personne ne se déguise, sauf moi.

— Tu te déguises ? demanda David avec scepticisme.

— Ouais. Je fais semblant d'être humaine.

David roula les yeux.

— J'ai marché droit dans le piège, non ?

Il baissa le regard sur son manuel d'espagnol froissé.

— Tu étudiais ? demanda-t-il. On dirait que ton livre trouve cela plutôt difficile.

— Oui, j'étudiais jusqu'à ce que je sois distraite par ma tentative de te tuer avec un couteau de boucher.

— Oh, oui, c'était amusant ça. Nous devrons recommencer, un de ces jours.

Laurel gémit et posa sa tête dans ses mains.

— J'aurais pu te tuer, dit-elle.

— Impossible, rétorqua David, un grand sourire aux lèvres. J'étais totalement préparé.

Il tendit la main dans son dos et brandit un pistolet noir.

Laurel bondit de son tabouret.

— David ! Tu as amené ton arme dans ma maison ?

— Évidemment, répondit-il, complètement nonchalant.

— Sors-le d'ici, David !

— Eh, eh, allons, reprit-il en rangeant rapidement le pistolet dans l'étui dissimulé dans le creux de son dos. Ce n'est pas comme si je n'avais jamais fait cela auparavant. Ta maison est sûre... enfin, autant qu'elle puisse l'être ces jours-ci. Mais — il jeta un coup d'œil autour de la pièce, comme s'il s'attendait à ce que quelqu'un soit là à les écouter — nous recevons Chelsea et Ryan ce soir. Et le fait que tu t'affoles à cause de l'Halloween me fait paniquer un peu moi aussi. Je voulais être prêt au cas... juste au cas. Franchement, j'ai pensé que cela pourrait te faire sentir un peu plus en sécurité. De toute évidence, j'avais tort.

Il leva les yeux et regarda directement Laurel; le regard furieux de la jeune fille s'opposait à celui de David, contrit mais déterminé. Elle flancha la première.

— Je suis désolée. C'est juste que je déteste ces trucs.

Il hésita.

— Si tu le désires vraiment, je vais aller le ranger dans la voiture.

Ce qu'il avait dit sur le fait qu'il pourrait être utile était logique. C'est cependant sa haine du pistolet qui l'emporta.

— Je l'apprécierais, dit-elle doucement.

La sonnerie stridente de la porte d'entrée fit sursauter Laurel.

— Ils sont ici, déclara-t-elle, frustrée. Contente-toi de garder ce truc hors de vue pour l'instant, lui ordonna-t-elle. Je ne veux plus le revoir.

Elle se rendit jusqu'à l'entrée de la cuisine avant que David ne lui attrape le bras.

— Ta fleur, murmura-t-il. Je vais ramasser ceux sur le plancher.

— Zut. J'arrive tout de suite! cria Laurel en direction de la porte d'entrée.

Elle déroula la large ceinture à son poignet et la replaça rapidement autour de sa taille. Elle devait seulement faire disparaître les pétales mous aux regards des autres; elle pourrait se rendre discrètement à la salle de bain plus tard pour refaire plus joliment le travail. David disposa des pétales qu'elle avait laissés sur le plancher pendant que Laurel ouvrait à Chelsea et Ryan avec un sourire qui, elle l'espérait, n'avait pas l'air trop faux.

— Hé, les amis.

Ils affichaient un sourire idiot et un serre-tête néon équipé d'yeux luisants bondissant au-dessus de leurs têtes au bout de longs ressorts.

Laurel arqua un sourcil.

— Impressionnant, déclara-t-elle d'un ton pince-sans-rire.

— Pas aussi impressionnant que cela, rétorqua Chelsea en pointant par-dessus l'épaule de Laurel.

— Quoi? demanda Laurel en tournant brusquement la tête, tout à coup paniquée à l'idée que ses pétales pointent vers le haut.

Dès qu'elle se retourna, quelque chose se referma sur ses tempes et elle leva les yeux pour apercevoir sa propre paire d'yeux protubérants, oscillant dans son champ de vision.

— Merci, dit-elle d'une voix traînante et sarcastique.

— Ah, allons, rétorqua Chelsea. Ils sont amusants!

Laurel se tourna vers Ryan, un sourcil arqué.

— Ne me regarde pas, lança-t-il. C'était l'idée de Chelsea.

— D'accord, je vais les porter, déclara Laurel avec un sourire de conspiratrice. Pourvu que tu en aies apporté une paire pour David aussi.

Chelsea leva un quatrième serre-tête.

VINGT ET UN

L'AIR MATINAL ÉTAIT FROID ET PIQUANT, LE SOLEIL À PEINE PLUS qu'une ombre rose vif se frayant un chemin vers l'horizon nuageux à l'est. Sur la véranda, Laurel enfila son manteau d'un mouvement des épaules et sortit ses clés de sa poche, essayant de faire le moins de bruit possible.

— Où vas-tu?

Laurel hurla et laissa tomber ses clés. C'est ce qui s'appelait de la discrétion.

— Désolé, dit son père, passant la tête par la porte entrebâillée.

Ses cheveux étaient hérissés dans toutes les directions et il paraissait sonné — il n'avait jamais été en forme le matin.

— Je ne voulais pas te faire sursauter.

— Ça va, répondit Laurel en se penchant pour ramasser son trousseau. Je vais seulement chez Chelsea.

Elle aurait pu révéler à son père sa véritable destination, mais c'était plus simple ainsi. Moins de chance
pour David de l'apprendre par hasard.

— Oh, c'est vrai, tu nous l'as dit hier soir. Pourquoi
si tôt?

— Chelsea a un rendez-vous avec Ryan ce soir,
déclara Laurel, le mensonge sortant aisément de sa
bouche.

Elle se demanda si cela ne devenait pas trop facile.

— Nous aurons besoin de tout le temps dont nous
pouvons disposer.

— Bien, vas-y alors. Amuse-toi, lança son père en
bâillant. Je retourne au lit.

Laurel se hâta vers sa voiture et recula aussi rapidement qu'elle le put sans attirer l'attention sur elle. Plus
vite elle sortait de la ville, mieux ce serait.

En fin de compte, elle avait décidé de ne pas le dire à
David. Elle détestait mentir, mais elle ne savait pas quoi
faire d'autre. Après la nuit dernière, il serait trop inquiet ;
il insisterait pour qu'elle annule.

Ou pour l'accompagner avec son stupide pistolet.

Elle détestait le fait de savoir à présent qu'il le transportait partout avec lui. Logiquement, elle ne pouvait
pas l'en blâmer — il ne bénéficiait même pas des
défenses rudimentaires qu'elle-même avait —, mais elle
l'avait vu plusieurs fois la nuit dernière tendre la main
vers son étui caché quand quelqu'un frappait à la porte.
Ce qui, puisque c'était l'Halloween, arrivait toutes les
quelques minutes. Il valait tout simplement mieux

qu'elle ne lui apprenne pas où elle allait. Ils étaient tous les deux trop remontés.

Elle n'avait pas trouvé un bon prétexte pour Chelsea, alors elle ne lui dirait rien du tout. Avec de la chance, David ne s'apercevrait pas de son absence et Chelsea ne serait pas consultée. Elle partirait tôt du festival, si c'était nécessaire. Et pas seulement pour être de retour avant que David quitte son travail; elle voulait être nulle part sauf en sécurité dans sa maison à la tombée de la nuit.

La circulation était fluide sur l'autoroute vers Orick, mais Laurel garda quand même un œil prudent sur les côtés de la route par son rétroviseur, observant les signes qui pourraient révéler qu'elle était suivie. Elle s'engagea dans la seule station-service d'Orick, et après avoir examiné le stationnement, elle courut à l'intérieur et se hâta vers les toilettes. Elle ouvrit son sac à dos et en sortit sa robe. Elle ne l'avait pas portée, sauf pour l'essayer; maintenant, alors qu'elle faisait glisser l'étoffe froufroutante par-dessus sa tête et l'ajustait sur sa mince silhouette, elle fut parcourue d'un frisson d'excitation. Ses derniers pétales étaient tombés pendant la nuit et son dos était lisse et ivoire avec une minuscule cicatrice longitudinale au milieu, exactement comme l'année précédente. Après avoir jeté un coup d'œil à l'extérieur des toilettes pour s'assurer que le commerce était encore presque vide, Laurel fila à toute allure vers sa voiture, ses jupes bruissant autour de ses chevilles et de ses pieds chaussés de tongs. De là, il ne restait que quelques minutes avant le début de la longue allée menant à la maisonnette. Elle gara sa voiture derrière un gros sapin, la cachant hors de vue de la route.

Tamani l'attendait : pas à la lisière de la forêt, mais droit dans la cour devant la petite maison. Il était appuyé sur la grille d'entrée, une grande cape noire pendant sur ses épaules, ses hauts-de-chausse insérés dans de longues bottes noires. Sa respiration s'accéléra lorsqu'elle le vit.

Non pour la première fois, Laurel se demanda si sa venue aujourd'hui était une erreur. *Il n'est pas trop tard pour changer d'avis.*

Pendant que Laurel s'approcha, Tamani demeura immobile, la suivant des yeux. Il ne prononça pas un mot avant qu'elle s'arrête devant lui, si proche qu'il aurait pu tendre la main et l'attirer à lui.

— Je n'étais pas certain que tu viendrais, dit-il, sa voix légèrement cassée, comme s'il n'avait pas parlé depuis longtemps.

Comme s'il était resté debout dans la nuit froide, à l'attendre.

C'était peut-être le cas.

Elle pouvait partir. Tamani lui pardonnerait. Avec le temps. Elle le regarda. Il y avait une trace de méfiance dans son attitude, comme s'il sentait qu'elle était sur le point de repartir.

Une bourrasque de vent souffla entre les arbres et rabattit les cheveux de Tamani sur ses yeux. Il leva une main et coinça les longues mèches derrière son oreille. Juste une seconde, alors que son avant-bras croisa son visage, il baissa les yeux, la parcourant du regard des pieds à la tête — une chose qu'il ne se permettait presque jamais. Et dans ce quart de seconde, quelque chose sembla différent. Laurel n'était pas sûre de ce que c'était.

— À Avalon?

Tamani désigna les arbres pendant que sa main exerçait une pression délicate sur le bas du dos de Laurel. Elle approchait le point de non-retour; une partie d'elle-même le pressentit.

Elle observa Tamani; elle observa les arbres.

Puis, elle avança et franchit la limite.

Les rues d'Avalon grouillaient de fées. Même avec Tamani pour la guider avec précaution, c'était un peu difficile de se frayer un chemin dans la foule.

— Que fait-on, exactement, dans un festival? demanda Laurel, évitant un petit groupe serré de fées conversant au milieu de la rue.

— Cela dépend. Aujourd'hui, nous allons au Grand théâtre dans le quartier des fées d'été pour voir un ballet. Après, nous nous rassemblerons tous sur la pelouse commune où il y aura de la musique, de la nourriture et de la danse.

Il hésita.

— Ensuite, les gens resteront ou se disperseront, à leur choix, et les festivités se poursuivront jusqu'à ce que tout le monde soit satisfait et retourne à ses activités habituelles. Par là, dit-il en pointant une colline en pente douce.

Pendant qu'ils grimpaient, l'amphithéâtre apparut lentement. Au contraire de l'Académie, qui était surtout en pierres, ou les maisons des fées d'été, qui étaient en verre, les murs de l'amphithéâtre étaient faits d'arbres vivants, comme l'endroit où vivait la mère de Tamani. Mais au lieu d'être ronds et creux, ces arbres à l'écorce noire étaient étirés et aplatis, se chevauchant pour former un pan de bois solide d'au moins quinze mètres surmontés d'un feuillage dense. Des rouleaux de soie vivement colorés, des fresques magnifiquement peintes et des statues de marbre et de granite ornaient les murs presque au hasard, donnant à la structure massive une atmosphère de fête.

L'admiration de Laurel fit place au découragement quand ils se retrouvèrent près de la fin d'une longue file de fées attendant d'entrer dans l'amphithéâtre. Elles étaient habillées avec élégance, quoique Laurel ne vit personne dans des vêtements aussi beaux que les siens. Mauvaise tenue, encore une fois. Elle soupira et se tourna vers Tamani.

— Cela va prendre une éternité.

Tamani secoua la tête.

— Ce n'est pas ton entrée.

Il pointa à droite de la queue et continua de la guider dans la foule. Ils atteignirent une petite voûte percée dans les murs de l'amphithéâtre à environ quinze mètres de l'entrée principale. Deux grands gardes vêtus d'uniformes bleu foncé se tenaient de chaque côté de la porte.

— Laurel Sewell, annonça Tamani doucement aux gardes.

L'un d'eux jeta un rapide coup d'œil à Laurel avant que ses yeux ne reviennent vers Tamani. Pour une raison inconnue, il regarda les bras de Tamani de bas en haut avant de parler.

— *Am Fear-faire* pour une fée d'automne ?

— *Fear-gleidhidh*, corrigea Tamani en décochant un regard gêné à Laurel. Je suis Tamani de Rhoslyn. Par l'œil d'Hécate, mec, j'ai dit qu'elle était Laurel *Sewell*.

Le garde se redressa légèrement et hocha la tête en direction de son partenaire, qui ouvrit la porte.

— Vous pouvez passer.

— *Fear-glide* ? demanda Laurel, sachant qu'elle massacrait le terme au moment même où il franchissait ses lèvres.

— Cela signifie que je suis ton... cavalier, répondit Tamani, les sourcils froncés. Quand je lui ai dit ton nom de famille humain, j'ai supposé qu'il réaliserait qui tu es et ne ferait pas d'histoire. Mais il est clair qu'il n'a pas été formé au manoir.

— Au manoir ?

Pourquoi chaque conversation avec Tamani se transformait-elle en cours intensif sur la culture des fées ?

— Pas maintenant, répliqua Tamani doucement. Ce n'est pas important.

Et, en effet, lorsque Laurel parcourut du regard l'intérieur de l'immense amphithéâtre, toutes questions s'évanouirent de son esprit et le souffle lui manqua devant ce délice.

Les murs de l'amphithéâtre avaient été cultivés autour d'une dépression profondément inclinée au-dessus de la colline. Elle se tenait à présent sur une grande mezzanine, une excroissance de branches étroitement entrelacées qui s'étirait à l'extérieur des murs vivants. Sauf pour trois chaises dorées très ornées installées sur une estrade au centre de la mezzanine, tous les sièges étaient en bois, garnis de coussins de soie rouge et munis d'appui-bras ayant poussé directement du sol sans marques d'assemblage apparentes. Elles avaient manifestement été disposées selon le meilleur angle de vision au non pour maximiser le nombre de places.

À quinze mètres plus loin, Laurel aperçut une foule de fées passant l'entrée principale et descendant au rez-de-chaussée, qui était à peine plus qu'un flanc de coteau gazonné. Il n'y avait pas de sièges sous la mezzanine, mais les fées se rassemblaient en toute amitié, jouant du coude pour s'approcher autant que possible de la plus grande scène que Laurel n'avait jamais vue. Elle était drapée de rideaux en soie blanche qui scintillait sous les milliers de cristaux oscillant doucement sous la brise, formant des arcs-en-ciel dans tout le théâtre. D'en haut, des rayons de soleil se déversaient à travers la fine marquise de tissu vaporeux qui se gonflait et ondulait avec le vent. Elle adoucissait l'éclat du soleil sans en bloquer les rayons bénéfiques.

Et partout où elle regardait, Laurel voyait des diamants chatoyer, des bandes d'étoffe dorée, des tapisseries élaborées célébrant l'histoire d'Avalon. Les coins sombres étaient éclairés avec des orbes en or comme celui que Tamani avait utilisé sur Laurel plus d'un an auparavant, après qu'elle avait été lancée dans la rivière Chetco. Ici et là, des couronnes de fleurs ou des piles de fruits ornaient des colonnes de bois ou de pierre installées au hasard.

Laurel prit une profonde respiration et commença à avancer, se demandant où s'asseoir. Après quelques secondes, elle regarda derrière elle, sentant que Tamani ne la suivait plus. Il se tenait près de la voûte d'entrée, avec l'air de vouloir y rester.

— Hé ! lança-t-elle en revenant vers lui à grandes enjambées. Viens, Tam.

Il secoua la tête.

— C'est seulement pour le spectacle. Je vais t'attendre ici et nous nous rendrons ensuite aux festivités.

— Non, déclara Laurel.

Elle se plaça à côté de lui et posa une main sur son bras.

— Je t'en prie, accompagne-moi, dit-elle à voix basse.

— Je ne peux pas, répondit Tamani. Ce n'est pas ma place.

— Je dis que c'est ta place.

— Discutes-en avec la reine, rétorqua railleusement Tamani.

— Je le ferai.

L'inquiétude emplit sa voix à présent.

— Non, Laurel. Je ne peux pas. Je ne ferais que causer des ennuis.

— Alors, je resterai ici avec toi, affirma-t-elle en glissant sa main dans la sienne.

Tamani secoua de nouveau la tête.

— C'est ma place. Là — il désigna d'un geste les sièges de soie rouge au bord de la mezzanine —, c'est la tienne.

— Jamison sera ici, Tam. Nous insisterons tous les deux pour que tu t'assoies avec moi. J'en suis certaine.

Les yeux de Tamani passaient rapidement de Laurel aux fées d'automne fourmillant sur la mezzanine à la foule de fées de printemps se déversant par l'entrée principale.

— Bien, dit-il en soupirant.

— Merci ! lança Laurel, se soulevant instinctivement sur les orteils pour lui embrasser la joue.

Dès qu'elle l'eut fait, elle souhaita pouvoir reprendre son geste. Elle recula de quelques centimètres et parut incapable d'aller plus loin. Tamani tourna la tête pour la regarder directement en face. Il était si près, leurs nez se touchaient presque. Son souffle caressait les lèvres de la jeune fille et elle sentit qu'elle s'inclinait vers lui.

Tamani détourna le visage.

— Ouvre le chemin, dit-il d'une voix si basse que Laurel l'entendit à peine.

Laurel conduisit donc Tamani en bas des marches et sur la mezzanine, et cette fois, il lui emboîta le pas. Mais le Tamani nerveux, presque effrayé, qui la suivait était un étranger pour Laurel. Son impudence s'était envolée, son assurance minée ; il donnait l'impression de vouloir disparaître sous sa cape.

Laurel s'arrêta et se tourna vers lui, les mains sur les avant-bras de Tamani, ne parlant pas jusqu'à ce qu'il lève les paupières vers elle.

— Qu'est-ce qui ne va pas ?

— Je ne devrais pas me trouver ici, murmura-t-il. Ce n'est pas ma place.

— Ta place est avec moi, rétorqua fermement Laurel. J'ai besoin de toi avec moi.

Il baissa les yeux vers elle, une trace de peur dans le regard qu'elle ne lui avait jamais vue auparavant. Même pas quand Barnes avait tiré sur lui.

— Ce n'est pas ma place, insista-t-il encore. Je ne veux pas être cette fée-là.

— Quelle fée ?

— Le genre qui s'accroche à une fille au-dessus de sa condition, consumé par l'ambition comme un animal ordinaire. Ce n'est pas ce que je fais ; je t'en fais le serment, ce n'est pas cela. Je voulais seulement te rejoindre après. Je n'ai pas planifié ceci.

— Est-ce parce que tu es une fée de printemps ? demanda-t-elle brusquement.

Le bourdonnement de la foule protégeait relativement le caractère privé de leur conversation, mais elle baissa quand même la voix.

Tamani refusa de croiser son regard.

— C'est ça! Non seulement *ils* pensent que tu es un citoyen de seconde classe — oh, excuse-moi, de *quatrième* classe —, *tu* le penses aussi. Pourquoi?

— C'est seulement ainsi que sont les choses, marmotta Tamani, évitant toujours son regard.

— Bien, ce n'est pas ainsi qu'elles devraient être! siffla Laurel.

Elle saisit Tamani par les deux épaules et l'obligea à la regarder.

— Tamani, tu vaux deux fois n'importe quelle fée d'automne à l'Académie. Je ne voudrais personne d'autre que toi dans tout Avalon pour m'accompagner.

Elle serra les dents avant de continuer, sachant que cela le blesserait, mais ce serait peut-être la seule chose qu'il écouterait.

— Et si tu te soucies de moi à moitié autant que tu le prétends, alors ce que *je* pense devrait avoir beaucoup plus d'importance que ce *qu'ils* pensent.

Les yeux rivés sur les siens s'assombrirent. Un long moment passa avant qu'il acquiesce d'un signe de tête.

— D'accord, accepta-t-il, la voix toujours basse.

Elle hocha la tête, mais ne sourit pas. Ce n'était pas le moment de sourire.

Il la suivit dans son dos, sa cape noire tournoyant à ses pieds. À présent, il broyait du noir en silence, mais avec un air déterminé.

— Laurel! s'exclama une voix familière.

Laurel se tourna pour voir Katya, resplendissante dans sa robe en soie qui soulignait sa silhouette. Des pétales rose pâle assortis à la teinte de sa robe s'élevaient en haut de ses épaules. Ses cheveux blond pâle encadraient parfaitement son visage et elle portait un peigne en argent étincelant au-dessus de son oreille gauche.

— Katya.

Laurel sourit.

— J'espérais que tu viendrais pour ceci! déclara Katya. C'est le meilleur festival auquel assister de toute l'année.

— C'est vrai? s'enquit Laurel.

— Bien sûr. Le début de la nouvelle année! De nouveaux objectifs, de nouvelles études, de nouveaux stages. Je l'attends avec impatience toute l'année.

Elle enroula son bras autour de celui de Laurel et l'attira vers l'autre extrémité de la mezzanine.

— Je pense que Mara sera enfin élevée au rang d'artisan demain, dit-elle en gloussant.

Son regard survola brièvement l'endroit où la fée aux yeux sombres se tenait, vêtue d'une spectaculaire robe mauve avec un décolleté beaucoup plus plongeant que Laurel aurait osé porter en public. Comme Katya, Mara était en fleur, une modeste étoile à six pointes ressemblant à un narcisse rehaussait la couleur de sa robe.

Laurel regarda derrière elle pour s'assurer que Tamani la suivait et elle lui offrit un petit sourire rapide quand il croisa son regard.

— Tu l'as amené ? chuchota Katya.

— Bien sûr, répondit Laurel à plein volume.

Katya sourit, d'un sourire un tantinet tendu.

— Idiot de ma part. Tu as certainement besoin d'un guide. Tu n'as jamais assisté à l'un de ces festivals. J'aurais dû y penser. Je te vois après le spectacle, d'accord ?

Katya la salua joyeusement de la main, puis pivota et disparut dans un petit groupe de fées ; Laurel en reconnut la plupart en raison de son séjour à l'Académie. Quelques-unes la fixaient sans aucune gêne. Elle avait été tellement occupée à admirer son entourage qu'elle n'avait pas remarqué les fées sur la mezzanine les regardant à la dérobée, elle et Tamani. Elle mit un moment à comprendre pourquoi.

Katya et Mara n'étaient pas les seules en pleine floraison. Les fleurs parsemant la mezzanine étaient petites et sans prétention en comparaison de celles que Laurel avait vues cet été, ayant tendance à n'avoir qu'une seule couleur et une forme simple, comme la sienne. Mais elles étaient toutes en fleur ; chaque femelle d'automne.

Sauf elle.

Laurel songea à la température à Avalon; c'était un peu plus frais que lorsqu'elle y était pendant l'été, mais à peine. Elle se demanda comment les corps des fées savaient quand fleurir. Était-ce l'angle du soleil? Le léger changement de température? Cela faisait du sens que le climat tempéré d'Avalon retarde l'effloraison automnale — et la prolonge possiblement —, mais de combien de temps? Laurel prit bonne note de s'informer davantage sur la floraison quand elle reviendrait à Avalon l'été prochain. Jusque-là, elle ne pouvait que conclure qu'il y avait quelque chose de différent entre Avalon et Crescent City. Deux jours plus tôt, deux degrés plus hauts, et elle ne se serait peut-être pas sentie aussi peu à sa place.

Levant le menton avec détermination, Laurel se dirigea vers le bord du balcon. Elle toucha le bras de Tamani et baissa le regard sur ses mains. Comme elle s'y attendait, il avait à un moment donné sorti une paire de gants veloutés noirs. Même lui l'avait remarqué. Refusant de s'appesantir sur le sujet, Laurel regarda le plancher principal sous elle et tourna son attention d'abord vers les décorations et ensuite vers les fées elles-mêmes. Leurs tenues étaient beaucoup plus ordinaires et Laurel ne vit pas beaucoup de reflets venant de bijoux, mais les fées de printemps paraissaient totalement heureuses. On s'étreignait — les bras se resserrant du même coup autour des enfants —, on échangeait des salutations, et même de là où elle se trouvait, très haut au-dessus d'elles, des éclats de rire parvenaient aux oreilles de Laurel.

— Sont-elles toutes des fées de printemps ? demanda Laurel.

— La plupart, répondit Tamani. Il y a quelques fées d'été trop jeunes pour se produire en spectacle, mais la plupart des fées d'été en font partie.

— Est-ce que...

Elle hésita.

— Est-ce que Rowen est en bas ?

— Quelque part. Avec ma sœur.

Laurel hocha la tête, ne sachant pas quoi ajouter. Elle n'avait pas pensé que le fait de l'accompagner signifiait que Tamani ne pourrait pas s'asseoir avec sa famille. Une culpabilité familière l'envahit. C'était trop facile de croire que Tamani ne vivait que pour elle, que sa vie n'existait pas, sauf quand elle croisait la sienne. D'oublier qu'il y avait d'autres gens qui l'aimaient.

Le bourdonnement de la foule se modifia brusquement et toutes les fées sous la mezzanine levèrent les yeux, l'air d'attendre quelque chose.

Laurel sentit la main de Tamani sous son bras, et tout à coup, il l'escortait à moitié et la tirait à moitié vers plusieurs rangées de sièges plus loin au centre de la mezzanine.

— Il doit s'agir des fées d'hiver, chuchota Tamani. Jamison, Yasmine et Sa Majesté, la reine Marion.

La gorge de Laurel se serra lorsqu'elle se détourna de Tamani et reporta son attention — comme toutes les fées — sur la voûte d'entrée à l'extrémité de la mezzanine. Elle ne savait pas si elle était plus surprise d'apprendre qu'elles étaient seulement trois ou qu'elles étaient si nombreuses. Elle avait toujours uniquement pensé à Jamison et à l'insaisissable reine auparavant.

Un entourage de gardes en uniformes bleu ciel entra en premier; Laurel les reconnut pour les avoir vus la dernière fois où elle avait été avec Jamison. Les gardes furent immédiatement suivis par Jamison en personne, portant une robe vert foncé et son habituel sourire pétillant. Il escortait une jeune fille d'environ douze ans, sa douce peau ébène et ses bouclettes soigneusement coiffées rehaussant une robe de soirée extrêmement formelle en soie mauve pâle. Puis, tout l'amphithéâtre sembla inspirer en même temps quand la reine fit son entrée.

Elle portait une robe blanche chatoyante avec une traîne tressée de fils scintillants qui se courbait depuis le sol sous la faible brise. Ses cheveux étaient noir de jais et flottaient dans son dos en légères vagues, s'arrêtant juste sous sa taille. Une délicate couronne de cristal était en équilibre sur sa tête avec des rangées de diamants attachés qui tombaient dans ses boucles et miroitaient dans la lumière du soleil.

Mais c'est son visage qui attira l'attention de Laurel.

Des yeux vert pâle examinaient la foule. Bien que Laurel savait que ce visage serait considéré comme beau selon les standards de tous les magazines beauté, elle ne réussissait pas à outrepasser les lèvres pincées, le minuscule pli entre les yeux, le léger arc d'un sourcil, comme si elle répugnait à saluer les profondes révérences que tout le monde effectuait autour d'elle.

Y compris Tamani.

Ce qui laissait Laurel seule à se tenir droite.

Elle se hâta de s'incliner comme tous les autres avant que la reine ne la voie. Apparemment, cela fonctionna ; le regard de la souveraine voltigea au-dessus de la foule sans s'arrêter et, en quelques secondes, les fées d'automne avaient repris leurs positions redressées et leurs conversations sourdes.

Marion pivota en faisant doucement virevolter sa robe et elle marcha vers l'estrade où les trois chaises ornementées étaient posées en évidence parmi les autres. Laurel observa Jamison prendre la main de la fillette et l'aider à monter les marches, puis à s'installer dans une chaise molletonnée à la gauche de la reine. Laurel attira son regard, et il sourit et murmura quelque chose à la petite fille avant de se tourner et de s'approcher d'eux. La foule ne cessa pas de parler ou de rire au passage de Jamison, mais les fées se déplaçaient subrepticement pour dégager la voie.

— Ma chère Laurel, dit Jamison et ses yeux — maintenant verts, pour s'assortir à sa robe — étincelaient. Je suis tellement heureux que tu sois venue.

Il donna une tape sur l'épaule de Tamani.

— Et toi mon garçon. Il s'est écoulé trop de mois depuis que je t'ai vu la dernière fois. Tu te surmènes à ton portail, j'imagine.

Tamani sourit, se dépouillant un peu de son air maussade.

— En effet, Monsieur. Laurel nous garde occupés avec ses polissonneries.

— J'imagine que oui, répliqua Jamison avec un grand sourire.

Le son d'instruments à cordes que l'on accordait emplit le vaste amphithéâtre.

— Je ferais mieux d'aller m'asseoir, déclara Jamison.

Mais avant de partir, il leva les mains vers le visage de Laurel pour encadrer délicatement ses joues de ses doigts.

— Je suis tellement content que tu aies pu te joindre à nous, dit-il, sa voix tel un doux murmure.

Puis, il n'était plus là, sa robe d'un vert profond bruissant en s'éloignant dans la foule.

Tamani poussa légèrement Laurel vers les sièges à l'autre extrémité du grand balcon, où Katya les appelait en agitant la main.

— Qui est cette petite fille? s'enquit Laurel en s'étirant le cou pour observer Jamison remettre quelque chose à la fillette avant de s'asseoir.

— C'est Yasmine. C'est une fée d'hiver.

— Oh. Sera-t-elle reine un jour?

Tamani secoua la tête.

— Peu probable. Elle suit Marion de trop près en âge. La même chose s'est produite avec Jamison et Cora, la reine précédente.

— Il n'y a que trois fées d'hiver dans tout Avalon?

— Seulement trois. Et souvent moins.

Tamani sourit.

— Ma mère a été la Jardinière de Marion et de Yasmine. Yasmine s'est épanouie juste avant que ma mère ne prenne sa retraite. Très peu de Jardinières ont l'honneur de s'occuper de deux fées d'hiver.

Il inclina la tête vers la jeune fée d'hiver.

— J'ai eu l'occasion de connaître un peu Yasmine avant qu'elle ne soit envoyée au palais d'hiver. Gentille petite. Bon cœur, je crois. Jamison est très attaché à elle.

Juste à ce moment-là, une petite fée habillée avec recherche sortit de derrière les rideaux massifs qui s'étiraient sur la scène. La foule se tut.

— Prépare-toi, murmura Tamani dans son oreille. Tu n'as jamais *rien* vu de pareil.

VINGT-DEUX

LES RIDEAUX S'OUVRIRENT POUR RÉVÉLER UN PAYSAGE FORESTIER exquis avec de vifs faisceaux de lumière multicolore dessinant des cercles diffus sur le sol. Laurel réalisa qu'il n'y avait aucune façon de baisser l'éclairage dans l'amphithéâtre et aucun besoin de le faire non plus. Tout sur la scène semblait briller de l'intérieur : plus éclatant, plus net, plus réel même que l'environnement immédiat de Laurel. Elle était fascinée ; certainement, il s'agissait de la magie d'été à l'œuvre.

Deux fées s'agenouillèrent au milieu de la scène, chacune entourant l'autre de ses bras et de la douce musique romantique s'éleva depuis l'orchestre. Elles ressemblaient beaucoup à des danseurs de ballet normaux, l'homme avec une peau parfaite couleur moka, des bras aux muscles bien définis et des cheveux coupés ras, la femme avec de longs membres minces, ses cheveux auburn tirés en un chignon serré. Le couple se leva et commença à danser sur des pieds légers et nus.

— Pas de chaussons ? chuchota-t-elle à Tamani.

— Qu'est-ce que des chaussons?

D'accord, non, de toute évidence, pensa Laurel. Mais, elle voyait qu'il s'agissait quand même de ballet. Les gestes étaient fluides et gracieux, avec de longs étirements et des pas de deux dignes de n'importe quel contorsionniste humain. Quoique pour les danseurs principaux d'un spectacle aussi important, ils avaient l'air légèrement disgracieux. Leurs pieds étaient un peu pesants et leurs mouvements paraissaient lourds. Malgré tout, ils étaient plutôt bons. C'est seulement quelques minutes après le début du pas de deux que Laurel comprit ce qui semblait tellement déplacé.

— Pourquoi la barbe? demanda-t-elle à Tamani.

Le danseur portait une barbe noire qui se fondait à son costume, mais alors que Laurel l'observait, elle réalisa qu'elle s'étirait presque jusqu'à sa taille.

Tamani s'éclaircit doucement la gorge et pendant une seconde, Laurel crut qu'il éluderait totalement sa question.

— Tu dois comprendre, chuchota-t-il enfin. La plupart de ces fées n'ont jamais vu de vrais humains. L'idée qu'elles se font de leur apparence est presque aussi déformée que ce que les humains pensent des fées. Les fées sont — il chercha le bon mot — intriguées par le fait que les hommes font pousser de la fourrure sur leurs visages. C'est très animalier.

Laurel réalisa soudainement qu'elle n'avait jamais vu une fée avec une barbe. Elle n'y avait tout simplement jamais réfléchi. Elle songea que les joues de Tamani étaient toujours lisses et douces — sans trace d'une barbe râpeuse de quelques jours, comme David avait habituellement. Elle n'avait jamais remarqué cela auparavant.

— Les danseurs incarnant des humains dansent aussi avec moins d'élégance, pour illustrer que ce sont des animaux et non des fées, poursuivit Tamani.

Reportant de nouveau son attention sur la pièce, Laurel observa les danseurs se lever et s'abaisser avec une toute petite touche de lourdeur. Sachant à présent que c'était voulu, elle apprécia le talent que cela devait exiger, de jouer gracieusement le manque de grâce. Elle bannit de ses pensées une poignée de réflexions furieuses sur le fait de perpétuer des clichés. Elles devraient attendre.

Deux autres danseurs barbus arrivèrent sur scène, et la femme tenta de se cacher derrière son partenaire.

— Qu'est-ce qui se passe? s'enquit Laurel.

Tamani pointa le couple du début.

— C'est Heather et Lotus. Ils sont secrètement amants, mais le père d'Heather, là — il désigna une fée plus âgée avec une barbe brune broussailleuse par-semée de gris —, lui ordonne plutôt de marier Darnel. La coutume humaine des parents arrangeant les mariages est ridicule, en passant.

— Bien, ils ne le font plus. Du moins, là d'où je viens.

— Quand même.

Laurel regarda pendant que les deux hommes quittaient la scène et que Heather et Lotus reprenaient ensemble un duo mélancolique. La musique ne ressemblait en rien à ce que Laurel avait déjà entendu et elle sentit des larmes s'accumuler dans ses yeux pour ces humains maudits par le sort qui dansaient si merveilleusement sur le refrain tragique de l'orchestre.

Les lumières éclairant la scène devinrent plus vives et Lotus bondit sur un rocher, écartant vivement les bras pour illustrer une grande déclaration.

— Qu'est-ce qui se passe maintenant? demanda Laurel, tirant dans son excitation sur le chandail de Tamani.

— Lotus a décidé de se prouver auprès du père de Heather en récupérant la pomme d'or dans l'île des Hespérides. Aussi connue sous le nom d'Avalon, ajouta-t-il avec un sourire.

La scène se vida et le décor miroita un instant avant de se métamorphoser en un immense jardin fleuri avec des fleurs de toutes les couleurs imaginables couvrant tout le périmètre disponible. Laurel en eut le souffle coupé.

— Comment s'y sont-elles prises?

Tamani sourit.

— Une grande part du décor est une illusion. C'est pourquoi les fées d'été sont responsables de notre divertissement.

Laurel se pencha en avant, essayant d'examiner le nouveau paysage, mais elle ne disposa pas de beaucoup de temps avant que la fausse clairière ne s'emplisse de fées dansantes vêtues de costumes multicolores. Elle remarqua instantanément à quel point les « danseurs humains » avaient manqué de grâce. La compagnie de fée tournoya dans une chorégraphie recherchée avec une élégance qui aurait fait honte à Pavlova. Après quelques minutes avec ce remarquable corps, une fée plutôt grande avec une robe légère et moulante entra côté cour. La troupe tomba à genoux, offrant à la fée femelle l'occasion d'attirer toute l'attention sur son solo. Laurel avait vu des danseurs de ballet professionnels à San Francisco, mais rien ne l'avait préparée au talent à l'état brut et à la grâce de la danseuse principale.

— Qui est-ce ? demanda-t-elle dans un souffle à Tamani, les yeux rivés sur la scène.

— Titania, répondit Tamani.

— *La* Titania ? demanda Laurel en retenant son souffle.

Le bras de Tam était collé sur le dos de Laurel alors que leurs têtes se pressaient ensemble afin qu'ils puissent chuchoter, mais Laurel le remarqua à peine.

— Non, non. Je voulais dire qu'elle *joue* le rôle de Titania.

— Oh, dit Laurel, un peu déçue de ne pas voir une performance de la véritable fée légendaire.

Au milieu d'une belle arabesque de Titania, une fée mâle — sans barbe cette fois — entra côté jardin. Le corps des fées s'agita et effectua une profonde révérence en touchant le sol.

— Est-ce Obéron? demanda Laurel, pensant au roi des fées souvent associé à Titania dans le folklore féérique.

— Tu vois, tu commences à comprendre, déclara Tamani avec un grand sourire.

La fée incarnant Obéron entreprit son propre solo, ses mouvements effrontés, audacieux, presque violents, mais avec la même grâce contrôlée que la fée jouant Titania. Sous peu, les deux dansaient ensemble, chacune essayant de surpasser l'autre pendant que la musique augmentait en intensité et en volume, jusqu'à ce que Titania, sur un déferlement des cuivres, trébuche sur ses propres pieds et s'étale sur le sol. Sur un geste de sa main et en marchant à pas lourds et furieux, elle et quelques fées du corps sortirent de scène, chassées par les fées d'Obéron.

— Pourquoi sont-elles en colères contre elle? demanda Laurel.

— Titania est un personnage très impopulaire de l'histoire, répondit Tamani. C'était une fée d'automne — et une Unseelie par-dessus le marché — qui est devenue reine à une époque où il n'y avait pas de fée d'hiver. Obéron est né peu après et il a été sacré roi à l'âge de vingt ans seulement — presque un enfant, en terme de souverain, et quand même pas assez tôt au goût de la plupart des gens. Titania est responsable du malheureux gâchis à Camelot.

— Les trolls... l'ont détruite, n'est-ce pas?

— C'est exact. Et les conséquences ont mené à sa mort juste au moment où il prouvait qu'il était l'un des plus grands rois de l'histoire d'Avalon. Donc, Titania est généralement blâmée pour cette perte.

— Cela semble injuste.

— Peut-être.

La scène se vida de nouveau et reprit son décor forestier. Lotus entra à toute vitesse, poursuivi par Heather, qui se cachait derrière les arbres chaque fois que Lotus se retournait. Ils couraient partout en décrivant des cercles déroutants jusqu'à ce que deux nouveaux personnages fassent leur entrée : Darnel et une très jolie fée femelle.

— Je suis encore dans le brouillard maintenant, déclara Laurel pendant que la fée femelle tentait de s'accrocher à Darnel et qu'il la rabrouait constamment.

— C'est Hazel. Elle est amoureuse de Darnel. Darnel poursuit Heather, qui poursuit Lotus pour essayer de l'empêcher de faire le dangereux voyage dans l'île des Hespérides. Hazel veut convaincre Darnel de se contenter d'elle.

Quelque chose se mit en place dans l'esprit de Laurel alors que la ravissante Hazel tirait désespérément sur le manteau de Darnel et qu'il la repoussait.

— Attends une seconde, dit-elle. C'est *Le Songe d'une nuit d'été*.

— Bien, c'est ce qui est avec le temps devenu *Le Songe d'une nuit d'été*. Comme la plupart des meilleures pièces de Shakespeare, elle a commencé par une histoire de fées.

— Allons donc !

Tamani lui fit gentiment signe de se taire quand quelques fées d'automne leur jetèrent un coup d'œil.

— Franchement, poursuivit Tamani d'une voix basse et douce, croyais-tu qu'il avait pensé à *Roméo et Juliette* de lui-même ? Il y a mille ans, il s'agissait de Rhoeo et Jasmine, mais la version de Shakespeare est passable.

Les yeux de Laurel restèrent rivés sur les quatre fées dansant une poursuite étourdissante.

— Comment Shakespeare en est-il venu à connaître les histoires de fées ?

Elle leva les paupières vers Tamani.

— Il *était* humain, n'est-ce pas ?

— Oh, oui.

Tamani gloussa en silence.

— Il vivait à une époque où les dirigeants d'Avalon gardaient encore un œil sur les affaires humaines. Ils étaient impressionnés par ses pièces sur les rois : Lear et Richard, je crois. Des histoires mortellement ennuyeuses, mais écrites de manière splendide. Donc, le roi l'a fait amener ici pour lui offrir quelques nouveaux arcs narratifs pour ses beaux mots. Et ils espéraient qu'il corrigerait certaines erreurs de la mythologie féérique. *Le Songe d'une nuit d'été* a été sa première pièce après son passage à Avalon, rapidement suivie par *La tempête*. Cependant, après un moment, il en a voulu au roi de ne pas lui permettre d'aller et venir à sa guise. Il est donc parti pour ne plus jamais revenir. Et pour se venger, il n'a plus jamais mis de fées dans ses pièces. Elles parlaient toutes d'humains et il a prétendu qu'elles étaient siennes.

— Est-ce vraiment la vérité ? s'enquit-elle, tout étonnée.

— C'est ce que j'ai appris.

Le décor revint à la clairière fleurie où Puck — une fée d'automne au talent remarquable, dit Tamani à Laurel — reçut l'ordre d'Obéron de créer une potion qui ferait en sorte que Titania tomberait amoureuse de la première créature qu'elle verrait, pour lui faire payer sa mauvaise gestion de la situation Camelot. Et puisqu'il était un roi bienveillant, il essaya également d'aider les humains.

— Après tout, expliqua Tamani, il ne pouvait pas leur permettre d'entrer dans Avalon et prendre une pomme en or, mais il ne voulait pas les renvoyer à la maison les mains vides pour toute récompense.

Laurel acquiesça en silence et reporta son attention sur le ballet. L'histoire se poursuivit de manière familière, à présent qu'elle savait de quelle pièce il s'agissait : Lotus et Darnel pourchassant tous les deux Hazel, Heather laissée seule sans amant et tout le monde dansant une chorégraphie de mouvements compliqués et effrénés qui faisaient tourner la tête de Laurel.

Puis, le décor revint à la clairière fleurie et, après que Puck eut déposé la potion dans les yeux de Titania, une immense bête massive arriva à pas lourds. Laurel était incapable de voir si la créature était une illusion ou un costume recherché.

— Qu'est-ce que c'est ? demanda-t-elle. N'est-il pas censé être un homme avec une tête d'âne ?

— C'est un troll, répondit Tamani. Il n'y a pas de plus grande disgrâce chez les fées que de tomber amoureuse d'un troll. Cela ne se produit tout simplement pas à moins d'un sérieux dérangement — ou sous la contrainte d'une quelconque magie.

— Qu'en est-il de la partie où tous les hommes montent une pièce ? C'est de là qu'est censé venir le gars.

— Shakespeare a ajouté cette partie lui-même. Il n'y a pas d'étrange pièce dans l'histoire originale.

— J'ai toujours cru qu'il s'agissait de la partie la plus faible de l'histoire. Je pensais qu'elle devait se terminer quand les amants se réveillent et sont découverts, dit Laurel.

— Bien, c'est le cas, rétorqua Tamani avec un grand sourire.

Laurel regarda en silence pendant un moment pendant que les danseurs continuaient l'histoire et que tout commençait à rentrer dans l'ordre. Juste avant la dernière scène, Titania revint et dansa le plus merveilleux solo que Laurel n'avait jamais vu sur les accents tristes d'une douce lamentation. Puis, elle tourna et tomba en pâmoison aux pieds d'Obéron, lui offrant sa couronne.

— Qu'est-ce qui vient de se passer ? s'enquit Laurel lorsque la danse fut terminée.

Elle n'avait pas pu se résoudre à poser la question pendant le solo : il était trop beau pour le quitter des yeux une seule seconde.

— Titania quémande le pardon d'Obéron pour ses méfaits et lui concède sa couronne. Cela signifie qu'elle admet n'avoir jamais vraiment été la reine.

— À cause de Camelot ?

— Parce qu'elle était une fée d'automne.

Laurel fronça les sourcils en réfléchissant à cela. Mais le décor changea rapidement à la clairière où les deux amants se réveillaient de leur sommeil enchanté et dansaient un joyeux pas de deux double, ensuite rejoints par tout le corps à la fin. Quand ils avancèrent pour saluer, le public au rez-de-chaussée sembla se lever d'un seul mouvement pour applaudir la compagnie. Tamani se leva de son siège aussi et Laurel bondit pour se joindre à lui, tapant des mains avec tellement de force qu'elles commencèrent à picoter.

Tamani posa une main ferme sur son bras et la tira en bas.

— Quoi ? demanda Laurel en donnant un coup pour dégager son bras.

Les yeux de Tamani allaient de gauche à droite.

— Cela ne se fait pas, Laurel. Tu ne peux te lever pour ceux au-dessous de ta condition. Seulement pour tes égaux ou tes supérieurs.

Laurel jeta un coup d'œil autour d'elle. Il avait raison. Presque tout le monde sur le balcon applaudissait avec enthousiasme, les visages éclairés de beaux et larges sourires, mais personne n'était debout sauf elle et Tamani. Elle arqua un sourcil en direction de Tamani, tourna le visage de nouveau vers la scène et resta sur ses pieds en continuant à applaudir.

— Laurel! s'exclama Tamani sévèrement à voix basse.

— C'est la chose la plus incroyable que j'ai vue de ma vie et je vais exprimer mon appréciation comme je le juge bon, déclara Laurel catégoriquement en frappant toujours dans ses mains.

Elle lui décocha un rapide regard.

— Vas-*tu* m'en empêcher?

Tamani soupira et secoua la tête, mais il cessa d'essayer de l'obliger à se rasseoir.

Les applaudissements diminuèrent lentement et les danseurs quittèrent gracieusement la scène en courant, où le décor s'était évanoui pour laisser place à une blancheur éclatante. Environ vingt fées vêtues de vert vif s'alignèrent au fond.

— Il y a autre chose? s'enquit Laurel alors qu'elle et Tamani reprenaient leurs places.

— Des danseurs de feu, répondit Tamani avec un immense sourire. Tu vas les adorer.

Un boum sonore se fit entendre d'une grande timbale. Au début, ce n'était qu'un rythme lent et régulier. Les fées vêtues de vert avancèrent en bloc à petits pas rythmés sur les tambours. Quand leur rang atteignit le devant de la scène, elles levèrent les mains, envoyant des faisceaux de lumière multicolore vers le ciel.

Une seconde plus tard, une immense pluie d'étincelle explosa au-dessus de la foule — presque à la hauteur des yeux des spectateurs au balcon : de belles couleurs vives dans les teintes de l'arc-en-ciel qui obligèrent Laurel à cligner des paupières pour se protéger de leur éclat. C'était mieux que tous les feux d'artifice que Laurel avait déjà vus.

Un deuxième tambour retentit à un rythme plus rapide et compliqué que le premier et les fées sur scène se transformèrent avec lui. Leur danse se changea en acrobaties, des fées faisant des culbutes et bondissant sur le devant de la scène au lieu de marcher. Un troisième tambour s'ajouta, puis un quatrième, et le rythme et les mouvements des artistes devinrent aussi frénétiques que les battements des instruments.

Laurel regarda, clouée sur place, pendant que les danseurs de feu se donnaient en spectacle, se tortillaient et culbutaient avec un talent remarquable. Chaque fois qu'ils atteignaient le devant de la scène, ils envoyaient un autre spectacle de lumière. Des rayons de lumière tombaient comme des gouttes de pluie sur le public et des balles de feu tournoyantes tanguaient à travers l'amphithéâtre, laissant des traînées d'étincelles brillantes qui pâlissaient pour se transformer en bijoux scintillants avant de s'éteindre. Laurel était déchirée, observant d'abord les acrobates, puis les feux d'artifice, souhaitant pouvoir regarder les deux en même temps. Puis, quand les battements des tambours devinrent si rapides que Laurel n'arrivait pas à comprendre comment les fées pouvaient les suivre, elles culbutèrent toutes jusqu'au-devant de la scène, relâchant les feux d'artifice dans leurs mains ensemble, créant un rideau d'étincelles si éblouissant qu'il était presque aussi brillant que le soleil.

Le souffle coincé dans la gorge, Laurel se leva et applaudit les danseurs de feu avec autant d'enthousiasme qu'elle en avait montré pour les danseurs de ballet. Tamani l'imita en silence et ne commenta pas cette fois.

Les danseurs de feu saluèrent une dernière fois et les applaudissements diminuèrent peu à peu. Les fées d'automne sur le balcon se levèrent et commencèrent à se frayer un chemin vers la sortie ; Laurel voyait les fées de printemps en bas les imiter.

Elle se tourna vers Tamani en souriant.

— Oh, Tam, c'était incroyable ! Merci infiniment de t'être assuré que j'y assisterais.

Elle regarda la scène vide, dissimulée à présent derrière ses lourdes tentures en soie.

— Ç'a été une journée des plus étonnantes.

Tamani prit la main de Laurel et la posa sur son bras à lui.

— La célébration vient à peine de commencer !

Laurel regarda Tamani avec étonnement. Elle fouilla dans sa petite bourse quelques secondes, puis jeta un œil sur la montre qu'elle avait apportée. Elle pouvait rester encore une heure environ. Un sourire s'élargit sur son visage quand son regard revint se poser sur les sorties, avec impatience cette fois.

— Je suis prête, déclara-t-elle.

VINGT-TROIS

— C'ÉTAIT INCROYABLE, RÉPÉTA LAUREL TANDIS QU'ELLE ET Tamani se prélassaient paresseusement sur des coussins posés à côté de tables basses débordant de fruits, de légumes, de jus et de plats de miel dans un étalage de couleurs étourdissant. De la musique emplissait l'air, venant d'une douzaine de directions, pendant que des fées à l'extrémité de la pelouse prenaient leurs aises et dansaient et bavardaient.

— Je ne savais pas du tout que le théâtre pouvait ressembler à cela. Et ces feux d'artifice à la fin ! Ces gens étaient extraordinaires.

Tamani rit, beaucoup plus détendu à présent qu'ils étaient allongés dans un pré où les classes de fées se mêlaient un peu plus librement.

— Je suis content que cela t'ait plu. Je n'ai pas assisté à une célébration Samhain depuis plusieurs années.

— Pourquoi pas ?

Tamani haussa les épaules, son humeur assombrie.

— Je voulais être avec toi, répondit-il sans croiser son regard. Venir à des festivals ne semblait pas aussi important lorsque cela signifiait te laisser derrière le portail. Particulièrement si l'on pense aux festivités au coucher du soleil.

— Quelles festivités ? s'enquit Laurel un peu distraitement en trempant une grosse fraise dans un bol de miel bleu vif.

— Euh... bien, tu trouverais probablement cela plutôt déplaisant.

Laurel attendit, sa curiosité piquée à présent, puis rit quand il ne poursuivit pas.

— Continue, l'incita-t-elle.

Tamani haussa les épaules et soupira.

— Je pense te l'avoir dit l'an dernier : la pollinisation sert à la reproduction et le sexe est pour le plaisir.

— Je me souviens, se rappela Laurel, ne saisissant pas trop le rapport.

— Donc, pendant de gros festivals comme celui-ci, la plupart des gens... ont... du plaisir.

Les yeux de Laurel s'arrondirent, puis elle rit.

— Vraiment ?

— Allons, les gens ne font-ils jamais des choses semblables dans le monde des humains ?

Laurel était sur le point de lui répondre non quand elle se souvint de la tradition qui voulait qu'on s'embrasse la veille du Nouvel An. Quoique, on devait l'admettre, ce ne soit pas réellement la même chose.

— Je le suppose.

Elle regarda la foule autour d'elle.

— Cela n'ennuie personne? La plupart de ces gens ne sont-ils pas mariés?

— Pour commencer, on ne se marie pas à Avalon. Nous célébrons l'union des mains. Et, non, la plupart ne sont pas unis. À Avalon, la raison principale d'une union des mains est d'élever de jeunes plants. Règle générale, les fées ne sont pas prêtes à fonder une famille avant l'âge de — il marqua une pause pour réfléchir — quatre-vingts ans, peut-être cent ans.

— Mais...

Laurel interrompit sa propre question et détourna le visage.

— Mais quoi? insista gentiment Tamani.

Après un instant d'hésitation, elle se tourna vers lui.

— Est-ce qu'il arrive que de jeunes fées s'unissent les mains? Par exemple... à notre âge?

— Presque jamais.

Il semblait savoir ce qu'elle demandait, même si elle ne se résolvait pas à dire les choses de manière directe; les yeux de Tamani sondèrent les siens jusqu'à ce qu'elle détourne le regard.

— Mais cela ne signifie pas qu'ils ne sont pas entrelacés. Beaucoup de gens sont engagés envers un amant. Pas la majorité; mais c'est assez courant. Mes parents étaient entrelacés depuis plus de soixante-dix ans avant leur union des mains. L'union des mains diffère légèrement du mariage humain. Ce n'est pas seulement le signe d'un amour engagé, mais une intention de fonder une famille : de créer un jeune plant et de former une unité sociale.

Laurel gloussa, essayant de dissiper la tension qui les enveloppait.

— C'est tellement étrange de penser aux fées ayant des enfants à cent ans.

— C'est tout juste l'âge moyen, ici. Après que nous atteignons l'âge adulte, la plupart d'entre nous ne changent pas beaucoup jusqu'à ce que nous soyons âgés de cent quarante, cent cinquante ans. Mais à ce moment-là, on vieillit plutôt rapidement — du moins, selon les normes féériques. Notre apparence peut passer de celle d'un humain de trente ans à celle d'un humain de soixante-dix ans en moins de vingt ans.

— Est-ce que tout le monde vit jusqu'à deux cents ans ? s'enquit Laurel.

L'idée de vivre deux siècles était ahurissante.

— Plus ou moins. Certaines fées vivent plus longtemps, d'autres moins, mais habituellement pas de beaucoup.

— Arrive-t-il qu'elles tombent malades et meurent ?

— Presque jamais.

Tamani se pencha et lui toucha le bout du nez.

— C'est ta raison d'exister.

— Que veux-tu dire ?

— Pas toi précisément, mais les fées d'automne. C'est comme bénéficier du plus parfait des... zut ; comment les appelez-vous ? Hôtels ?

Il soupira.

— Aide-moi ; là où vont les gens quand ils sont malades.

— Hôpitaux ? suggéra Laurel.

— Ouais.

Tamani secoua la tête.

— Ouf, je n'ai pas oublié un mot humain comme cela depuis longtemps. Je veux dire, nous parlons tous français, mais le jargon propre aux humains est parfois comme une autre langue complètement.

— Tu ne parlais pas français avec ces gardes, plus tôt, fit remarquer Laurel.

— Tu souhaites vraiment un autre cours d'histoire aujourd'hui ? la taquina Tamani.

— Cela ne m'ennuie pas, répondit Laurel, savourant un quartier de nectarine mûre à point.

Le temps des récoltes semblait éternel à Avalon.

— Il s'agissait de mots gaéliques. Au fil des ans, nous avons eu beaucoup de contact avec le monde des humains grâce aux portails. *Am Fear-faire*, par exemple, est essentiellement le mot gaélique pour « sentinelle », mais nous l'avons emprunté il y a de nombreuses années quand les humains que nous avons rencontrés parlaient encore cette langue. À notre époque, il s'agit pratiquement d'une formalité.

— Alors pourquoi tout le monde parle-t-il *français*? N'y a-t-il pas des portails en Égypte et au Japon également?

— Et en Amérique, ne l'oublions pas, dit Tamani en souriant. Nous avons aussi eu des contacts avec vos Amérindiens ainsi qu'avec les Égyptiens et les Japonais.

Il rit.

— Au Japon, nous avons eu des échanges considérables avec les Aïnous — les gens qui y vivaient avant l'arrivée des Japonais.

Il sourit grandement.

— Bien que même les Aïnous n'ont jamais tout à fait saisi exactement depuis combien de temps avant *eux* nous habitions là.

— Des centaines d'années? tenta de deviner Laurel.

— Des milliers, répondit solennellement Tamani. Les fées sont beaucoup plus anciennes que les humains. Cependant, les humains se sont reproduits et dispersés beaucoup plus vite que nous. Et ils sont tout simplement plus terrestres. Certainement plus capables de subsister dans des conditions climatiques extrêmes. Nos sentinelles réussissent à survivre aux hivers au portail d'Hokkaido seulement grâce à l'aide de nos fées d'automne. À cause de cela, les humains en sont venus à dominer le monde, alors nous devons apprendre à vivre parmi eux, du moins un peu. Et la langue constitue une grande partie de cela. Nous possédons un établissement de formation en Écosse où, comme tu le sais, on parle français. Chaque sentinelle ayant à traiter avec le monde des humains doit être instruite là-bas, au moins pendant quelques semaines.

— Donc, toi et Shar avez été formés là ?

— Parmi d'autres.

Tamani s'animait de plus en plus, parlant sans l'hésitation qui assombrissait toujours son comportement quand il mettait le pied dans Avalon.

— Les opérations clandestines sont habituellement menées par les Diams et *très* rarement, un Mélangeur a besoin d'un ingrédient qui ne pousse pas à Avalon. Le manoir est érigé autour du portail, au milieu d'une assez grande réserve d'animaux sauvages, alors il garde le portail et il forme aussi un lien sécuritaire contrôlé avec les affaires humaines. On en a obtenu la possession il y a des centaines d'années, à peu près de la même façon dont nous travaillons à acquérir ta terre.

Laurel sourit de l'enthousiasme de Tamani. Il en connaissait nettement plus sur le monde des humains que les autres fées, pas seulement parce qu'il y vivait, mais aussi parce qu'il avait passé sa vie à étudier les humains.

Et il l'a fait afin de me comprendre moi. Il avait littéralement voué des années à comprendre la personne qu'elle deviendrait en tant qu'humaine. Elle avait sacrifié ses souvenirs et quitté Avalon à la demande de la reine précédente, et Tamani l'avait suivie de plus d'une façon. C'était une réalisation surprenante.

— En tout cas, conclut Tamani, le manoir constitue notre lien principal avec le monde à l'extérieur d'Avalon depuis des siècles, alors il est naturel que nous parlions la langue des humains qui vivent près de là. Toutefois, même les experts au manoir comprennent certaines choses terriblement de travers, alors j'imagine que je ne dois pas me sentir trop mal d'oublier un mot ici et là.

— Je pense que tu t'en tires très bien, déclara Laurel en faisant courir un doigt sur le bras de Tamani.

Presque instinctivement, il leva la main pour couvrir la sienne. Les yeux de Laurel se fixèrent sur cette main. Elle semblait si inoffensive posée là, mais elle signifiait quelque chose et Laurel le savait. Elle leva les paupières et leurs regards s'unirent. Un long moment de silence s'étira entre eux et, après quelques secondes, Laurel retira sa main de sous celle de Tamani. Son expression ne changea pas, mais Laurel se sentit mal quand même.

Elle couvrit la gêne momentanée en se versant à boire du premier pichet qu'elle vit et prit une grosse gorgée. Le breuvage s'écoulant dans sa gorge goûtait le sucre liquéfié.

— Oh mince ! Qu'est-ce que c'est ? demanda-t-elle, scrutant le liquide rouge rubis dans son verre.

Tamani y jeta un coup d'œil.

— De l'amrita

Laurel l'examina d'un air dubitatif.

— Est-ce un genre de vin de fées ? demanda-t-elle, sentant déjà l'alcool lui monter à la tête.

— Genre. C'est du nectar des fleurs de l'arbre Yggdrasil. On ne le sort qu'à Samhain. C'est une manière traditionnelle de porter un toast au Nouvel An.

— C'est *génial*.

— Je suis heureux que tu approuves.

Tamani rit.

Laurel soupira.

— Je suis bourrée.

Seule la nourriture d'Avalon incitait Laurel à manger jusqu'à l'inconfort. Et elle venait d'atteindre ce stade.

— Terminé, alors ? s'enquit Tamani, l'hésitation revenant discrètement dans sa voix.

— Oh, oui. Assurément terminé, répondit Laurel en souriant, s'installant un peu plus bas sur la pile de coussins.

— Aimerais-tu...

Il marqua une pause et regarda au milieu du pré.

— Aimerais-tu m'inviter à danser ?

Laurel se rassit brusquement.

— Est-ce que j'aimerais, moi, t'inviter, *toi*, à danser ?

Tamani baissa les paupières sur ses genoux.

— Je suis désolé si j'ai parlé trop franchement.

Mais, Laurel l'entendit à peine à travers sa colère.

— Même à un festival, tu ne peux pas simplement me le demander ?

— Est-ce un non ?

Quelque chose dans son ton changea la frustration de Laurel en tristesse. Tamani n'était pas responsable. Sauf qu'elle détestait que même avec elle, il se sentait lié par les ridicules traditions sociales. Elle redressa le menton et repoussa son indignation. Elle ne voulait pas le punir *lui*.

— Tamani, aimerais-tu danser?

Ses yeux s'adoucirent.

— J'adorerais cela.

Laurel regarda du côté des danseurs et hésita.

— Je ne sais pas vraiment comment.

— Je vais te montrer... si tu veux.

— D'accord.

Tamani se leva et lui offrit sa main. Il avait renoncé à sa cape des heures auparavant, mais il portait encore les hauts-de-chausse et les bottes noires, assortis à une ample chemise blanche dont les lacets étaient relâchés devant, soulignant son torse bronzé. Il ressemblait à un héros de film : Wesley dans *La princesse Bouton d'or* ou Edmond Dantès dans *Le comte de Monte Cristo*. Laurel sourit et prit sa main.

Ils se dirigèrent lentement plus près d'un groupe de musiciens; la plupart jouaient des instruments à cordes que Laurel n'aurait pas pu nommer, mais elle reconnut les bois : des flûtes et des cornemuses et quelque chose comme une clarinette simple. Tamani la guida avec habileté dans des pas de danse qu'elle semblait presque se rappeler, ses pieds bougeant avec une grâce qu'elle ne savait pas posséder. Elle bondissait et donnait des coups de pied de concert avec les autres couples et, même si elle ne dansait pas tout à fait avec autant d'élégance que tout le monde, elle aurait pu se débrouiller dans une réunion humaine similaire. Le pré au doux parfum s'emplissait de plus en plus de gens à mesure que les autres quittaient leurs repas pour se joindre à la danse, et bientôt, Laurel fut inondée par une mer de membres souples et de corps gracieux, roulant et se balançant et même s'écrasant au rythme de la musique enivrante des fées d'été — leurs vêtements vaporeux voltigeant dans l'air tempéré de l'éternel printemps d'Avalon.

Tamani guida Laurel en la tenant sous son bras pour l'entraîner dans une longue chaîne de tours sur eux-mêmes qui donnèrent le tournis à Laurel, et elle s'effondra sur son torse, riant et respirant fort. Elle mit un moment à réaliser à quel point elle se collait contre lui. C'était différent qu'être près de David ; pour commencer, Tamani était beaucoup plus près de la grandeur de Laurel. Debout si près l'un de l'autre, leurs hanches se rencontraient parfaitement.

Elle sentit son bras serré dans son dos, la retenant. Il la libérerait certainement si elle s'écartait, mais elle s'en abstint. Il fit courir ses doigts dans les cheveux de Laurel, puis enserra l'arrière de son cou, inclinant sa tête d'une pression. Il laissa son nez reposer doucement contre le sien et son souffle était frais sur son visage alors qu'elle fermait ses doigts contre la peau nue entre les lacets de sa chemise.

— Laurel.

Le murmure de Tamani était si doux qu'elle n'était pas totalement certaine de l'avoir entendu. Et avant qu'elle ne puisse protester, il l'embrassa.

Sa bouche était douce, délicate et tendre contre la sienne. Son goût sucré se fondit avec le sien. La danse autour d'eux devint une valse tranquille alors que la Terre semblait ralentir dans son orbite, puis s'arrêter, juste pour elle et Tamani.

Pour un instant seulement.

L'illusion disparut brusquement quand Laurel tourna la tête, brisant le contact, et se força à s'éloigner. Hors de la pelouse, loin des danseurs. Loin de Tamani.

Des sentiments colériques et confus tourbillonnaient en elle pendant qu'elle quittait le pré. Tamani la suivit sans prononcer un mot.

— Je devrais partir, dit-elle vaguement, sans se tourner vers lui.

Et ce n'était pas seulement un prétexte sans fondement. Elle ne savait pas exactement combien de temps elle avait dansé, mais probablement trop longtemps. Elle devait rentrer. Elle se dirigea dans la direction générale du portail, selon ses suppositions, espérant qu'elle commencerait à reconnaître son environnement. Elle attendit avec optimisme que la main de Tamani touche sa taille pour la guider doucement sur la bonne voie comme il l'avait fait tant de fois auparavant.

Elle n'eut pas cette chance.

— Tu pourrais au moins présenter tes excuses, déclara Laurel.

Elle était maintenant d'humeur maussade, sans savoir précisément pourquoi. Sa tête était une grosse masse de confusion.

— Je ne suis pas désolé, dit Tamani, d'une voix pas du tout contrite.

— Bien, tu le devrais! lança Laurel en se tournant vers lui juste une seconde.

— Pourquoi? demanda Tamani, d'une voix si calme qu'elle en était agaçante.

Laurel pivota pour le regarder en face.

— Pourquoi devrais-je être désolé? Parce que j'ai embrassé la fille que j'aime? Je t'aime, Laurel.

Elle essaya de ne pas avoir le souffle coupé par ses paroles, mais elle n'était pas du tout prête à les entendre. Il avait fait connaître ses intentions — sans ménagements aucuns, parfois —, mais il ne lui avait jamais déclaré directement qu'il l'aimait. Cela donnait à leur flirt un tour trop sérieux. Trop de conséquences. Cela la rapprochait trop de l'infidélité.

— Combien de temps suis-je censé rester en arrière et simplement attendre que tu reprennes tes esprits? J'ai été patient. Pendant des *années*, j'ai été patient, Laurel, et je suis fatigué.

Il la tenait doucement par les épaules, se penchant en avant juste un peu pour la regarder directement dans les yeux.

— Je suis fatigué d'attendre, Laurel.

— Mais David...

— Ne me parle pas de David ! Si tu veux me dire d'abandonner parce que *tu* n'aimes pas cela, alors dis-le. Mais ne t'attends pas à ce que je m'inquiète des sentiments de David. Je me fous de David, Laurel..

Il marqua une pause, son souffle bruyant et haletant.

— Je me soucie de toi. Et quand tu me regardes avec cette douceur dans les yeux, poursuivit-il, ses doigts s'enfonçant juste un peu plus fermement, et que tu donnes l'impression que ta seule envie est que je t'embrasse, alors je vais t'embrasser : et que David aille au diable, conclut-il à voix basse.

Laurel se détourna, la tête douloureuse.

— Tu ne peux pas, Tam.

— Que voudrais-tu que je fasse alors ? demanda-t-il, la voix si rauque et vulnérable qu'il lui fallut toutes ses forces pour continuer à le regarder.

— Attendre… simplement.

— Attendre quoi ! Que tes parents meurent ? Que David meurt ? Qu'est-ce que j'attends, Laurel ? demanda-t-il, la voix plaintive.

Laurel se tourna et recommença à marcher, essayant désespérément de laisser les paroles de Tamani derrière elle. Elle arriva en haut d'une colline escarpée et au lieu de voir un tas de maisons de fées, elle baissa les yeux sur une plage de sable blanc pur avec des vagues bleu saphir léchant le rivage. Quelque chose clochait là-dedans — on ne sentait pas la mer —, mais elle ne pouvait pas changer de direction, Tamani la suivait. Alors, elle continua d'avancer, ses pieds lents dans le sable clair étincelant.

Elle croisa les bras sur sa poitrine en s'arrêtant. Elle avait atteint l'eau. Elle ne pouvait aller nulle part ailleurs. Le vent souffla dans ses cheveux, les chassant de son visage.

— Je n'aime pas que tu sois si loin, dit Tamani après une longue pause.

Sa voix avait l'air de nouveau normale, sans la pointe d'amertume.

— Je m'inquiète. Je sais que tu es protégée par des gardes, mais… J'aimais mieux quand tu habitais sur la terre. Je n'aime pas confier ta vie à d'autres fées. J'aimerais… J'aimerais pouvoir sortir et y aller moi-même.

Laurel secouait déjà la tête.

— Cela ne fonctionnerait pas, dit-elle fermement.

— Tu ne penses pas que je ferais un assez bon travail ? s'enquit Tamani, la regardant avec un sérieux que Laurel n'aima pas.

— Cela ne fonctionnerait pas, répéta-t-elle, sachant que son raisonnement était très différent de celui de Tamani.

— Tu ne veux pas de moi dans ton monde humain, déclara doucement Tamani, ses mots emportés vers elle par la légère brise.

La vérité de cette accusation murmurée la piqua au vif et elle se détourna de lui.

— Tu as peur que si je faisais partie de ta vie humaine tu doives peut-être prendre une vraie décision. En ce moment, tu as le meilleur des deux mondes. Tu as ton *David*.

Il prononça le prénom avec mépris, la colère pointant le nez dans son ton. C'était mieux que la douleur qu'elle y avait décelée avant. Elle souhaita presque qu'il crie. La colère était tellement plus facile que la tristesse, la douleur.

— Et ensuite tu viens ici et tu m'as quand tu me veux. Je suis à ton entière disposition et tu le sais. Penses-tu parfois à ce que je ressens ? Chaque fois que tu t'en vas — que tu retournes vers lui —, tu réduis mes émotions en miettes à tout coup. Parfois...

Il soupira.

— Parfois, j'aimerais que tu cesses complètement de revenir.

Il laissa échapper un grognement frustré.

— Non, je ne veux pas réellement cela, mais c'est juste... c'est tellement difficile quand tu pars, Laurel. J'aimerais que tu voies cela.

Une larme coula sur la joue de Laurel, mais elle la frotta pour l'essuyer, s'obligeant à rester calme.

— Je ne peux pas rester, dit-elle, heureuse que sa voix soit solide, forte. Si je viens ici... *chaque fois* que je viens ici... je dois partir, un jour ou l'autre. Ce serait peut-être mieux si je cessais complètement de venir — plus facile.

— Tu dois revenir, affirma Tamani, l'inquiétude empreinte dans sa voix. Tu dois apprendre à devenir une fée d'automne. C'est ton droit de naissance. Ta destinée.

— J'en sais suffisamment pour me débrouiller un temps, insista Laurel. Ce dont j'ai besoin à présent, c'est de pratique, et je peux m'exercer à la maison.

Ses mains tremblaient, mais elle croisa les bras sur sa poitrine pour tenter de le dissimuler.

— Ce n'est pas le plan, rétorqua Tamani d'une voix qui sonna presque comme une réprimande. Tu dois revenir régulièrement.

Laurel s'obligea à parler calmement, fraîchement.

— Non, Tamani. Ce n'est pas nécessaire.

Leurs regards se croisèrent et ni l'un ni l'autre ne sembla capable de détourner les yeux.

Laurel flancha la première.

— Je dois partir. Il vaut mieux pour moi être à la maison avant la noirceur. J'ai besoin que tu me raccompagnes au portail.

— Laurel...

— Le portail! ordonna-t-elle, sachant qu'elle ne pourrait pas supporter ce qu'il avait à dire.

D'une façon ou d'une autre, elle avait gâché toute leur journée et à présent elle voulait seulement y mettre fin.

Tamani se raidit, mais la défaite marquait son visage. Laurel s'en détourna. Elle ne pouvait pas regarder. Il posa la main dans son dos et la poussa gentiment en avant, ses doigts sur sa taille, la guidant depuis son poste, un pas derrière elle.

Quand ils atteignirent les murs de pierres entourant les portails, Tamani fit un signal de la main aux gardes à l'entrée et l'un d'eux partit en courant.

Après quelques secondes, Tamani prit la parole.

— Je... je veux seulement que tu sois en sécurité, déclara-t-il d'un ton d'excuse.

— Je sais, murmura Laurel.

— Et qu'en est-il de cette femme, cette Klea ? s'enquit Tamani. L'as-tu revue ?

Laurel secoua la tête.

— Je t'ai dit que je n'étais pas certaine de pouvoir lui accorder ma confiance.

— Sait-elle à ton sujet ? demanda Tamani, se tournant brusquement pour la regarder en face. A-t-elle la moindre idée que tu es une fée ?

— Oui, Tamani. Je lui ai tout avoué dès l'instant où je l'ai rencontrée, déclara Laurel avec sarcasme. Non, bien sûr qu'elle ne sait pas ! J'ai été très prudente...

— Parce qu'à la seconde où elle le découvre, poursuivit-il, parlant par-dessus elle encore une fois, à l'*instant* où elle l'apprend, ta vie est en danger.

— Elle ne le sait pas, cria Laurel, attirant l'attention des gardes.

Mais elle s'en foutait.

— Et même si c'était le cas : alors quoi ? Va-t-elle changer d'avis et essayer de me tuer à la place ? Je ne pense pas.

C'était étrange de défendre le point de vue opposé à celui qu'elle avait adopté avec David quelques semaines auparavant, mais la logique semblait la quitter.

— Je vais bien ! s'exclama-t-elle, exaspérée.

Ils tournèrent tous les deux la tête au son de pas s'approchant — ~~roupe~~ de gardes. Tamani baissa la tête et ~~pas~~, prenant sa place derrière l'épaule ~~pouvait toutefois entendre sa respiration~~ ~~tration~~.

Le gr~~~~ s'écarta pour laisser voir Yasmine, la ~~er~~.

— Oh, dit L~~aurel~~, surprise. Je pensais qu'ils enverraient chercher... quelqu'un d'autre, conclut-elle faiblement quand les doux yeux verts de la fillette se tournèrent vers elle.

Yasmine ne dit rien, se contentant de se tourner vers le mur.

— Peut-elle l'ouvrir toute seule ? chuchota Laurel à Tamani.

— Bien sûr, rétorqua Tamani, le ton tranchant. Ce n'est pas un talent. On doit simplement être une fée d'hiver.

Des sentinelles les guidèrent le long du sentier menant aux quatre portails. Tamani suivit silencieusement Laurel, ne la touchant pas du tout. Laurel détestait être ainsi avec lui, mais elle ne savait pas quoi faire d'autre. Ses deux mondes, ses deux vies qu'elle avait tenté si fort de garder séparées entraient en collision. Et elle se sentait impuissante devant la situation.

Vingt-quatre

Silencieux et maussades, Laurel et Tamani traversèrent le portail. Ils furent accueillis par l'habituelle brigade de sentinelles. Shar s'avança et lança un regard furieux à Laurel, tout en s'adressant à Tamani.

— Nous avons un visiteur.

— Des trolls ?

Tamani se raidit et repoussa Laurel vers le portail scintillant.

— Laurel, retourne à Avalon.

Shar roula les yeux.

— Pas des trolls, Tam. Penses-tu que nous vous aurions permis de passer si des trolls vous attendaient ?

Tamani soupira et laissa ses mains retomber.

— Bien sûr que non, je n'ai pas réfléchi.

— C'est le garçon humain. Celui qui se trouvait ici l'automne dernier.

— David ? demanda Laurel d'une voix faible.

Comment l'avait-il su ?

Shar acquiesça d'un signe tête alors que Tamani serrait les mâchoires.

— Je vais la ramener à lui, déclara Tamani en s'avançant. Où est-il ?

— Il garde ses distances, les informa Shar en esquissant un geste vague de la tête. Près de la maison.

— Je reviens, annonça Tamani, enroulant sa main autour du bras de Laurel et la tirant en direction de la maisonnette de bois.

Dès qu'ils furent hors de vue du portail, il lâcha son bras.

— Je veux lui parler, dit Tamani à voix basse.

— Non ! s'exclama Laurel. Tu ne peux pas.

— Je veux savoir ce qu'il fait pour contribuer à ta sécurité, reprit Tamani sans croiser son regard. C'est tout.

— Absolument pas, rétorqua Laurel à travers ses dents serrées.

— Qu'es-tu prête à sacrifier pour David ? demanda Tamani, exaspéré. Moi, de toute évidence. Mais quoi d'autre ? Ta vie ? La vie de tes parents ? Même la vie de David, afin que je n'intervienne pas comme un obstacle dans ta petite amourette ? Je souhaite seulement lui parler.

— Tu veux l'intimider. Menacer sa position. Je te *connais*, Tamani.

— Aussi bien m'en occuper puisqu'il est ici, gronda Tamani en regardant au bout du sentier.

— Je ne lui ai pas demandé de venir, déclara Laurel, ignorant exactement pourquoi elle se sentait obligée de se justifier.

Tamani garda le silence.

— Il ne devrait pas avoir déjà quitté le travail. Il ne devrait même pas savoir que je suis ici.

Tamani s'arrêta brusquement et pivota.

— Tu lui as menti?

Son visage était inexpressif.

— Je...

— Tu lui as menti afin de pouvoir me voir?

Tamani rit.

— Tu as menti pour moi. Je me sens spécial.

Sa voix était tranchante et dure, mais il y avait une trace d'autre chose aussi. De la reconnaissance. De la satisfaction.

Laurel se moqua de lui en s'éloignant.

— Ne pense pas cela ; ce n'était pas pour toi.

Tamani lui saisit le bras et la fit pivoter si vite qu'elle trébucha et s'écrasa contre son torse. Il ne tenta pas de l'enlacer, il lui tint simplement les bras alors qu'elle était affalée sur lui.

— Ah non? Alors, dis-moi que tu ne m'aimes pas.

La bouche de Laurel bougea, mais aucun mot n'en sortit.

— Dis-le-moi, reprit-il, la voix sèche et exigeante. Dis-moi que David est tout ce dont tu as besoin et ce que tu désires dans ta vie.

Son visage était près du sien, son souffle lui caressant le visage.

— Que tu ne penses jamais à moi quand tu l'embrasses! Que tu ne rêves pas à moi comme je rêve à toi! Dis-moi que tu ne m'aimes pas.

Elle leva les yeux vers lui, consumée par le désespoir. Sa bouche était sèche et brûlante et les mots qu'elle s'efforça de prononcer ne franchirent pas ses lèvres.

— Tu ne peux même pas le dire, lança-t-il, ses bras l'attirant à lui à présent au lieu de l'aider à garder son équilibre. Alors, aime-moi, Laurel. Aime-moi, tout simplement!

Le visage de Tamani affichait une envie qu'elle pouvait à peine supporter. Elle ne pouvait pas le quitter encore une fois. Pas comme cela; pas maintenant qu'il savait. Pourquoi ne pouvait-elle pas mieux le cacher? Pourquoi revenait-elle continuellement quand elle ne pouvait pas rester? Cela le blessait *lui*, plus qu'elle se faisait du mal à elle-même. Comment pouvait-il s'agir d'amour? L'amour n'était pas censé être égoïste.

Les lèvres de Tamani étaient sur son visage à présent, dans ses cheveux. C'était comme si chaque émotion qu'il avait étouffée, chaque tentation à laquelle il avait résisté s'étaient libérées et déversées comme une rivière rugissante. Et le courant menaçait d'emporter Laurel.

Elle s'obligea à ouvrir les yeux. Ce qu'elle ressentait n'avait pas d'importance — elle ne pouvait pas être avec lui. Pas maintenant. Tant qu'elle vivrait dans le monde des humains, sa relation avec Tamani n'en serait qu'une à moitié. Elle détesterait cela et — même si elle savait qu'il ne serait pas d'accord — en fin de compte, il lui en voudrait pour cela. Elle n'était pas prête à quitter sa vie humaine. Elle voulait recevoir son diplôme du lycée et décider d'elle-même ce qu'elle désirait faire ensuite. Elle avait une famille et des amis et une vit à vivre — une vie qu'elle ne pouvait pas partager avec Tamani. Elle ferma de nouveau les yeux, chassant avec force son rêve de lui. Ce ne serait pas un rêve ; il n'aurait pas de fin heureuse. Elle devait l'éloigner.

C'était le moment ou jamais.

— Je ne t'aime pas, murmura-t-elle, perdant presque son courage à cause de sa bouche dans son cou.

— Oui, Laurel, tu m'aimes, chuchota-t-il, ses lèvres frôlant maintenant son oreille.

— Non, reprit-elle, la voix plus forte à présent en acceptant enfin ce qui devait être fait.

Elle posa ses deux mains sur son torse et le repoussa fermement.

— Je ne t'aime pas. Je dois rentrer. Et tu ne viens *pas* avec moi.

Elle pivota avant de pouvoir changer d'avis.

— Laurel...

— Non ! J'ai dit que je ne t'aime pas. Je... je te connais à peine, Tamani. Une poignée d'après-midi, un tour dans un festival : cela ne produit pas de l'amour ! insista-t-elle.

Elle ne savait pas quoi faire d'autre. Il avait raison ; le quitter en lui laissant l'espoir d'un avenir ensemble chaque fois qu'elle le voyait était cruel. Effroyablement cruel. Elle devait lui faire croire que cela ne se produirait pas. Cela serait moins douloureux à la longue.

— Je m'en vais voir David, conclut-elle, lui jetant avec violence sa dernière munition et pivotant avant qu'il ne réagisse.

Elle ne pensait pas pouvoir supporter de voir sa réaction.

Elle marcha vers la maisonnette, s'attendant à ce que Tamani stoppe à tout moment. Mais à la lisière de la forêt, il était toujours sur ses talons.

— Arrête de me suivre, siffla-t-elle.

— Je ne crois pas que tu sois en position de me donner des ordres, rétorqua-t-il laconiquement.

Ils passèrent la ligne des arbres ensemble, Tamani juste derrière l'épaule gauche de Laurel. Les yeux de Laurel croisèrent immédiatement ceux de David... une seconde avant qu'il n'aperçoive Tamani. Ses yeux revinrent à elle de nouveau, remplis de douleur et d'accusations. Il descendit rapidement du coffre de la Sentra et se dirigea vers sa propre voiture.

— David ! cria Laurel, levant le pied pour courir.

La main de Tamani s'abattit sur son poignet. Il la fit pivoter et avant qu'elle ne puisse protester, les lèvres de Tamani tombèrent avec force sur les siennes, son baiser passionné et exigeant et plein d'une chaleur qui emporta

Laurel pendant deux secondes avant qu'elle ne le repousse violemment.

Elle regarda vers David, espérant qu'il ne l'avait pas vu.

Son regard était fixé droit sur eux.

Les yeux de David et de Tamani se croisèrent et leurs regards restèrent rivés l'un à l'autre.

Tamani tenait encore le poignet de Laurel. Elle tira pour se dégager.

— Va-t'en, dit-elle. Je veux que tu partes !

Sa voix commençait à trembler.

— Je suis sérieuse ! hurla-t-elle. Va-t'en !

Son visage était tendu et sa mâchoire se serra alors qu'il fixait Laurel. Elle pouvait à peine supporter de regarder ses yeux. Ils étaient comme un océan de trahison. Ils plongeaient en elle, cherchant le plus petit signe qu'elle ne pensait pas ce qu'elle affirmait. Cette étincelle d'espoir qui semblait ne jamais s'éteindre.

Elle refusa de baisser les yeux. C'était mieux ainsi. Un jour, peut-être… elle ne pouvait même pas y songer. Il devait partir. Il devait s'en aller. C'était injuste de continuer ainsi.

Je t'en prie, pars, pensa-t-elle avec désespoir. *S'il te plaît, va-t'en avant que je ne change d'avis. Pars.*

Comme s'il entendait ses paroles silencieuses, Tamani pivota sans un mot et traversa les arbres en silence, disparaissant sous ses yeux.

Laurel était incapable de détourner les yeux de l'endroit où Tamani se tenait juste une seconde auparavant. Elle savait qu'elle le devait. Plus elle attendait, plus les choses seraient difficiles avec David.

Elle s'arracha à cette vision. David était déjà à la portière de sa voiture.

— David! cria-t-elle. David, attends!

Il s'arrêta, mais ne se tourna pas vers elle.

— David, ne t'en vas pas.

— Pourquoi pas? demanda-t-il, ses yeux rivés sur le siège du conducteur, refusant de la regarder en face. J'ai vu ce qui s'est passé. Tout ce qu'il me reste, c'est à imaginer ce que je n'ai *pas* vu.

— Ce n'était pas comme cela, dit-elle, la culpabilité et la honte résonnant en elle.

— Ah non?

Il pivota et la regarda en face à présent, sans expression. S'il avait eu l'air triste, ou même en colère, elle aurait pu l'accepter. Mais son visage était neutre, comme s'il s'en foutait.

— Non, reprit-elle, mais d'une voix basse maintenant.

— Alors comment était-ce, Laurel? Parce que je vais te dire de quoi les choses avaient l'air de mon point de vue. Tu m'as menti pour venir ici et le voir, pour être avec *lui*!

— Je n'ai pas menti, protesta-t-elle faiblement.

— Tu n'as pas prononcé les mots, mais tu as menti quand même.

Il marqua une pause, la mâchoire serrée, les mains raides sur la portière de la voiture.

— Je te faisais confiance, Laurel. Je t'ai toujours fait confiance. Et le simple fait de ne pas m'avoir menti directement ne signifie pas que tu n'as pas brisé ma confiance.

Il la regarda.

— J'ai quitté le travail plus tôt parce que je m'inquiétais pour toi. J'avais peur pour toi. Et quand ta mère m'a informé que tu étais chez Chelsea, je lui ai téléphoné et elle ignorait totalement de quoi je parlais. Et sais-tu quelle a été ma prochaine pensée ? Que tu étais morte, Laurel ! J'ai pensé que tu étais morte !

Laurel se souvint avoir eu les mêmes pensées à propos de David lundi et elle baissa les yeux sur ses pieds, honteuse.

— Et ensuite j'ai compris qu'il y avait un endroit — une *personne*, reprit-il avec mépris, que tu viendrais voir en cachette de moi. Et je viens ici pour vérifier que tu es en sécurité et je te trouve en train de l'embrasser !

— Je ne l'embrassais pas ! hurla Laurel. Il m'embrassait.

David garda le silence, les muscles de sa mâchoire se contractant furieusement.

— Peut-être cette fois, dit-il d'une voix dure comme l'acier. Mais j'ai vu la façon dont il t'embrassait et je te l'assure, ce n'était pas la première fois. Vas-y, nie-le. Je t'écoute.

Elle regarda le sol, la voiture, les arbres, partout sauf dans ses yeux accusateurs.

— Je le savais. Je le *savais* !

Il se glissa sur le siège du conducteur et claqua la portière, son moteur démarrant immédiatement. Il recula rapidement, manquant de près Laurel, qui restait figée au sol, incapable de bouger. Il baissa la vitre.

— Je ne veux plus...

Il marqua une pause, le seul signe de faiblesse qu'il montra de toute la conversation.

— Je ne veux plus te voir pendant un moment. Ne m'appelle pas. Quand... si je décide que je suis prêt, je saurai où te trouver.

Laurel le regarda s'éloigner, laissant enfin libre cours à ses larmes. Elle jeta un coup d'œil d'une seconde vers les arbres, mais il n'y avait rien là pour elle non plus. Elle monta dans sa voiture et laissa tomber son front sur le volant, sanglotant. Comment tout avait-il pu si mal tourner ?

Laurel était assise sur son lit, sa guitare sur les cuisses, observant les ombres qui dansaient au plafond. Elle était installée là depuis deux heures, pendant que le soleil se couchait et que la pièce s'assombrissait, pinçant au hasard des cordes mélancoliques qui — peu importe ses efforts contraires — lui rappelaient étrangement la musique qu'elle avait entendue plus tôt ce jour-là à Avalon.

Ce matin-là, sa vie était bonne — non, formidable ! Et maintenant ? Elle avait tout détruit.

Et c'était sa propre faute. Elle avait passé trop de temps à ménager la chèvre et le chou. Elle avait permis à son attirance pour Tamani d'échapper à son contrôle. Cela ne suffisait pas d'être fidèle à David seulement physiquement, il méritait sa fidélité émotionnelle également.

Elle songea à l'expression sur le visage de Tamani quand elle lui avait déclaré ne pas l'aimer ; c'était injuste pour lui aussi. Elle avait blessé tout le monde et maintenant il y avait des conséquences.

La pensée de vivre le reste de sa vie — même le reste de la semaine — sans David la faisait souffrir partout dans son corps. Elle s'imagina le voir avec une autre fille. Embrasser une autre personne comme Tamani l'avait embrassée, elle, aujourd'hui. Elle gémit et roula sur le côté, laissant sa guitare glisser sur l'édredon à côté d'elle. Ce serait comme la fin du monde. Elle ne pouvait pas laisser cela arriver. Il devait y avoir une façon d'arranger les choses.

Cependant, deux heures de réflexions ne lui avaient apporté aucune idée. Elle devait simplement espérer qu'il lui pardonnerait. Avec le temps.

Elle essaya de glisser dans le sommeil. C'était habituellement facile, une fois le soleil couché, mais tout ce qu'elle réussissait à faire ce soir était de s'asseoir et d'observer les chiffres sur son réveille-matin changer pendant que l'obscurité tombait sur elle.

20 h 22

20 h 23

20 h 24

Laurel se rendit au rez-de-chaussée. Ses parents effectuaient toujours le relevé de leurs inventaires le samedi soir et ils ne reviendraient pas avant une autre heure ou deux au plus tôt. Elle ouvrit la porte du réfrigérateur, plus par habitude que par appétit : elle ne pourrait jamais manger dans un moment pareil. Elle referma le réfrigérateur et elle se permit de blâmer un peu David et Tamani. Elle ne voulait pas les blesser, elle désirait qu'ils soient heureux tous les deux. Ils occupaient une place importante dans sa vie. Pourquoi insistaient-ils toujours pour qu'elle choisisse entre eux ?

Un mouvement dans le jardin attira son attention, mais avant qu'elle ne puisse se concentrer dessus, la fenêtre panoramique éclata, envoyant des éclats de verre ricocher sur le sol pendant que son cri résonnait dans l'air et qu'elle se laissait tomber accroupie en se protégeant le visage des mains. Mais dès qu'elle ferma la bouche, un silence de mort retomba dans la pièce ; plus de cris, plus de pierres, pas même des pas.

Laurel regarda les éclats de verre jonchant le sol de la cuisine. Ses yeux s'arrêtèrent sur une grosse roche qui avait dû entrer par la fenêtre.

Elle était emballée dans un morceau de papier.

Laurel tendit des mains tremblantes et retira la feuille. Son souffle resta coincé dans sa gorge quand elle lut le gribouillage rouge vif.

Elle fut sur pied en un instant, courant vers la porte avant. Quand elle l'ouvrit, elle marqua une pause, scrutant son jardin. Il semblait calme — serein, même — sous la lueur des lampadaires. Laurel examina chaque forme dans l'ombre, cherchant de minuscules tressaillements.

Rien ne bougeait.

Elle regarda sa voiture et de nouveau le papier dans sa main. Tamani avait raison — elle essayait toujours de tout faire seule. Il était temps d'admettre qu'elle avait besoin d'aide. Elle pivota et commença à courir, non vers sa voiture, mais vers la lisière du bois derrière sa maison. Elle s'arrêta au bord de la forêt, ne sachant pas où exactement s'arrêtait la barrière de protection. Après un moment d'hésitation, elle se mit à crier :

— Au secours ! S'il vous plaît ! J'ai besoin d'aide.

Elle courut le long de la ligne des arbres jusqu'à l'autre côté de son terrain, hurlant ses appels à l'aide encore et encore. Cependant, elle n'entendit rien d'autre que ses propres mots résonner.

— S'il vous plaît ! hurla-t-elle une autre fois, sachant qu'elle ne recevrait pas de réponse.

Les sentinelles étaient parties. Elle ignorait où et quand ; mais si une seule fée avait été dans ces bois, elle était certaine qu'elle aurait répondu à son appel. Elle était seule.

Le désespoir l'envahit subitement et elle pressa les paumes de ses mains sur ses yeux, s'obligeant à ne pas pleurer. La dernière chose qu'elle devait se permettre, c'était de s'effondrer. Elle courut à sa voiture, se glissant sur le siège du conducteur, et claqua la portière. Elle fixa la maison vide et obscure. Elle l'avait protégée pendant des mois ; même avant d'être au courant à propos des sentinelles et des puissantes protections. Mais elle ne pouvait pas rester. Elle devait quitter cette protection. Elle savait que c'était ce que les trolls voulaient. Mais elle n'avait pas le choix ; il y avait trop à perdre. Ses mains tremblaient, mais elle réussit à forcer la clé dans le contact et à démarrer le moteur, recula à toute vitesse, ses pneus crissant sur l'asphalte alors qu'elle passait brusquement en première vitesse, faisant bondir la voiture, et gardait un œil méfiant dans le rétroviseur.

Elle eut l'impression que la route d'un kilomètre qui la séparait de la maison de David lui prit une éternité. Laurel se gara devant et examina la structure familière qui était pratiquement un deuxième foyer pour elle.

Elle s'y sentait étrangère à présent.

Avant de pouvoir se convaincre de repartir, elle sortit de la voiture et courut sur le trottoir devant la porte d'entrée. Elle entendit la sonnette résonner dans le salon et essaya de se rappeler quand elle avait sonné chez David la dernière fois. Cela semblait si formel, si inutile.

La mère de David ouvrit la porte.

— Laurel, lança-t-elle joyeusement.

Mais son sourire s'évanouit quand elle vit le visage de la jeune fille.

— Qu'est-ce qui ne va pas ? Est-ce que tu vas bien ?

— Puis-je voir David ?

La mère de David parut perplexe.

— Bien sûr, entre.

— Je vais rester dehors, merci, murmura Laurel, les yeux sur le sol.

— D'accord, répondit la mère de David avec hésitation. Je vais le chercher.

Ce fut une longue attente avant que la porte ne s'ouvrît de nouveau. Laurel leva les yeux, craintive que ce soit seulement la mère de David. Mais c'était lui, le visage de pierre, les yeux étincelants. Il s'arrêta, prit une profonde respiration et sortit sur la véranda, refermant la porte derrière lui.

— Ne fais pas cela, Laurel. Je suis ici seulement parce que ma mère est à la maison et qu'elle ne sait pas encore ce qui s'est passé. Mais tu dois...

— Barnes a Chelsea.

La colère disparut instantanément des yeux de David.

— Quoi !

Laurel lui remit la note.

— Au phare. Je sais que tu es furieux contre moi, mais...

Sa voix se cassa, sa respiration étant sèche et douloureuse, mais elle repoussa sa peur avec force.

— C'est plus important que nous. Plus important que *ceci*. J'ai besoin de toi, David. Je ne peux pas le faire seule.

— Qu'en est-il de tes sentinelles ? demanda David, sur ses gardes.

— Elles ne sont pas là! Je les ai appelées. Elles sont parties.

David hésita, puis hocha la tête et s'esquiva rapidement dans la maison. Elle l'entendit crier quelque chose à sa mère, puis il revint sur la véranda, traînant son sac à dos en enfilant son manteau.

— Partons.

— Peux-tu conduire? demanda Laurel. J'ai... il y a quelque chose que je dois faire.

Après avoir attrapé son propre sac à dos dans sa voiture, elle rejoignit David dans la sienne.

— Nous devons aller chercher Tamani, déclara David d'une voix dure.

Laurel secouait déjà la tête.

— Laurel, je me fous de toi et de lui en ce moment. Il constitue notre meilleure chance!

— Ce n'est pas cela; nous n'avons pas le temps. Si je ne suis pas au phare d'ici vingt et une heures, il va tuer Chelsea. Nous avons — elle jeta un œil sur l'horloge de la voiture — vingt-cinq minutes.

— Alors, rends-toi au phare et je vais aller à la terre et le ramener.

— Le temps manque, David!

— Alors quoi! hurla-t-il, sa voix frustrée remplissant la voiture.

— Je peux y arriver, déclara Laurel, espérant dire la vérité. Mais d'abord, je dois m'arrêter à la boutique de ma mère.

* * *

Laurel frappa à grands coups sur les portes d'entrée de Cure Naturelle jusqu'à ce que sa mère sorte de l'arrière-boutique, où elle s'occupait toujours de terminer ses tâches administratives.

— Laurel, que dia...

— Maman, j'ai besoin de racine de sassafras séchée, de graines organiques d'hibiscus et d'huile essentielle d'ylang-ylang mélangée à de l'eau et non de l'alcool. J'en ai besoin tout de suite et j'ai besoin que tu ne me poses pas de questions.

— Laurel...

— Je n'ai pas une seule minute à perdre, maman. Je promets de tout te dire — *tout* — quand je rentrerai à la maison, mais en ce moment je te supplie de simplement me faire confiance.

— Mais où vas-tu...

— Maman, dit Laurel en saisissant les deux mains de sa mère. Je t'en prie ; écoute-moi. Écoute vraiment. Être une fée n'est pas uniquement une question de porter une fleur dans son dos. Les fées ont des ennemis. Des ennemis puissants, et si je n'obtiens pas ces ingrédients de toi et que je ne pars pas m'occuper d'eux tout de suite, des gens mourrons. Aide-moi. J'ai *besoin* que tu m'aides, supplia-t-elle.

Sa mère resta perplexe un moment avant de hocher lentement la tête.

— Je comprends qu'il ne s'agit pas d'une chose pour cette bonne vieille police humaine ?

Des larmes s'accumulèrent dans les yeux de Laurel; elle ne savait même pas quoi répondre. Elle n'avait pas le temps de discuter.

— D'accord, reprit sa mère avec détermination, parcourant une allée et scrutant les petites bouteilles alignées de chaque côté.

Elle retira rapidement les ingrédients des tablettes et les remit à Laurel.

— Merci, dit Laurel, et elle esquissa un pas pour partir.

Sa mère l'arrêta d'une main ferme sur l'épaule. Laurel se tourna quand sa mère la prit dans ses bras et la serra très fort.

— Je t'aime, murmura-t-elle. S'il te plaît, sois prudente.

Laurel hocha la tête contre l'épaule de sa mère.

— Je t'aime aussi.

Elle marqua une pause, puis ajouta :

— Et si quelque chose arrive, ne vends *pas* la terre, promis ?

Les yeux de sa mère s'emplirent de crainte.

— Qu'est-ce que tu veux dire ?

Mais Laurel ne pouvait plus s'attarder. Elle essaya de ne pas entendre le désespoir dans la voix de sa mère pendant qu'elle la suivait à la porte.

— Laurel ?

Laurel avait déjà passé la porte et se glissait dans la voiture de David.

— Démarre, ordonna-t-elle en s'efforçant de bloquer le dernier cri de sa mère.

— Laurel !

Laurel regarda derrière elle, fixant ses yeux sur le visage blême de sa mère alors que son père sortait en trombe de la librairie ; ses deux parents observaient fixement la voiture qui s'éloignait.

VINGT-CINQ

— As-tu obtenu ce dont tu avais besoin ? s'enquit David en se dirigeant vers le phare de Battery Point.

— Oui, répondit Laurel, sortant déjà son mortier et son pilon.

— Que fabriques-tu ?

— Contente-toi de conduire et nous verrons si je peux éviter de faire exploser la voiture, d'accord ?

— D'ac-cord, dit David, sans avoir l'air trop confiant.

Ils roulèrent en silence, les grattements du pilon de Laurel formant un sinistre duo avec le bruit des pneus glissant sur l'asphalte. Ils se rendirent du côté sud de Crescent City et l'horloge du tableau de bord tourna inexorablement.

20 h 43

20 h 44

20 h 45

Ils s'engagèrent dans l'aire de stationnement désert du phare de Battery Point et Laurel se souvint y être venue avec Chelsea plus d'un an auparavant. Elle se rappela le sourire jovial de son amie pendant qu'elle racontait tout ce qu'elle savait sur ce site qu'elle adorait. Alors qu'ils entraient dans l'aire de stationnement la plus près de l'île, une boule se forma dans sa gorge lorsqu'elle réfléchit à la possibilité de ne plus la revoir.

Du moins, vivante.

Laurel chassa cette pensée et essaya de se raccrocher au calme légèrement flou qu'elle avait réussi à atteindre par hasard quand elle avait fabriqué sa première fiole parfaite en sucre de verre. Elle lança quelques graines d'hibiscus dans le mélange et les écrasa avec détermination, s'obligeant à se concentrer sur des souvenirs heureux avec Chelsea, s'efforçant de ne pas laisser ses peurs s'imposer.

Elle sursauta lorsque David mit la main sur son bras.

— Devrions-nous appeler la police? demanda-t-il.

Laurel secoua la tête.

— Si les policiers viennent, Chelsea mourra. Je te le garantis. Les policiers aussi probablement.

— Tu as raison.

David marqua une pause.

— Et Klea?

Laurel secoua la tête.

— Je n'arrive pas à me convaincre de lui faire confiance. Il y a quelque chose — quelque chose qui cloche chez elle.

— Mais Chelsea…

Sa voix s'estompa.

— J'aimerais seulement que nous ayons quelque chose d'autre — quelqu'un d'autre.

Ses doigts se refermèrent douloureusement sur le bras de Laurel.

— S'il te plaît, ne les laisse pas la tuer, Laurel.

Laurel saupoudra un peu de poudre d'aiguilles de cactus saguaro et leva la mixture sous la faible lueur du lampadaire. Elle réfléchit les rayons ténus exactement comme elle était censée le faire.

— Je fais de mon mieux, dit-elle doucement.

Après avoir versé le mélange dans une fiole en verre de sucre, Laurel mesura plusieurs gouttes d'huile dans une seconde fiole, complétant le sérum monastuolo. Il avait l'air réussi; elle *sentait* qu'il l'était. Elle espéra que ce n'était pas son désespoir qui parlait. Si cela fonctionnait, Jeremiah Barnes et ses nouveaux larbins s'endormiraient, et une fois Chelsea libérée, ils pourraient aller chercher Tamani. Il saurait comment agir. Laurel fourra les fioles dans les poches de son manteau et s'apprêta à ouvrir la portière. Ils avaient déjà gaspillé trop de temps à rester assis dans le stationnement pendant qu'elle terminait sa potion.

— Attends, lança David, la main sur le bras de Laurel.

Les yeux de Laurel filèrent vers l'horloge du tableau de bord qui égrenait les minutes beaucoup trop rapidement, mais elle ne bougea pas. David fouilla dans son sac à dos et quand il retira sa main, il tenait le petit SIG

SAUER que Klea avait prévu pour Laurel. Laurel centra son attention sur l'arme quelques secondes, puis elle leva les yeux vers David.

— Je sais que tu détestes cela, déclara-t-il d'une voix basse et ferme. Mais c'est la seule chose que nous sommes sûrs qui peut arrêter Barnes. Et si la situation se résume à sa vie ou celle de Chelsea — il posa le pistolet dans la main tremblante de Laurel —, je sais que tu trouveras la force de faire le bon choix.

Les mains de Laurel tremblaient si fort qu'elle réussit tout juste à enrouler ses doigts autour du manche glacial, mais elle hocha la tête et fourra l'arme dans la ceinture de son jean, baissant son manteau dessus pour le dissimuler.

Ils sortirent de la voiture, contemplant tous les deux le haut du bâtiment où une tache de clarté brillait à l'étage supérieur. Puis, elle et David marchèrent vers le sentier menant au phare.

Il était un mètre sous l'eau.

— Oh, non, dit Laurel dans un souffle. J'ai oublié la marée.

Elle fixa le phare au loin, à environ cent mètres de l'autre côté de l'eau tumultueuse. Elle y arriverait — ce n'était pas si loin —, mais le sel s'infiltrerait dans ses pores. Il saperait ses forces instantanément et resterait en elle pendant au moins une semaine.

Sans un mot, David la souleva dans ses bras. Il marcha vers le bord et, après une très légère hésitation, il avança, ses longues jambes puissantes se frayant un chemin facilement dans le courant écumeux. Il haleta quand l'eau atrocement froide monta lentement jusqu'à ses genoux, ses cuisses, ses hanches, et après une minute, Laurel l'entendit claquer des dents une seconde avant qu'il ne serre la mâchoire. Mais il ne pouvait pas arrêter les frissons parcourant son corps. Laurel essaya de soutenir autant de son propre poids que possible avec ses bras autour du cou de David, mais même le vent était contre eux ce soir, fouettant leurs manteaux et les cheveux de Laurel, brassant l'eau de mer pour la transformer en vagues agitées.

Exactement là où l'eau était la plus profonde — jusqu'à la taille de David —, une grande vague le frappa et il chancela, les faisant presque tomber tous les deux. Mais avec un léger grognement déterminé, il retrouva son équilibre et continua à avancer péniblement.

Une éternité paru s'écouler avant que David n'arrive de l'autre côté en trébuchant, sur l'île avec un petit phare. Il déposa Laurel délicatement avant d'enrouler ses bras autour de lui-même en respirant bruyamment.

— Merci, dit Laurel, ce mot ne lui paraissant pas suffisant.

— Bien, j'ai entendu dire que souffrir d'hypothermie une fois par année est bon pour l'âme, rétorqua David, la voix tremblotante en raison des frissons qui agitaient son corps.

— Je...

— Allons-y, Laurel, l'interrompit-il. Ils doivent savoir que nous sommes ici.

Sous peu, ils arrivèrent devant la porte. Elle était entrouverte. Quelqu'un attendait.

— Frappons-nous ? chuchota David. Je ne suis pas précisément au fait de l'étiquette en matière de prise d'otage.

Laurel posa une main sur sa taille, vérifiant que le pistolet se trouvait toujours d'un côté et les fioles de potion de l'autre.

— Pousse-la simplement pour l'ouvrir toute grande, dit-elle en ayant aimé que sa voix ne tremble pas autant.

David s'exécuta.

C'était sombre.

— Il n'y a personne ici, chuchota-t-il.

Les yeux de Laurel fouillèrent la pièce. Elle pointa un minuscule point de lumière décorant le mur opposé.

— Ils sont là, affirma-t-elle en songeant à la métaphore de la dionée de Jamison. Nous ne les verrons toutefois pas avant que nous soyons trop loin à l'intérieur pour pouvoir nous enfuir.

Tout de même, ils traversèrent la pièce du bas lentement, puis ouvrirent la porte de l'escalier avec précaution. Une faible lumière se déversa de quelque part plus haut. Laurel posa le pied sur la première marche.

— Non, dit David, une main sur son épaule. Laisse-moi passer d'abord.

La culpabilité submergea Laurel. Même après tout ce qu'elle avait fait, il était prêt à risquer sa vie pour elle. Elle secoua la tête.

— Il doit m'apercevoir en premier. Juste pour être certain.

Ils avaient monté moins de cinq marches lorsque David inspira brusquement. Laurel regarda derrière et vit que deux trolls étaient entrés dans le phare après eux. Il ne s'agissait pas des trolls sales et négligés qui les avaient poursuivis depuis la maison de Ryan, par contre. Ils portaient tous les deux un jean noir propre et une chemise noire à manches longues et ils pointaient des pistolets chromés dans le dos de David — non qu'ils en aient besoin. Laurel savait qu'ils pouvaient la briser en deux facilement.

L'un était bizarrement asymétrique : le côté gauche de son corps était atrophié et ratatiné, mais le côté droit n'aurait pas déparé le corps d'un culturiste de classe mondiale. Le visage de l'autre paraissait remarquablement humain, mais les os de ses épaules étaient tordus et inégaux, tirant une épaule en avant et l'autre en arrière, tordant aussi ses jambes ; sa démarche était donc étrange et traînante.

David leva des yeux ronds vers Laurel, mais elle secoua la tête, pivota de nouveau vers l'avant et continua à grimper. Ils atteignirent le haut de l'escalier et furent accueillis par deux autres trolls, armés aussi. Ceux-ci ressemblaient davantage aux hommes de main qui avaient lancé Laurel et David dans la Chetco l'an dernier, avec des pommettes tombantes, des nez crochus et des yeux mal assortis. L'un arborait même une tignasse rousse peignée de façon à dégager son visage redoutable. Mais bien sûr, il ne pouvait pas s'agir des anciens larbins de Barnes ; Tamani avait disposé d'eux. Laurel ne tint pas compte d'eux et tourna le coin en haut de l'escalier.

— Chelsea !

Le souffle lui manqua quand son amie apparut dans son champ de vision.

Chelsea avait les yeux bandés et elle était ligotée à une chaise, un pistolet pointé sur sa tête.

— Enfin, grommela-t-elle.

— Je t'avais dit qu'elle viendrait, lâcha une voix râpeuse, un peu trop familière. Laurel. Bienvenue.

Le regard de Laurel quitta Chelsea et vola jusqu'à l'homme qui tenait l'arme contre la tempe de Chelsea. Le visage, les yeux qui hantaient ses rêves — même plus d'un an après.

Jeremiah Barnes.

Il paraissait le même — exactement le même. Depuis ses larges épaules de joueur de football jusqu'à son nez très légèrement croche et ses yeux brun foncé qui semblaient noirs depuis l'autre côté de la pièce. Il portait même une chemise blanche froissée et un pantalon de costume qui complétait la sinistre sensation de déjà vu et lui donna l'impression d'être piégée dans l'un de ses pires cauchemars.

— Miss générosité. Tu as même amené ton vieil ami humain pour mourir avec toi. Je suis impressionné.

Les trolls autour d'eux rigolèrent. Essayant de ne pas attirer l'attention sur elle, Laurel serra la main afin d'écraser les fioles ensemble dans sa poche, permettant aux deux élixirs de se mélanger. Le verre lui piqua la main et elle s'obligea à respirer normalement pendant que les sérums réagissaient, lui brûlant les doigts alors qu'ils se transformaient en vapeur humide et chaude que, Laurel l'espérait, Barnes ne remarquerait pas. Elle n'avait besoin que de quelques minutes… si cela fonctionnait. *Je t'en prie, fonctionne*, supplia-t-elle dans sa tête.

— Personne n'est ici pour mourir, Barnes. Que veux-tu?

Barnes rit.

— Ce que je veux? Me venger, Laurel.

Il sourit dangereusement.

— Que dis-tu de cela? Je te tire dans l'épaule, afin que tu saches ce que l'on ressent, puis nous nous rendons à cette vieille maison de bois et tu me montres où se trouve le portail. Ensuite, si tu n'es pas encore morte, je mettrai *peut-être* fin à tes souffrances.

— Et mes amis? demanda Laurel.

Elle croisa le regard de Barnes; ils se fixèrent avec une égale fureur.

— *Si* j'accepte, dit-elle d'un ton égal, qu'arrive-t-il à mes amis?

La potion brûlait sur ses doigts et Laurel avait très envie de retirer sa main de sa poche et de la frotter pour essuyer le liquide. Mais c'était trop risqué. Elle serra les dents et continua à fixer l'imposant troll.

Barnes se lécha les lèvres et sourit largement.

— Je vais les laisser partir.

C'était manifestement évident qu'il mentait, mais Laurel joua le jeu.

— Laisse-les partir tout de suite, dit-elle, cherchant à gagner du temps, et nous nous rendrons à la terre.

— Bien. Je ne pense pas. Vous autres, fées, êtes des salopes rusées, particulièrement dans un combat perdu d'avance. Tes amis nous quitteront quand — et seulement quand — tu m'auras montré le portail.

— Alors pas d'entente.

Barnes tourna son arme vers Laurel.

Elle ne tressaillit même pas.

— Je ne crois pas que tu sois en position de négocier, déclara-t-il. Nous allons faire les choses à ma façon. Je vais te ligoter, te lancer dans mon Hummer, et nous partirons pour Orick. C'est cela ou tu mourras ici ce soir. Oh, et nous pouvons nous occuper de cette histoire d'épaule maintenant, ajouta-t-il, baissant son pistolet de sorte qu'il pointe la clavicule de Laurel.

Elle ferma les yeux et banda les muscles de son corps, attendant le coup.

— Non, dit David, la tirant brusquement en arrière et se plaçant devant elle. Je ne te laisserai pas faire.

Barnes rit de son rire criard, presque sifflant, donnant la chair de poule à Laurel. Après si longtemps, elle se rappelait ce rire avec une clarté absolue.

— Tu ne me laisseras pas faire? Comme si tu pouvais y faire quoi que ce soit, petit garçon, railla Barnes.

Il fit un signe aux autres trolls.

— Sortez-le d'ici.

Un troll attrapa Laurel par les épaules pour la garder immobile, puis le rouquin referma une main sur le bras de David, mais David était prêt. Il pivota, s'arracha à l'emprise du troll et balança son poing. Il frappa avec un craquement sonore et le troll chancela en reculant de deux pas.

Laurel regarda avec horreur David se tenir délicatement la main, puis la fermer pour réessayer. Elle était incapable de bouger — ne pouvait pas lui hurler d'attendre, d'être patient — sans révéler son jeu. Il l'avait sauvée du pistolet de Barnes et à présent, il souffrirait pour elle.

— David?

La voix de Chelsea semblait si petite, si impuissante que Laurel sentit une boule se former dans sa gorge.

Le troll suivant était plus rapide; il donna un coup de pied et attrapa David dans la poitrine. Laurel grimaça et essaya de se dégager quand elle entendit au moins une côte se briser sous l'impact du pied, mais le troll qui la tenait avait une poigne de fer. Elle jeta un coup d'œil à Barnes; il observait tout cela avec un sourire amusé sur le visage, son arme toujours pointée sur elle. Elle détestait ce sourire suffisant. Le simple fait de le regarder la rendait beaucoup moins nerveuse à propos du pistolet rangé sur elle.

— David ! hurla encore Chelsea lorsqu'un gémissement étranglé s'échappa des lèvres du garçon.

— Chelsea, ça va, cria Laurel, mais elle entendait la terreur dans sa propre voix. S'il te plaît, reste tranquille.

Au soulagement de Laurel, elle s'immobilisa au lieu d'essayer de se tortiller pour se défaire des gros doigts calleux serrés sur son cou.

Le troll à moitié culturiste lança un coup de poing à David, penché en deux et sans défense, mais il bougeait de manière étrangement lente et sans équilibre et ne frôla que la pommette du garçon, mais tout de même assez fort pour fendre sa peau. Le troll tournoya bizarrement, trébucha et tomba au sol.

— Lève-toi, balourd idiot ! hurla Barnes pendant que les autres trolls attrapaient les bras de David, mais le troll étalé ne bougea pas.

Celui avec les épaules tordues sortit un anneau de corde et avança pour le mettre hors d'état de nuire. David tira pour dégager son bras de l'emprise du troll et le repoussa ; le troll tomba au sol, aussi inconscient que l'autre.

— Que dia... bafouilla Barnes, de toute évidence perplexe.

Le rouquin ramena brusquement les bras de David derrière lui et l'attacha, lui qui se débattait, à la rampe d'escalier. David tirait les bras, essayant de les libérer, en vain. Il lança un regard désespéré à Laurel — du sang coulait sur son visage maintenant —, mais elle examinait le troll à côté de lui. Lentement, si lentement que c'en était pénible, le rouquin tomba à genoux et s'écrasa sur le sol. Puis enfin, le troll retenant Laurel s'effondra. Quelques secondes plus tard, David se leva, fermement ligoté à la rampe, quatre trolls à ses pieds.

Barnes reporta rapidement son attention sur Laurel.

Elle avait sorti son pistolet et le pointait directement sur lui.

— C'est terminé, Barnes, déclara-t-elle, repoussant avec force l'hystérie qui menaçait de la gagner. Dépose ton arme.

— Bien, tu n'es plus la fille que j'ai rencontrée l'an dernier, n'est-ce pas ? Barnes l'examina froidement. Tu ne voulais pas tirer sur moi, même pour sauver ton petit ami légume à ce moment-là. Aujourd'hui, tu as neutralisé mes quatre gars.

Il sourit largement.

— Tu attends encore que je tombe, non ?

Laurel ne dit rien, mettant tous ses efforts à tenir son arme avec fermeté.

— Ce truc ne fonctionne pas sur moi, déclara-t-il avec un rire étrange. Disons simplement que j'ai fait un pacte avec le diable et qu'à présent je suis immunisé.

Il marqua une pause, rivant son regard sur celui de Laurel.

— Et maintenant, quoi? demanda-t-il, l'expression toujours amusée.

Laurel regarda son plan parfait s'effondrer autour d'elle.

— Je veux des réponses, dit Laurel, forçant ses mains à ne pas trembler pendant qu'elle tenait le pistolet à bout de bras, pointant le torse de Barnes.

Elle savait qu'elle ne pouvait pas vraiment avoir confiance en ses propos, mais elle devait gagner du temps. Faire quelque chose qui lui donnerait du temps pour réfléchir.

— Des réponses? répéta-t-il. C'est tout ce que tu veux? Les réponses ne coûtent pas grand-chose. Je te les aurais données sans le pistolet.

Il marqua une pause, la regardant avec intérêt.

— Pose-moi les questions qui te brûlent, Laurel, reprit-il d'un ton moqueur.

— Où sont mes sentinelles? Les as-tu tuées?

Il rit.

— Loin de là. Elles se sont mises à la poursuite d'une diversion. Une très bonne diversion, même si c'est moi qui le dit. Elles pensent te secourir de mes griffes. Elles reviendront quand elles comprendront que la piste de sang de fée ne les mène nulle part.

— Le sang de qui? s'enquit Laurel, la voix tremblante à présent.

Barnes sourit.

— Personne... d'important.

— Pourquoi maintenant? demanda Laurel, chassant les pensées de sentinelles mortes de son esprit.

Elle n'y pouvait rien en ce moment.

— Pourquoi n'as-tu pas agi il y a un mois? Six mois? Pourquoi aujourd'hui; et pourquoi Chelsea?

Il secoua la tête.

— Ton minuscule petit univers est tellement simple. Tu penses qu'il y a moi et ma petite bande contre toi et ta petite bande. Mais tu n'es qu'une sale môme à la courte vue, un pion, un *laquais*. Quand il n'y a qu'une poignée de joueurs, c'est facile de tout prévoir parfaitement. Toutefois, lorsqu'on a d'innombrables acteurs, des facteurs infinis, cela exige du temps avant que tout tombe en place.

Il haussa les épaules.

— Du reste, c'était franc jeu. Je voulais te cueillir directement dans ta maison soigneusement barricadée, mais tes sentinelles m'ont causé quelques ennuis. J'ai donc cessé d'essayer de faire les choses de la manière difficile.

Il flatta les cheveux de Chelsea, sa main se resserrant sur son cou quand elle tenta de se tortiller pour se libérer.

— Chelsea était tellement moins protégée que toi. C'était facile de l'enlever. Et tu as le cœur trop sensible pour ton bien. Je savais que tu viendrais. Donc, reprit-il, pressant son pistolet un peu plus fermement sur la tête de Chelsea, nous avons maintenant une gageure intéressante. Peux-tu tirer sur le gros méchant troll avant qu'il n'abatte ta petite amie? Parce que, permets-moi de te le dire, Laurel, je pense que tu pourrais vraiment tirer sur moi. Mais peux-tu réussir avant que je tire sur elle?

— Laurel, quoi qu'il veuille, ne le lui donne pas, hurla Chelsea.

— Ferme-la, espèce de sale môme, lança Barnes.

Il resserra son doigt sur la détente et Laurel avança d'un pas.

— Attends, attends, attends, dit Barnes. Je ne vais pas tirer sur elle tout de suite. Je ne pense pas que ce soit suffisamment intéressant encore.

Puis, d'un mouvement si rapide qu'elle le vit à peine, Barnes relâcha le cou de Chelsea, sortit un autre pistolet d'un étui dissimulé et le pointa sur David.

Laurel avait peine à respirer maintenant que tout espoir de se sauver disparaissait.

— Après avoir été piégé par toi l'an dernier, j'ai appris à toujours porter plus d'un pistolet sur moi, Mademoiselle Sewell.

Il reporta son attention sur elle, les armes dirigées de manière experte sur Chelsea et David.

— Tu vois, je soupçonne que tu pourrais mettre en péril la vie d'une amie pour te sauver, toi et ton petit copain ici, mais risqueras-tu la vie de deux amis uniquement pour sauver ta peau?

Elle pouvait peut-être négocier. Elle devait essayer; elle n'avait pas d'autre choix.

— D'accord, dit Laurel, laissant tomber le pistolet d'un bruit sourd sur le plancher. J'abandonne.

— Laurel! cria David. Ne fais pas cela!

Il continua à se débattre avec ses liens.

— Il n'y a pas d'autre solution.

Elle leva lentement ses mains au-dessus de sa tête juste au moment où un bruyant craquement résonna dans l'escalier.

Barnes déplaça ses armes, en pointant une sur Laurel et l'autre sur l'escalier.

— Je t'entends! beugla-t-il. Toi, dans l'escalier; je sais que tu es là.

Laurel retint son souffle, mais ne perçut aucun son.

Barnes renifla l'air.

— Je sais que tu as un pistolet, cria-t-il. Je le sens. Maintenant, je vais te donner jusqu'au compte de trois pour lancer ton arme ici sur le sol. Si je me rends à trois, je vais tous les tuer. Tu m'entends?

Longue pause.

— Un.

La respiration de David devint haletante.

— Deux.

Chelsea entreprit de se tortiller dans sa chaise et les sanglots qu'elle retenait depuis le début commencèrent à lui secouer les épaules. Laurel fixa désespérément le pistolet sur le sol devant elle, se demandant s'il y avait un moyen de l'atteindre.

Quelque chose cliqueta en haut des marches.

Un énorme pistolet glissa sur le plancher, un ruban de munition à sa traîne. Barnes regarda l'arme avec une appréciation évidente et tendit lentement le bras, lâchant l'un de ses propres pistolets pour prendre l'arme beaucoup plus grosse.

— C'est mieux, déclara-t-il. À présent, montre-toi. Montre-toi et je te laisserai peut-être vivre.

Rien.

— Dois-je compter encore une fois ? menaça Barnes. Parce que je le ferai.

Un rapide staccato de pas retentit dans l'escalier. Laurel pivota et ses nerfs déjà à bout reçurent un nouveau choc lorsqu'elle vit les cheveux roux de Klea tourner le coin.

La surprise se refléta sur le visage de Barnes.

— Toi ? Mais...

Dans le quart de seconde qu'il fallut à Laurel pour cligner des paupières, elle entendit le bruit d'un velcro qu'on arrache ; quand elle ouvrit les yeux, un cercle rouge humide s'était épanoui au centre du front de Barnes et le rugissement d'un coup de feu résonnait dans ses oreilles. Le visage de Barnes exprima la confusion un minuscule instant avant que la force de la balle ne renvoie sèchement sa tête en arrière et qu'il s'écroule au plancher. L'odeur âcre de la poudre à canon remplit l'air et des cris similaires déchirèrent les gorges de Laurel et de Chelsea. Les secondes paraissaient des heures alors que Laurel prenait une respiration tremblante et que Chelsea s'effondrait sur sa chaise.

— C'est ce que j'appelle agir à la toute dernière minute, dit Klea avec regret.

Laurel pivota vers David et Klea. Klea tenait fermement un pistolet à l'allure familière et Laurel apercevait tout juste la queue de la chemise de David remontée contre les cordes, révélant son étui caché.

— T-t-tu vois, Laurel, dit David, claquant des dents en raison du froid ou du choc — probablement les deux. Je savais que de garder ce pistolet sur moi pourrait être utile un jour.

Laurel était incapable de bouger ; son corps était figé de soulagement, de peur, de dégoût et d'horreur. Ses yeux ne pouvaient pas quitter la flaque cramoisie s'élargissant sous le crâne de Barnes, son corps déformé par les angles grotesques suscités par la mort soudaine. Et malgré le fait d'être convaincue que le monde se porterait mieux grâce au départ de Barnes, elle détestait savoir qu'elle en était directement responsable.

Elle se tourna vers Klea, fixant ses lunettes de soleil omniprésentes. Sa méfiance, son refus de lui téléphoner semblait tout à coup idiot, paranoïaque. Pour la seconde fois, Klea l'avait sauvée à deux doigts de la mort. Et pas seulement elle, mais ses deux meilleurs amis dans l'Univers entier. C'était une dette qu'elle ne pourrait jamais rembourser.

Et pourtant, malgré cela, quelque chose retenait encore Laurel. Quelque chose de viscéral lui disait qu'on ne pouvait pas se fier à cette femme.

— Prends ceci, ordonna Klea, la voix calme en remettant un couteau à Laurel.

D'un calme inquiétant, songea Laurel, pour quelqu'un qui venait juste de tirer une balle dans le front d'un homme.

— Coupe leurs liens, puis venez me retrouver en bas. Je dois signaler à mon équipe de me rejoindre.

Elle pivota sans un autre mot et se dirigea vers l'escalier.

Laurel courut vers David et commença à trancher les cordes. Elles cédèrent facilement sous la lame tranchante comme un rasoir.

— Ne dis rien, murmura-t-elle. Pas à Chelsea encore et particulièrement pas à Klea. Je vais inventer quelque chose.

Elle toucha délicatement ses côtes.

— Et dès que nous retournerons dans la voiture, je vais soigner tes côtes et ta main, d'accord ? Pour l'instant, foutons le camp d'ici.

Il hocha la tête, le visage pâle et tordu sous la douleur.

Laurel se hâta vers la chaise où Chelsea était ligotée et fit rapidement céder les cordes là aussi. Les poignets de Chelsea étaient rouges sous les liens coupés et Laurel se demanda depuis combien de temps Barnes l'avait installée là, le pistolet sur sa tête, les attendant. Refusant de s'y attarder, Laurel tira sur le bandeau couvrant les yeux de son amie.

Chelsea cligna des paupières sous la lumière et se frotta les poignets pendant que Laurel tranchait les cordes autour de ses chevilles.

— Peux-tu marcher ? demanda gentiment Laurel.

— Je pense que je vais y arriver, déclara Chelsea, chancelant légèrement.

Elle fixa ses yeux sur David.

— Tu n'as pas l'air bien non plus.

— Tu devrais voir les autres gars, rétorqua David, souriant faiblement.

Il attira Chelsea contre lui, la serrant avec plus de force que Laurel croyait que ses côtes pouvaient le supporter en ce moment. Mais elle ne pouvait pas le blâmer.

— Je suis seulement content que tu sois vivante, dit-il à Chelsea.

Laurel enroula ses bras autour de ses deux amis, reculant un peu quand David gémit.

— Je suis désolée que tu aies été entraînée là-dedans, Chelsea. Je n'ai jamais eu l'intention... Je n'ai jamais voulu...

— Jamais eu l'intention de quoi ? demanda Chelsea, frottant les marques rouges sur son cou. De pratiquement provoquer ma mort ? J'espère certainement que non. Je t'en prie, dis-moi que *ceci* ne deviendra pas un événement quotidien dorénavant.

Elle expira.

— Qu'est-ce qui s'est passé ici ?

Laurel regarda désespérément David.

— Bien, euh, tu vois… le truc, c'est…

— Bon, dit Chelsea, se rassoyant dans la même chaise dont ils venaient de la libérer et croisant les jambes. Je vais donc m'asseoir ici jusqu'à ce que tu trouves un bon mensonge.

Elle agita la main en direction de l'extrémité de la pièce.

— Peut-être que toi et David pourriez vous consulter là-bas dans le coin afin que vos histoires ne se contredisent pas. Parce que cela aiderait. Ou, reprit-elle en levant un doigt en l'air, tu pourrais simplement me dire que chaque automne une énorme fleur bleu mauve pousse dans ton dos, parce qu'apparemment tu es un genre de fée. Et ensuite, tu pourrais m'expliquer comment ces — je crois qu'il a parlé de trolls? —, ces trolls donc te pourchassent parce que tu leur caches un portail spécial. Car, personnellement, je trouve que la vérité facilite énormément la vie.

Laurel et David restaient là, mâchoires pendantes.

Chelsea les regarda tour à tour, perplexe.

— Oh, s'il vous plaît, dit-elle enfin. Pensiez-vous franchement que je ne le savais pas?

VINGT-SIX

K<small>LEA RAMA SUR L'EAU DANS UN LARGE BATEAU À FOND PLAT.</small>

— Mes gars s'occuperont de tout ici au phare, déclara-t-elle. Vous deux, ramenez votre amie à sa voiture et retournez à la maison.

Ils s'arrêtèrent dans une embardée sur le sable et un léger grognement de douleur s'échappa des lèvres de David. Les trois amis débarquèrent et chaque fille prit un bras de David, essayant de l'aider à marcher sans révéler à Klea à quel point il était blessé. Même si Klea leur avait sauvé la vie, ils s'étaient mis d'accord sur le fait qu'elle devait en savoir le moins possible sur Laurel. Cela signifiait éloigner David rapidement afin que Laurel puisse le soigner sans personne pour l'observer.

— Laurel, appela Klea.

— Continuez à avancer, murmura celle-ci à David et Chelsea. Je vous rejoins tout de suite.

Puis, elle pivota et revint vers Klea.

— Je suis désolée de n'être pas arrivée plus tôt.

— Tu es venue juste à temps, répondit Laurel.

— Tout de même, si j'avais mis deux minutes de plus.

Elle soupira et secoua la tête.

— Je suis contente que certains de mes gars te surveillaient ce soir. J'aurais aimé...

Elle marqua une pause, secouant la tête.

— J'aurais aimé que tu me téléphones. En tout cas, poursuivit-elle avant que Laurel puisse répliquer, comment as-tu disposé de ces quatre autres trolls ? J'étais stupéfaite.

Laurel hésita.

— J'ai examiné ces trolls. Il n'y avait aucun os brisé, aucun coup de feu, aucune blessure. Ils sont endormis ; et je ne m'attends pas à ce qu'ils s'éveillent avant des heures. Vas-tu me raconter ce qui s'est réellement passé ?

Laurel pinça les lèvres et chercha un mensonge. Mais elle ne trouva rien. Elle était trop fatiguée pour penser à quelque chose de bon. Cependant, elle n'allait pas dire la vérité à Klea, alors elle garda le silence.

— Bien, reprit Klea avec un étrange sourire. Je comprends, tu as tes secrets. De toute évidence, tu ne me fais pas encore confiance, déclara-t-elle d'une voix douce. Mais j'espère qu'un jour ce sera le cas. Que tu me feras vraiment confiance ! Clairement, tu n'es pas sans défense, mais je pourrais tellement t'aider — beaucoup plus que tu ne le crois. Quand même, ajouta-t-elle en tournant le regard vers le phare, détenir de véritables spécimens sera utile. Très utile.

Laurel n'aima pas la façon dont Klea parla de *spécimens*. Mais elle ne dit rien.

La femme l'observa pendant plusieurs longues secondes.

— Je te contacterai, annonça-t-elle fermement. Tu t'es révélée pleine de ressources et je pourrais vraiment utiliser ton aide dans une autre affaire indépendante de celle-ci : mais cela peut attendre un peu.

Avant que Laurel puisse répliquer, Klea tourna sur ses talons et bondit d'un pas léger dans le bateau, saisissant la perche avec ses mains fortes.

Laurel resta juste assez longtemps pour regarder Klea repousser l'embarcation de sur la plage sablonneuse avant de pivoter et de courir rattraper David et Chelsea. Ils avaient atteint la voiture du garçon quand elle les rejoignit. David gémit en se glissant sur le siège du passager et Chelsea agrippa le bras de Laurel.

— Nous devons l'amener à l'hôpital. Ses côtes doivent être brisées et cette coupure sous son œil pourrait nécessiter des points de suture.

— Nous ne pouvons pas y aller, répondit Laurel, fouillant dans son sac à dos.

— Laurel! s'exclama Chelsea, le visage blême. David a besoin d'aide!

— Détends-toi, rétorqua Laurel en déballant une minuscule bouteille de liquide bleu. Être l'amie d'une fée a ses avantages.

Elle *adorait* pouvoir dire cela devant Chelsea. Elle dévissa le capuchon et souleva la pipette, puis se pencha sur David, qui respirait bruyamment et avec difficulté.

— Ouvre, dit-elle doucement.

David entrouvrit un œil et regarda la bouteille familière.

— Oh, mince! lança-t-il. C'est la plus belle chose que j'ai vue ce soir.

Il ouvrit la bouche et Laurel y fit tomber deux gouttes d'une petite pression des doigts.

— À présent, reste tranquille, ordonna-t-elle, laissant une goutte se déposer sur son doigt.

Elle la frotta délicatement sur la plaie de son visage.

— Tout va mieux, murmura-t-elle en observant sa peau se recoudre.

Elle se leva et se tourna vers Chelsea.

— As-tu mal quelque part?

Chelsea secoua la tête.

— Il a été pas mal gentil avec moi, dans les circonstances…

Mais ses yeux étaient fixés sur David.

— Attends une seconde.

Elle se pencha et examina la peau sous son œil.

— J'aurais pu jurer…

Laurel rit, et même David se joignit tranquillement à elle.

— Dans quelques minutes, ses côtes et sa main seront guéries aussi.

— Tu te moques de moi ? demanda Chelsea avec des yeux fous d'excitation.

Cela rappelait à Laurel la façon dont David avait réagi quand il avait découvert qu'elle était une fée. Elle sourit largement et leva la bouteille bleue.

— C'est utile : David se fait tabasser régulièrement par les trolls.

David s'étrangla de rire.

— Pourquoi ne soignes-tu pas ta main ? s'enquit Chelsea.

Laurel baissa les yeux sur les brûlures sur ses doigts et se demanda comment elle avait pu croire un jour pouvoir cacher quoi que ce soit à Chelsea. C'était difficile de voir qu'elle était blessée parce qu'au contraire des humains, sa peau ne devenait pas rouge quand elle était brûlée. La couleur n'avait pas changé du tout, en fait. Mais de minuscules bulles — des *cloques*, se corrigeat-elle — s'étaient formées sur sa paume et couraient aussi le long de deux de ses doigts. Elle fixa sa main douloureuse, étonnée. Elle n'avait jamais eu de cloque auparavant.

Enfin, pas dans ses souvenirs.

— C'est seulement pour les humains, répondit-elle doucement. J'aurais besoin d'autre chose.

Elle hésita un moment.

— Hé, Chelsea, reprit-elle lentement.

Chelsea et David levèrent les yeux en entendant le sérieux dans sa voix.

Laurel prit une profonde respiration.

— Je suis vraiment contente que tu saches que je suis une fée. Cela aide tellement de ne pas devoir le cacher au monde entier. Cependant, tous ceux qui le savent courent un danger. Alors...

— Ça va, Laurel, l'interrompit Chelsea. J'aime mieux le savoir. Pour le meilleur et pour le pire.

— C'est plus que cela, reprit Laurel. Des trucs comme ce soir semblent se produire souvent, malheureusement. Si tu...

Elle marqua une pause et posa une main sur l'épaule de David, heureuse qu'il ne la déloge pas d'un coup d'épaule.

— Si tu fais cela avec nous — si tu te joins à nous, j'imagine —, je ne peux pas garantir ta sécurité. Je suis une personne dangereuse à fréquenter et il ne s'agit pas uniquement de toi. Cela pourrait mettre Ryan en péril aussi. Je veux dire ; songe à ce soir. Je ne t'ai rien dit et tu as quand même été enlevée. Alors, penses-y — penses-y sérieusement — avant de décider que c'est ce que tu désires vraiment.

Chelsea la regarda avec méfiance.

— Bien, je crois que c'est un peu tard pour cela. Je suis dans le bain maintenant, que je le veuille ou non, n'est-ce pas ?

— Bien...

David et Chelsea lui lancèrent un regard interrogateur.

— Je pourrais...

Laurel prit une grande respiration.

— Je pourrais te faire oublier tout ce qui vient de se passer ce soir.

— Laurel, non! s'exclama David.

— Je dois lui offrir le choix, insista Laurel. Je ne vais pas l'obliger à vivre cela.

— Tu pourrais me faire oublier? demanda Chelsea d'une petite voix douce. Juste comme cela?

Laurel hocha la tête, le cœur serré juste à penser devoir s'exécuter.

— Mais il s'agit de mon choix, n'est-ce pas?

— Ton choix, répondit Laurel fermement.

Plusieurs secondes tendues s'égrenèrent avant que le visage de Chelsea ne se fende d'un large sourire

— Oh mince, je ne changerais pas de place pour tout l'or du monde.

Un soupir de soulagement s'échappa de Laurel et elle bondit en avant pour lancer ses bras autour de Chelsea.

— Merci, dit Laurel.

Bien qu'elle ne savait pas trop si elle remerciait Chelsea de partager son secret ou de lui éviter d'avoir à utiliser un élixir de mémoire.

Ils montèrent tous dans la Civic — Laurel ayant insisté pour conduire même si les côtes de David étaient presque guéries — et ils roulèrent vers la maison de Ryan, où Chelsea se dirigeait quand Barnes l'avait kidnappée. La voiture de la mère de Chelsea avait été poussée avec précaution sur le bord de la route à quelques mètres d'un panneau d'arrêt. Elle paraissait tellement silencieuse et peu remarquable. Personne ne pourrait jamais deviner les circonstances qui l'avaient amenée là. Laurel descendit avec Chelsea et l'accompagna à sa voiture.

— Cela dépasse la réalité, déclara Chelsea. Je vais monter dans cette voiture et rouler vers ma vie normale comme si rien ne s'était passé. Et personne sauf moi ne saura que c'est un tout nouveau monde.

Elle hésita.

— Même si j'ai résolu toute cette histoire de fée, l'an dernier en fait, affirma-t-elle en rigolant. J'ai un tas de questions. Si cela ne te dérange pas d'en parler, je veux dire.

— Cela ne m'ennuie pas, répondit Laurel, puis elle sourit. *J'adore* que tu sois au courant, en fait. Je déteste avoir des secrets pour toi.

Elle reprit son sérieux.

— Mais pas ce soir. Rentre à la maison, conseilla Laurel en posant une main sur l'épaule de son amie. Serre ta famille dans tes bras ; va dormir. Puis, appelle-moi dans la journée demain ; nous bavarderons. Je te dirai tout ce que tu veux savoir, poursuivit-elle avec enthousiasme. N'importe quoi. Tout. Plus de secrets. Promis.

Chelsea lui décocha un large sourire.

— D'accord. Marché conclu.

Elle se pencha et serra Laurel dans ses bras.

— Merci de m'avoir sauvée, dit-elle d'une voix sérieuse à présent. J'avais tellement peur.

Laurel ferma les yeux, les douces boucles de Chelsea sur sa joue.

— Tu n'étais pas la seule, lui confia-t-elle à voix basse.

Après une longue étreinte, Chelsea recula et se tourna vers sa voiture. Elle s'arrêta juste avant de s'y glisser et regarda Laurel.

— Tu sais que je vais te téléphoner, genre, à six heures du matin, non ?

Laurel rit.

— Je sais.

— Juste pour vérifier. Oh, ajouta-t-elle, tu me diras aussi où tu as vraiment passé ton été, n'est-ce pas ?

Elle aurait dû savoir que Chelsea ne croirait pas à cette histoire de retraite en pleine nature. Elle rit et agita la main une autre fois alors que Chelsea fermait sa portière et démarrait, ses pneus crissant bruyamment dans la nuit tranquille.

Pendant que Laurel et Chelsea bavardaient, David s'était glissé derrière le volant. Laurel se dirigea vers la portière du côté passager et monta. Ils roulèrent en silence, les lampadaires illuminant les traits maussades de David à intervalles réguliers.

Elle aurait aimé qu'il dise quelque chose. N'importe quoi.

Mais il ne dit rien.

— Que vas-tu raconter à ta mère ? demanda-t-elle, plus pour briser le silence que par intérêt.

David resta silencieux un long moment et Laurel commença à penser qu'il ne lui répondrait pas.

— Je l'ignore, lâcha-t-il enfin d'une voix lasse. Je suis fatigué de mentir.

Il lui jeta un regard rapide.

— Je trouverai quelque chose.

David s'engagea dans l'allée, ses phares traversant la maison. Il pressa le bouton sur la visière et la porte du garage s'ouvrit lentement, révélant deux places vides.

— Oh, bien, dit David en soupirant. Elle est partie. Avec de la chance, je n'aurai rien à lui dire.

Ils descendirent de voiture et restèrent là, debout, évitant de se regarder pendant un long moment embarrassé.

— Bien, je ferais mieux de me changer, déclara David en désignant la porte de côté avec son pouce. Ma mère me fait beaucoup confiance, mais même elle se demanderait pourquoi j'ai décidé d'aller nager en novembre.

Il rit avec appréhension.

— Tout habillé, rien de moins.

Laurel hocha la tête et David s'éloigna.

— David ?

Il s'arrêta, la main sur la poignée. Il la regarda, mais il ne répondit pas.

— Je vais aller à la terre demain.

David baissa les yeux au sol.

— Je vais dire à Tamani que je ne peux plus venir le voir. Plus du tout.

Il leva les yeux vers elle. Sa mâchoire était contractée, mais il y avait quelque chose dans ses yeux qui ranima l'espoir de Laurel.

— Je vais devoir retourner à Avalon l'été prochain pour fréquenter l'Académie, parce que c'est important. Peut-être encore plus important, à présent que Barnes est mort. Je n'aime pas ce qu'il a dit... à propos de choses plus grandes que lui. Je ne sais même pas quelles pourraient être les conséquences des événements de ce soir. Je...

Elle s'obligea à arrêter de jacasser et prit une profonde respiration.

— Le point, c'est que je vais cesser d'essayer de rester à cheval entre deux mondes. Je vis ici. Ma vie est ici; mes parents sont ici. Tu es ici. Je ne peux pas vivre dans les deux endroits. Et je choisis ce monde.

Elle marqua une pause.

— Je te choisis. À cent pour cent cette fois.

Les larmes la guettaient, mais elle se força à poursuivre.

— Tamani... il ne me comprend pas comme toi. Il veut que je sois quelqu'un que je ne suis pas prête à être. Je ne serai peut-être jamais prête. Mais toi, tu souhaites que je sois la personne que je désire être. Tu veux que *je* choisisse. J'adore que tu te soucies de mes désirs. Et je t'aime.

Elle s'arrêta.

— Je... j'espère que tu me pardonneras. Mais même dans le cas contraire, j'irai quand même demain. Tu as dit que je devais choisir ma propre destinée et je le fais. Je te choisis, David, même si tu ne me choisis pas.

Il ne détourna pas les yeux, mais il ne dit rien non plus.

Laurel hocha la tête d'un air découragé. Elle ne s'était pas réellement attendue à des résultats instantanés ; elle l'avait blessé trop profondément. Elle pivota pour se diriger vers sa voiture.

— Laurel ?

Quand elle regarda derrière elle, il avait déjà saisi son poignet et l'attirait à lui. Ses lèvres trouvèrent les siennes — si chaudes et douces — pendant que ses bras s'enroulaient autour d'elle, la retenant contre lui.

Elle l'embrassa en retour avec abandon, toutes les craintes de la soirée s'évanouissant en même temps que le soulagement la submergeait. Barnes était mort. Et peu importe ce qui se passerait demain, ce soir, ils étaient en sécurité. Chelsea était en sécurité. David était en sécurité. Et il allait lui pardonner.

C'était la meilleure partie.

Il s'écarta enfin et fit courir un doigt sur le côté du visage de Laurel.

Elle posa la tête sur son torse et écouta son cœur, battant à un rythme régulier, comme si c'était seulement pour elle.

David lui leva le menton et l'embrassa encore une fois. Laurel s'appuya sur la voiture, David se penchant avec elle, son corps chaud pressé délicatement contre le sien.

Ses parents pouvaient attendre encore quelques minutes.

Il était plus de vingt-trois heures quand Laurel se traîna jusqu'à sa porte. Elle s'arrêta et posa la main sur la poignée. Elle arrivait à peine à croire que ce matin même elle était partie rejoindre Tamani pour assister au festival. Quinze heures seulement s'étaient-elles vraiment écoulées? Cela lui paraissait des mois.

Des années.

Avec un long soupir, Laurel tourna la poignée et entra.

Ses parents étaient assis sur le sofa à l'attendre. Sa mère bondit sur ses pieds quand la porte s'ouvrit, essuyant les larmes sur son visage.

— Laurel!

Elle courut vers elle et la prit dans ses bras.

— J'étais tellement inquiète.

Cela faisait longtemps que sa mère l'avait étreinte ainsi. Laurel la serra à son tour, fort, submergée par le sentiment de sécurité qui n'avait rien à voir avec les trolls ou les fées. Le sentiment d'être à sa place qui n'avait rien à voir avec Avalon. Un amour qui ne concernait pas David ou Tamani.

Laurel pressa son visage dans l'épaule de sa mère. *C'est mon foyer*, pensa-t-elle farouchement. *Je suis à ma place ici.* Avalon était belle — parfaite, vraiment —

magique et exotique et excitante. Mais il n'y avait pas ceci — cette acceptation et cet amour qu'elle trouvait dans sa famille humaine et chez ses amis. Avalon ne lui était jamais apparue aussi superficielle, irréelle, qu'en ce moment. Il était temps de laisser cet endroit-ci être sa véritable maison. Sa *seule* maison.

Elle entendit son père s'approcher et en sentant ses bras les entourer toutes les deux, Laurel fut convaincue d'avoir pris la bonne décision. Elle ne pouvait pas vivre dans deux mondes, et ce monde-ci était celui auquel elle appartenait. Elle sourit à ses parents et s'effondra dans le sofa. Ils s'installèrent de chaque côté d'elle.

— Alors, que s'est-il passé ? demanda son père.

— C'est plutôt une longue histoire, commença Laurel avec hésitation. Je n'ai pas été totalement franche avec vous, pas depuis un bon moment.

Après une grande respiration, Laurel se lança dans une explication sur les trolls, en remontant jusqu'à l'hôpital l'automne précédent. Elle expliqua pourquoi Jeremiah Barnes n'était jamais revenu pour conclure l'achat de la terre et pourquoi il avait en premier lieu tenté de l'acquérir. Elle leur parla des sentinelles qui avaient assuré leur sécurité. La véritable nature de la « bagarre de chiens » dans les arbres derrière leur maison. Elle leur parla même de Klea ; elle ne cacha rien. Quand elle eut terminé de relater les événements de la soirée, son père secoua la tête.

— Et tu as fait tout cela seule ?

— Tout le monde a aidé, papa. David, Chelsea — elle hésita —, Klea. Je n'aurais pas pu m'en tirer seule.

Laurel fit une pause et regarda sa mère.

Elle s'était levée du sofa et marquait les cent pas devant la fenêtre.

— Je suis vraiment désolée de ne pas te l'avoir dit plus tôt, maman, reprit Laurel. J'ai juste pensé que le fait que tu doives digérer toute cette histoire de fées était assez sans y ajouter des trolls. Et je sais que cela demandera aussi un certain temps pour l'accepter, mais à partir de maintenant, je vais tout vous dire, je le promets, seulement si vous... seulement si vous m'écoutez et continuez — elle renifla, essayant de retenir ses larmes — à m'aimer.

La mère de Laurel se tourna vers elle avec un regard qu'elle n'arrivait pas tout à fait à déchiffrer.

— Je suis tellement désolée, Laurel.

Quoi que Laurel eût attendu, ce n'était pas cela.

— Quoi ? Non, c'est moi qui ai menti.

— Tu as peut-être eu des secrets pour nous, mais je pense que tu voyais que je n'aurais pas écouté. Et je suis désolée pour cela.

Elle se pencha en avant et étreignit Laurel, qui sentit son moral monter en flèche d'une façon qu'elle ne croyait plus possible. Elle n'avait pas réalisé à quel point c'était difficile de cacher tant de choses à ses parents.

Sa mère se rassit sur le sofa et mit son bras autour de Laurel.

— Quand tu nous as révélé être une fée, c'était étrange et incroyable, mais plus que cela, j'ai eu l'impression d'être devenue complètement inutile. Tu étais cette chose merveilleuse et toute ta vie tu avais eu ces fées... ces gardes ou autre chose qui veillaient sur toi. Tu n'avais pas besoin de moi.

— Non, maman, dit Laurel en secouant la tête. J'aurai toujours besoin de toi. Tu as été la meilleure des mères. Toujours.

— Cela m'a tellement mise en colère. Je suis certaine que ce n'était pas le bon sentiment à éprouver, mais c'était le mien. Je m'en suis prise à toi. Je n'en avais pas l'intention, ajouta-t-elle. Mais je l'ai fait. Et pendant tout ce temps, poursuivit-elle, tu craignais pour ta vie et cachais cet énorme secret.

Elle se tourna vers Laurel.

— Je suis tellement désolée. Je vais essayer... j'ai commencé à essayer.

— J'ai remarqué, dit Laurel avec un sourire.

— Bien, je vais essayer plus fort.

Elle embrassa le front de Laurel.

— Quand tu as quitté ma boutique ce soir, j'ai eu peur de ne plus jamais te revoir et j'ignorais pourquoi. Et la seule chose que je ressentais à travers la peur c'était ce regret envahissant que tu ne saches pas à quel point je t'aimais. Combien je t'ai toujours aimée !

Elle appuya sa tête sur celle de sa fille.

— Je t'aime aussi, maman, dit Laurel, les bras serrés autour de la taille de sa mère.

— Et je vous aime toutes les deux, intervint son père avec un grand sourire, les étreignant très fort ensemble, écrasant Laurel dans le milieu.

Ils rirent et Laurel sentit la tension de la dernière année se dissiper. Cela demanderait des efforts — rien ne s'arrangeait en une seule nuit —, mais c'était un début. Cela suffisait.

— Alors, reprit sa mère après une minute, tu ne nous as pas raconté ce qui s'était passé à Avalon aujourd'hui.

Elle hésitait, gênée, mais son ton semblait sincère.

— C'était merveilleux, dit Laurel de manière hésitante. La chose la plus incroyable que j'ai vue de ma vie.

Sa mère tapota sa cuisse et Laurel y posa la tête. Elle fit courir ses doigts dans les longs cheveux de Laurel comme elle le faisait depuis que sa fille était toute petite. Et, ses deux parents l'écoutant attentivement, Laurel commença à parler d'Avalon.

VINGT-SEPT

SE TENIR DEBOUT À LA LISIÈRE DE LA FORÊT NE LUI AVAIT JAMAIS autant donné l'impression d'être au bord d'un précipice. Laurel prit plusieurs grandes respirations et effectua quelques faux départs avant d'obliger ses pieds à marcher le long du sentier menant dans le bois à l'arrière de sa maisonnette.

— Tamani ? appela-t-elle doucement. Tam ?

Elle continuait à avancer, sachant que ce n'était pas important qu'elle l'appelle ou non ; il devait déjà être au courant de sa présence. Il l'était toujours.

— Tamani ? appela-t-elle de nouveau.

— Tamani n'est pas ici.

Laurel réprima un cri de surprise en se tournant vers la voix chaude derrière elle.

C'était Shar.

Il la regardait droit dans les yeux, ses prunelles du même vert profond que celles de Tamani, ses cheveux blond foncé aux racines vertes encadrant son visage ovale et frôlant tout juste ses épaules.

— Où est-il ? s'enquit Laurel quand elle retrouva la voix.

Shar haussa les épaules.

— Tu lui as dit de partir, alors il est parti.

— Que veux-tu dire, il est parti ?

— Ce portail n'est plus le poste de garde de Tamani. Il restait surtout ici pour veiller sur toi, de toute façon, et à présent tu as déménagé. Il a reçu une nouvelle affectation.

— Depuis hier ! cria Laurel.

— Les choses peuvent bouger très vite lorsque nous le souhaitons.

Elle hocha la tête. C'est vrai, la seule raison de sa venue était de lui dire qu'ils ne devaient plus se voir, mais elle désirait lui expliquer pourquoi, lui faire comprendre. Elle ne voulait pas que les choses se terminent *ainsi*. Les derniers mots qu'elle lui avait hurlés résonnaient dans sa tête, s'y répercutaient avec une netteté dégoutante. *Je veux que tu partes. Je suis sérieuse. Va-t'en !* Elle ne le pensait pas, pas tout à fait. Elle était furieuse et effrayée, et David se tenait juste là. Elle prit une longue respiration tremblante et frotta ses tempes du bout de ses doigts.

Il était trop tard.

— Qu'est-ce que tu as là ? demanda Shar, interrompant ses réflexions.

Il tendait le bras vers sa main et il ne lui vint pas à l'esprit de la retirer brusquement. Ses pensées tourbillonnaient, centrées sur Tamani et sur la douleur que ses mots devaient lui avoir causée.

Shar examina les cloques. Il la regarda en plissant les yeux.

— Ces cloques ont été provoquées par le sérum monastuolo. Les as-tu traitées ?

— Il se passe trop de choses, grommela Laurel en secouant la tête.

— Viens avec moi, ordonna Shar en la tirant par la main.

Laurel le suivit, trop hébétée pour résister.

Shar la guida vers une clairière où il ramassa un paquetage qui ressemblait beaucoup à celui de Tamani. Elle détestait se trouver ici sans lui. Tout ce qu'elle voyait la faisait penser à lui. Shar sortit une bouteille d'un épais liquide ambre et posa la main de Laurel sur sa cuisse à lui, pressant le contenant délicatement pour libérer une grosse goutte de la solution trouble.

— Il suffit d'une petite quantité, déclara Shar en frottant avec précaution les cloques douloureuses.

L'effet rafraîchissant fut instantané, même en tenant compte de l'irritation causée par les doigts de Shar sur la peau sensible.

— Quand j'aurai terminé, garde-la à l'air libre et sous le soleil si tu peux.

Laurel le fixa du regard.

— Pourquoi fais-tu cela ? demanda-t-elle. Tu me détestes.

Shar soupira en faisant tomber d'une pression une autre goutte dans sa main, frottant les cloques sur ses doigts cette fois.

— Je ne *te* déteste pas. Je déteste la façon dont tu traites Tam.

Laurel détourna le regard, incapable de croiser ses yeux accusateurs.

— Il vit pour toi, Laurel, et ce n'est pas une manière de dire. Il vit chaque jour pour toi. Même après ton départ pour Crescent City, tous les jours, sa seule occupation était de me parler de toi, de s'inquiéter de toi, de se demander ce qui se passait, si un jour il allait te revoir. Et même quand je lui ai déclaré que j'en avais assez de l'entendre discourir sur toi, je voyais bien qu'il pensait encore à toi. À chaque minute de chaque jour.

Laurel examina sa main couverte de cloques.

— Et toi! lança Shar, la voix un peu plus forte. Tu n'y es pas sensible du tout. Parfois, je pense que tu ne réalises même pas qu'il existe sauf quand il est près de toi. Comme si la seule partie de sa vie qui importait était celle que tu voyais.

Il leva les yeux vers elle et posa la main de Laurel sur sa cuisse à elle.

— Savais-tu qu'il avait perdu son père le printemps dernier?

— Oui.

Laurel hocha énergiquement la tête, essayant de se défendre.

— Je le savais. Je...

— Ç'a été la pire période, poursuivit Shar en parlant par-dessus elle. La pire de toutes. Il était tellement désemparé. Mais il savait que tout irait bien, car tu allais venir le voir. « En mai, m'a-t-il dit. Elle vient en mai. »

Laurel avait l'impression de ne plus avoir de cœur ; que sa poitrine était vide.

— Mais tu n'es pas venue en mai. Il t'a attendue tous les jours, Laurel. Et puis, quand tu t'es enfin présentée à la fin de juin, à la seconde où il t'a vue — à *l'instant* où il t'a vue —, il t'a pardonnée. Et chaque fois que tu reviens et repars ensuite — vers ton garçon humain —, tu lui brises le cœur.

Il se pencha en arrière, les bras croisés sur son torse.

— Et franchement, je pense que tu ne t'en soucies pas.

— Oui, répliqua Laurel, la voix débordante d'émotion. Je m'en soucie.

— Non, c'est faux, rétorqua Shar, la voix toujours égale et calme. Tu penses que c'est le cas, mais si tu t'en souciais véritablement, tu ne le ferais plus. Tu cesserais de le traîner en laisse comme un jouet.

Laurel garda le silence quelques secondes, puis se leva brusquement et commença à s'éloigner.

— J'imagine que tu es venue le supplier de te pardonner et lui donner plein de jolis espoirs avant de retourner d'un pas nonchalant vers ton petit humain encore une fois, lança Shar avant qu'elle ne soit hors de vue.

— En fait, non.

Laurel pivota, furieuse à présent.

— Je suis venue lui dire que je ne peux plus rester entre deux mondes. Que je dois rester dans le monde des humains et qu'il doit rester dans le monde des fées.

Elle s'arrêta et inspira, essayant de se calmer.

— Tu as raison, admit-elle, plus calme maintenant. Ce n'est pas juste que j'entre et sorte en coup de vent de sa vie. Et... cela doit cesser, termina-t-elle faiblement.

Shar la fixa pendant un long moment, puis une trace de sourire joua au coin de sa bouche.

— Laurel, c'est la meilleure décision que je t'ai vue prendre.

Il se pencha en avant juste un peu.

— Et je t'observe depuis que tu es une toute petite chose.

Laurel grimaça.

Merci, Grand Frère.

— Comment as-tu eu ces cloques ?

Shar se leva et croisa les bras sur son torse.

Laurel roula des yeux et se détourna.

— Ce n'est pas un jeu, Laurel.

Shar lui attrapa le poignet, et pas avec délicatesse.

— Il n'y a qu'une raison d'utiliser le sérum monas-tuolo, et ce n'est pas « pour le plaisir ».

Laurel lui lança un regard furieux.

— J'ai eu quelques ennuis, dit-elle brièvement. J'ai réglé la situation.

— Réglé ?

— Oui, réglé. Je ne suis pas complètement impuissante, tu sais.

— Vas-tu me raconter ce qui s'est passé ?

— Je m'en suis occupée ; ce n'est pas important, répondit-elle, essayant de dégager son bras.

— Tu ne m'as peut-être pas entendu, Laurel. J'ai dit que ce n'était pas un jeu. Penses-tu que c'est un jeu ? demanda-t-il, les yeux durs et jetant des éclairs. Un concours entre toi et les trolls ? Parce que je soupçonne que ce petit « problème » était le même troll qui te pourchassait l'an dernier. Le même troll qui sait que le portail se trouve sur cette terre. Le troll qui n'y réfléchirait pas à deux fois avant de te tuer, ainsi que toutes les fées du royaume d'Avalon. Ton petit *problème* menace nos vies, Laurel.

Elle se dégagea et croisa les bras sur sa poitrine, sans rien dire.

— J'ai une fille, le savais-tu ? Une petite fille de deux ans, à peine plus qu'un jeune plant. J'aimerais qu'elle garde son père au moins pendant les cent prochaines années, si cela ne te dérange pas. Mais les chances que cela se concrétise diminuent abruptement en ce moment parce que tu montres cette détermination digne d'un cerveau animal de *régler* toi-même les problèmes. Alors, je te repose la question, Laurel, vas-tu me raconter ce qui s'est passé ?

Sa voix ne s'était pas élevée, mais Laurel avait les oreilles qui bourdonnaient comme s'il avait crié. C'était plus qu'elle pouvait en supporter. Elle se frotta les yeux avec les paumes de ses mains, essayant de stopper les larmes, mais ce fut inutile ; elles vinrent quand même. Elle avait tout gâché. Elle avait laissé tomber tout le monde qui avait la moindre petite parcelle d'importance pour elle. Même Shar.

Un vif murmure de Shar incita Laurel à relever brusquement la tête. Il avait dit quelque chose dans une langue qu'elle ne comprenait pas, mais il ne semblait pas s'adresser à elle. Elle s'obligea à arrêter de pleurer et ses yeux parcoururent rapidement les arbres l'entourant. Mais personne n'apparut et l'attention de Shar était toujours sur elle.

Laurel hocha la tête d'un air hébété.

— D'accord, lâcha-t-elle doucement, je vais te raconter.

Shar regarda Laurel quitter la clairière et monter dans sa voiture après avoir terminé son récit à propos de Barnes. Elle avait répondu à toutes ses questions.

Toutes celles auxquelles elle avait les réponses, en tout cas.

Shar attendit debout, immobile contre un arbre jusqu'à ce que sa voiture — le clignotant enclenché de manière agaçante — tourne sur l'autoroute.

— Tu peux te montrer à présent, Tam, lança-t-il.

Tamani sortit de derrière un arbre, les yeux rivés sur la voiture de Laurel qui s'éloignait.

— Merci d'être resté à ta place — même si tu as failli ne pas le faire, ajouta-t-il avec ironie.

Tamani se contenta de hausser les épaules.

— Elle ne m'en aurait pas autant dit si tu avais été là. Elle devait penser que tu étais parti. Maintenant, elle nous a réellement tout raconté.

— Elle n'avait pas beaucoup le choix, affirma Tamani d'une voix monotone. Pas de la façon dont tu l'interrogeais.

Il marqua une pause de quelques secondes.

— Tu as été plutôt dur avec elle, Shar.

— Tu m'as vu être dur avec quelqu'un, Tam. Ce n'était pas dur.

— Ouais, mais...

— Elle devait l'entendre, Tamani, dit sèchement Shar. Elle est peut-être ta responsabilité, mais le portail est la mienne. Elle doit savoir à quel point c'est sérieux.

Tamani serra les mâchoires, mais ne discuta pas.

— Je suis désolé de l'avoir fait pleurer, ajouta Shar à contrecœur.

— Alors, sommes-nous d'accord sur ce qui doit être fait maintenant ?

Shar hocha la tête.

Tamani sourit.

— Cela prendra des mois, Tamani. C'est une tâche énorme que tu entreprends.

— Je sais.

— Et elle est bien venue pour dire au revoir.

— Je sais, dit-il d'une voix douce.

Il se tourna pour regarder Shar.

— Mais tu veilleras sur elle?

— Je te le promets.

Il marqua une pause.

— Je vais assigner davantage de sentinelles à sa maison. Si Barnes a réussi à éloigner toute l'équipe de chez elle hier soir, alors les sentinelles n'étaient pas assez nombreuses. Je m'assurerai que ce soit le cas la prochaine fois.

— Y aura-t-il une prochaine fois?

Shar hocha la tête.

— J'en suis certain. Barnes était une brindille, peut-être une branche, mais la mauvaise herbe comme lui pousse de la racine. Je ne suis pas trop fier d'admettre que j'ai peur de ce que nous ne voyons pas.

Il jeta un coup d'œil à Tamani.

— Si je n'en étais pas si convaincu, je ne te laisserais pas faire cela.

Ils regardèrent le sentier, vers la maisonnette vide avec son jardin envahi par la végétation et son extérieur vieillissant.

— Tu es prêt pour cela? demanda Shar.

— Ouais, répondit Tamani, un grand sourire s'épanouissant sur son visage. Oh, ouais.

REMERCIEMENTS

Plus j'en apprends sur l'édition, moins je pense que les auteurs ont du mérite. Pour un million de raisons au moins, voici mes champions : Erica Sussman, Susan Katz, Kate Jackson, Ray Shappell, Cristina Gilbert, Erin Gallagher, Jocelyn Davies, Jennifer Kelaher, Elise Howard, Cecilia de la Campa, Maja Nikolic, Alec Shane et les innombrable personnes chez HarperCollins and Writers House qui ont travaillé sans relâche à faire de cette série un succès.

Un merci particulier va à mes chevaliers servants personnels, mon éditrice plus qu'extraordinaire, Tara Weikum ; ma formidable agente, Jodi Reamer ; et la plus patiente des agentes de publicité, Laura Kaplan. Vous trois travaillez si dur pour moi et je vous suis reconnaissante pour chaque instant.

Mes amis, mes merveilleux amis, vous vous reconnaissez tous et savez ce que vous avez fait, et je promets de ne pas vous dénoncer pour cela : David McAfee, Pat Wood, John Zakour, James Dashner, Sarah Cross,

Sarah MacLean, Sarah Rees Brennan, Carrie Ryan, Saundra Mitchell, R.J. Anderson, Heidi Kling, Stephenie et toute la bande de Feast of Awesome. Vous êtes géniaux et avez un goût très douteux en matière d'amis, ce pour quoi je vous suis reconnaissante. Mes lectrices Beta, Hannah, Emma et Bethany, je vais continuer à vous envoyer des trucs ! Et merci aux auteurs Claire David et William Bernhardt pour m'avoir aidée à apprendre mon art. Je poursuis mes efforts !

Ma famille et ma belle-famille : personne n'a jamais eu une famille d'un si grand soutien, j'en suis convaincue. Un immense merci à Audrey, Brennan et Gideon ; vous êtes mes rayons de soleil, vous le serez toujours. Enfin, Kenny, le dernier mais le premier, tu accompagnes tous mes pas. Et mes faux pas. Ce n'a pas été facile, mais tu en donnes l'impression.

Premier livre de la série

« *AILES* EST LE DÉBUT D'UNE SÉRIE FANTASTIQUE »
— Stephenie Meyer, auteure de la saga *Twilight*

Ailes

APRILYNNE PIKE

A•A

A>**A**
éditions

www.AdA-inc.com
info@AdA-inc.com

95 arbres sauvés